Paddy Clarke Ha Ha Ha

RODDY DOYLE

De Commitments
De bus
De bastaard
De Barrytown trilogie
De vrouw die tegen de deur aanliep
De ster Henry Smart

Leverbaar bij
Uitgeverij Nijgh & Van Ditmar

Roddy Doyle

Paddy Clarke Ha Ha Ha

Singel Pockets

Eerste druk 1993
Vierde druk (als Singel Pocket) 1995
Zevende druk 2000

Singel Pockets is een samenwerkingsverband tussen
BV Uitgeverij De Arbeiderspers, Uitgeverij De Bezige Bij BV,
Uitgeverij Nijgh & Van Ditmar en Em. Querido's Uitgeverij BV

Oorspronkelijke uitgave:
Uitgeverij Nijgh & Van Ditmar

Oorspronkelijke titel: *Paddy Clarke Ha Ha Ha*
Uitgave: Secker & Warburg Londen 1993
Vertaald door Rob van Moppes

Omslagontwerp: Tessa van der Waals
Foto omslag: Derek Speirs/Report

ISBN 90 413 5004 7 / NUGI 301

We liepen door de straat. Kevin bleef bij een hek staan en gaf er een mep tegen met zijn stok. Het was het hek van mevrouw Quigley; ze stond altijd voor het raam te kijken maar ze zei er nooit wat van.

'Quigley!'

'Quigley!'

'Quigley Quigley Quigley!'

Liam en Aidan liepen hun steegje in. Wij zeiden niks; zij zeiden niks. Liam en Aidan hadden een dode moeder. Mevrouw O'Connell heette ze.

'Tof lijkt me dat, weet je?' zei ik.

'Zeker weten,' zei Kevin. 'Het einde.'

We hadden het over het hebben van een dode moeder. Sinbad, mijn kleine broertje, begon te huilen. Liam zat bij mij in de klas. Hij had het op een dag in zijn broek gedaan – de geur sloeg ons tegemoet als de hittevlaag wanneer je een ovendeur opendoet – en de meester deed niks. Hij begon niet te schreeuwen of met zijn riem op zijn bureau te slaan of zoiets. Hij zei dat we onze armen over elkaar moesten doen en moesten doen alsof we sliepen en toen droeg hij Liam de klas uit. Het duurde eeuwen voor hij terugkwam en Liam kwam helemaal niet meer terug.

James O'Keefe fluisterde: 'Als ik 't in m'n broek had gedaan dan had hij me gesloopt!'

'Mooi wel.'

"'t Is niet eerlijk,' zei James O'Keefe. 'Mooi niet.'

De meester, meneer Hennessey, had de pik op James O'Keefe. Toen hij een keer bezig was iets op het bord te schrijven en met zijn rug naar ons toe stond, zei hij: 'James O'Keefe, ik weet dat je wat in je schild voert. Wee je gebeente.' En dat zei hij op een ochtend dat James O'Keefe niet eens op school was. Hij lag thuis met de bof.

Henno bracht Liam naar de leraren-wc en veegde zijn kont af en toen bracht hij hem naar het kantoor van de bovenmeester en de bovenmeester bracht hem in zijn auto naar zijn tante, want bij hem was niemand thuis. Liams tante woonde in Raheny.

'Hij heeft twee rollen wc-papier gebruikt,' vertelde Liam ons. 'En hij heeft me een gulden gegeven.'

'Nietes; laat zien dan.'

'Kijk.'

'Dat is maar een kwartje.'

'De rest heb ik opgemaakt,' zei Liam.

Hij haalde een bijna leeg zakje toffees uit zijn zak en liet het ons zien.

'Zie je wel,' zei hij.

'Geef ons 'r 's een.'

'Er zit er nog maar één in,' zei Liam; hij stak het zakje terug in zijn broekzak.

'Jeetje,' zei Kevin.

Hij gaf Liam een duw.

Liam ging naar huis.

Vandaag kwamen we terug van het bouwterrein. We hadden een zooi spijkers van vijftien centimeter en een paar stukken hout gepikt om bootjes van te maken en toen we bezig waren bakstenen in een sleuf vol nat cement te duwen, was Aidan opeens weggerend. Wij konden zijn astma horen en gingen er ook vandoor. We werden achternagezeten. Ik moest op Sinbad wachten. Ik keek achterom en er zat helemaal niemand achter ons aan, maar ik zei niks. Ik pakte Sinbads hand en rende door tot ik de anderen had ingehaald. We hielden stil toen we het veld af waren en bij de straat waren aangekomen. We lachten. Schaterend renden we op het gat in de omheining af. We doken erin en keken achterom om te zien of iemand achter ons aanzat. Sinbads mouw bleef in het hek haken.

'Die kerel komt eraan!' zei Kevin en hij glipte door de opening.

We lieten Sinbad in de omheining vastzitten en deden alsof we de benen namen. We hoorden hem snotteren. We gingen op onze hurken achter de palen van het hek van het laatste huis zitten, waar de weg ophield en de afrastering begon, bij het huis van de O'Driscolls.

'Patrick,' jammerde Sinbad.

'Sinbaaaad,' zei Kevin.

Aidan had de knokkels van zijn hand in zijn mond gestoken. Liam gooide een steen naar de afrastering.

'Dat zeg ik tegen mammie,' zei Sinbad.

Ik vond 't welletjes. Ik maakte Sinbad los uit het hek en liet hem zijn neus aan mijn mouw afvegen. We gingen naar huis om te eten; dinsdag, jachtschotel.

De pa van Liam en Aidan huilde tegen de maan. 's Avonds laat, in zijn achtertuin; niet elke avond, alleen af en toe. Ik had hem nooit gehoord maar Kevin zei het. Mijn ma zei dat hij dat deed omdat hij zijn vrouw miste.

'Mevrouw O'Connell?'

'Ja.'

Mijn pa was het met haar eens.

'Hij heeft verdriet,' zei mijn moeder. 'De arme man.'

Kevins vader zei dat meneer O'Connell jankte omdat hij dronken was. Hij noemde hem nooit meneer O'Connell; hij noemde hem de Kluns.

'Moet hij nodig zeggen,' zei mijn moeder toen ik het haar vertelde. En toen zei ze: 'Je moet niet naar hem luisteren, Patrick; hij kletst maar wat. Waar zou hij trouwens dronken moeten worden? Er zijn geen kroegen in Barrytown.'

'Er zijn er drie in Raheny,' zei ik.

'Da's kilometers ver weg,' zei ze. 'Die arme meneer O'Connell. Ik wil er geen woord meer over horen.'

Kevin had tegen Liam gezegd dat hij had gezien dat zijn ouweheer omhoog keek naar de maan en jankte als een weerwolf.

Liam zei dat hij een liegbeest was.

Kevin daagde hem uit dat nog eens te zeggen maar dat deed hij niet.

Ons eten was nog niet klaar en Sinbad had een van zijn schoenen op het bouwterrein laten liggen. Ze hadden ons verboden daar te spelen en daarom zei hij tegen onze ma dat hij niet wist waar hij hem had gelaten. Ze gaf hem een tik tegen de achterkant van zijn benen. Ze hield zijn arm beet maar hij bleef haar voor en daarom kon ze hem niet goed raken. Toch begon hij te huilen, en zij hield op.

Sinbad was een echte huilebalk.

'Het geld groeit me niet op m'n rug,' zei ze tegen Sinbad.

Zij huilde ook bijna.

Ze zei dat we na het eten de schoen moesten gaan zoeken, ik ook, omdat ik op hem had moeten passen.

Dan zouden we er in het donker op uit moeten, door het gat in de omheining kruipen, door het veld lopen en door de modder en de greppels en langs de bewakers. Ze zei dat we onze handen moesten wassen. Ik deed de badkamerdeur dicht en zette het Sinbad betaald; ik haakte hem pootje.

Ik moest Deirdre in haar wiegje in de gaten houden toen mijn ma Sinbad schone sokken aantrok. Ze veegde zijn neus af en keek eeuwenlang in zijn ogen en duwde de tranen weg met haar knokkel.

'Kom; kom; zo erg is 't nou ook weer niet.'

Ik was bang dat ze hem zou vragen wat hem scheelde en dat hij het zou zeggen. Ik schommelde het wiegje heen en weer, precies zoals zij altijd deed.

We stookten fikkies. We stookten altijd fikkies.

Ik trok mijn trui uit zodat de rook er niet in zou trekken. Het was knap koud maar dat kon me niet zoveel schelen. Ik zocht naar een schoon plekje om mijn trui neer te leggen. We waren op het bouwterrein. Het bouwterrein veranderde voortdurend, het omheinde gedeelte tenminste, waar de graafmachines en de stapels stenen en de keet stonden waarin de bouwvakkers zaten en thee dronken. Er lag altijd een hoop broodkorsten voor de deur van de keet, een enorme stapel korsten met jamvlekken aan de zijkant. We keken door de afrastering naar een zeemeeuw die een van de korsten probeerde op te pikken – hij was te lang voor de snavel van de meeuw: hij had hem in het midden moeten pakken – toen een andere

9

korst door de open deur naar buiten werd gesmeten en de kop van de meeuw aan de zijkant raakte. We hoorden het bulderende gelach van de mannen in de keet.

Soms gingen we naar het bouwterrein en dan was het er niet meer, alleen nog een vierkant stuk grond met kapotte stenen en bandensporen. Er was een nieuwe weg waar de vorige keer dat we er waren nog nat cement lag en het nieuwe bouwterrein lag aan het einde van die weg. We gingen naar de plek waar we onze namen met stokken in het beton hadden geschreven, maar ze waren weggestreken; ze waren er niet meer.

'Da's lullig,' zei Kevin.

Onze namen stonden overal in Barrytown, op de wegen en de paden. Je moest het 's avonds doen als iedereen naar huis was, behalve de bewakers. Als ze dan 's ochtends de namen zagen, was het te laat, dan was het beton al hard. Alleen onze voornamen, voor het geval de werklui het in hun hoofd haalden in Barrytown Road van deur tot deur te gaan om de jongens te zoeken die hun naam in het natte cement hadden gekrast.

Er was niet één bouwterrein; er waren er massa's, allerlei verschillende soorten huizen.

We schreven Liams naam en adres met een zwarte viltstift op een pas gepleisterde muur in een van de huizen. Er gebeurde niks.

Mijn moeder merkte een keer dat ik naar brandlucht rook. Eerst zag ze mijn handen. Ze pakte er een.

'Kijk je handen nou toch 's,' zei ze. 'Moet je je nagels zien! Mijn god, Patrick, je bent zeker in de rouw.'

Toen rook ze me.

'Wat heb jij uitgespookt?'

'Een vuurtje uitgemaakt.'

Ze was des duivels. Het ergste was de onzekerheid of ze het tegen mijn pa zou zeggen als hij thuiskwam.

Kevin had de lucifers, zo'n doosje met een zwaluw erop. Fantastische doosjes vond ik dat. We hadden een kleine wigwam gemaakt van planken en stokken en hadden twee kartonnen dozen van achter de winkels meegenomen. De dozen werden in stukken gescheurd en onder het hout gelegd. Hout alleen brandde niet snel genoeg. Het was nog dag. Kevin streek een lucifer af. Ik en Liam keken om ons heen of er iemand aankwam. Er was verder niemand. Aidan logeerde bij zijn tante. Sinbad was in het ziekenhuis omdat zijn amandelen moesten worden geknipt. Kevin hield de lucifer onder het karton, wachtte tot het brandde en liet toen de lucifer los. We keken hoe de vlammetjes aan het karton knaagden. Toen zochten we haastig dekking.

Ik kon eigenlijk niet goed met lucifers overweg. De lucifer brak af of hij wilde niet aan of ik streek langs de verkeerde kant van het doosje; of hij ging aan en dan liet ik hem te snel los.

We wachtten achter een van de huizen. Als de bewaker eraan kwam konden we maken dat we wegkwamen. We waren in de buurt van de afrastering, onze ontsnappingsroute. Kevin zei dat ze je niks konden maken zolang ze je niet op het bouwterrein betrapten. Als ze ons pakten of ons op de weg een pak rammel gaven, dan konden we ze aanklagen. We konden het vuur niet goed zien. We wachtten. Het was nog geen echt huis, alleen een paar muren. Het was een rijtje van zes huizen naast elkaar. De huizen werden gebouwd door de Corporatie. We wachtten nog een poosje. Ik had mijn trui vergeten.

'O, o.'

'Wat is 'r?'

'O, kolere.'

'Stront aan de knikker.'

We slopen om het huis heen; niet het hele stuk, want dat duurde te lang. Er stond een ton in de buurt van de plek waar ik mijn trui had neergelegd. Ik rende erop af en verschool me erachter. Ik maakte me zo klein mogelijk en ademde heel hard in en uit, en bereidde me voor op de aanval. Ik keek achterom; Kevin stond rechtop, keek om zich heen en ging weer op zijn hurken zitten.

'Kust veilig,' siste hij.

Ik ademde nog één keer diep in, kwam achter de ton vandaan en sprintte op de trui af. Niemand schreeuwde. Toen ik de trui van de stenen griste, maakte ik een geluid alsof er bommen ontploften. Ik dook weer weg achter de ton.

Het vuur brandde goed, met lekker veel rook. Ik pakte een steen en gooide die naar het vuur. Kevin ging weer rechtop staan om te zien of de bewaker eraan kwam. De kust was veilig en hij gebaarde me dat ik terug kon komen. Ik rende gebukt naar hem toe en bereikte de zijkant van het huis. Kevin gaf me een klap op mijn schouder. Liam ook.

Ik bond de trui om mijn middel. Ik legde een dubbele knoop in de mouwen.

'Kom op, mannen.'

Kevin sprong achter onze dekking vandaan; we volgden hem en dansten om het vuur.

'Woe woe woe woe woe.'

We hielden onze handen voor onze mond en maakten onze Indianen-geluiden.

'Hie-jaa-jaa-jaa-jaa-jaa-jaa.'

Kevin schopte de brandstapel in mijn richting maar hij stortte alleen maar in. Als vuurtje stelde het weinig meer voor. Ik hield op met dansen. Kevin en Liam ook. Kevin duwde en trok Liam naar het vuur toe.

'La me los!'

Ik hielp Kevin. Liam ging als een wilde tekeer, dus lieten we hem los. We zweetten. Ik kreeg een idee.

'De bewaker is een kloot-zak!'

We renden terug naar de plek achter het huis en lachten. We deden allemaal mee.

'De bewaker is een kloot-zak! De bewaker is een kloot-zak!'

We hoorden wat; Kevin tenminste.

We gingen ervandoor en renden over het overgebleven stuk veld. Ik zigzagde, met mijn hoofd omlaag, zodat ik niet door kogels kon worden getroffen. Ik dook door het gat in de greppel. We vochten, we stompten elkaar alleen maar. Liam miste mijn schouder en raakte mijn oor en dat deed pijn, dus moest hij mij een knal op zijn oor laten teruggeven. Hij stak zijn handen in zijn zakken om te laten zien dat hij niet zou proberen me tegen te houden.

We kropen uit de greppel omdat de muggen op ons gezicht gingen zitten.

Sinbad wilde de aanstekerbenzine niet in zijn mond.

'Het is levertraan,' zei ik tegen hem.

'Nietes,' zei hij.

Hij wrong zich in alle bochten, maar ik hield hem vast.

We waren op het schoolplein, in de fietsenstalling.

Ik vond levertraan lekker. Als je het plastic met je tanden doorbeet, dan verspreidde de olie zich in je mond, als inkt in vloeipapier. Het was warm; dat vond ik lekker. Het plastic voelde ook lekker aan.

Het was maandag; Henno had pleinwacht, maar hij bleef altijd aan de andere kant om te kijken naar de jongens die handbal speelden. Hij was maf; als hij onze kant op was gekomen had hij een heleboel van ons op heterdaad kunnen betrappen. Als een meester vijf jongens had betrapt op roken of andere ernstige vergrijpen, dan kreeg hij een bonus op zijn salaris; dat beweerde Fluke Cassidy en zijn oom was schoolmeester. Maar Henno had alleen maar oog voor het handbal en soms trok hij zijn jasje en zijn trui uit en deed mee. Hij was grandioos. Als hij een bal raakte, dan kon je hem pas zien als hij de muur raakte; het was net een kogel. Hij had een sticker op zijn auto: Leef langer, speel handbal.

Sinbads lippen waren onzichtbaar omdat hij ze zo hard op elkaar perste; we kregen zijn mond niet open. Kevin drukte de brandstofcapsule tegen zijn mond maar hij kreeg hem er niet in. Ik kneep in Sinbads arm; dat hielp ook al niet. Dit was een afgang; in het bijzijn van de anderen kon ik mijn kleine broertje niet eens de baas. Ik pakte het haar boven zijn oor en trok eraan; ik tilde hem op: ik wilde hem alleen maar pijn doen. Hij had zijn ogen ook dichtgeknepen, maar de tranen liepen eruit. Ik kneep zijn neus dicht. Hij hapte naar adem en Kevin schoof de capsule voor de helft zijn mond in. Toen stak Liam hem aan met een lucifer.

Wij, ik en Kevin, hadden afgesproken dat Liam hem

moest aansteken, voor het geval we gepakt werden.

Hij spuugde vuur als een draak.

Ik heb liever een vergrootglas dan lucifers. Middagen lang waren we bezig plukjes gemaaid gras te verbranden. Ik vond het prachtig om te zien hoe het gras van kleur veranderde. Ik genoot als het vlammetje door het gras schoot. Je had het meer in de hand met een vergrootglas. Het was gemakkelijker maar het vereiste meer vaardigheid. Als de zon lang genoeg scheen, kon je door een vel papier heen branden zonder het aan te raken, je legde alleen een paar stenen op de hoeken om te voorkomen dat het wegwoei. We deden wedstrijdjes: in brand steken, uitblazen, in brand steken, uitblazen. Wie als laatste zijn papier door midden had gebrand, moest de ander in zijn hand laten branden. We tekenden een mannetje op het papier en brandden daar gaten in; in zijn handen en in zijn voeten, net als Jezus. We tekenden hem met lang haar. Zijn piemel bewaarden we voor het laatst.

We maakten paden tussen de brandnetels. Mijn ma wilde weten waarom ik op zo'n prachtige dag mijn houtje-touwtje jas en mijn wanten aan had.

'We zijn onkruid aan het wieden,' zei ik haar.

De brandnetels waren enorm; reusachtig waren ze. De bulten die ze je bezorgden, waren kolossaal en als ze niet meer staken, dan jeukten ze nog eeuwen. Ze overwoekerden een groot deel van het veld achter de winkels. Verder groeide daar helemaal niks, alleen brandnetels. Nadat we ze met zijwaartse zwaaien van onze stokken en hockeysticks omver hadden gemept, moesten we ze platstampen. Het sap uit de planten spatte op. We baanden ons een weg door de brandnetels, ieder zijn eigen weg vanwege de rondzwaaiende stokken en hockeysticks. Toen we naar huis gingen, kruisten de paden elkaar en was er geen brandnetel meer over. De hockeysticks waren groen en ik had twee bulten in mijn gezicht; ik had mijn bivakmuts afgezet omdat mijn hoofd jeukte.

Ik zat naar kruimels te kijken. Mijn pa legde zijn hand op het vergrootglas en ik liet het hem pakken. Hij keek naar de haartjes op zijn hand.

'Van wie heb je dat?' vroeg hij.

'Van jou.'

'O, da's waar ook; dat heb je van mij.'

Hij gaf het terug.

'Aardig van mij.'

Hij drukte zijn duim hard tegen het blad van de keukentafel.

'Kijk eens of je de afdruk kunt zien,' zei hij.

Dat leek me sterk.

'De vingerafdruk,' zei hij. 'Van mijn duim.'

Ik schoof mijn stoel dichter naar hem toe en hield het vergrootglas boven de plek waar zijn duim was geweest. We keken allebei door het vergrootglas.

'Zie je wat?' vroeg hij.

'Nee.'

'Kom mee,' zei hij.

Ik volgde hem naar de woonkamer.

'Waar gaan jullie heen nu het eten net klaar is?' vroeg mijn ma.

'Zo terug,' zei mijn pa.

Hij legde zijn hand op mijn schouder. We liepen naar het raam.

'Ga daar op staan, dan zullen we 's zien.'

Hij schoof de leunstoel bij zodat ik daar op kon staan.

'Kom op.'

Hij trok de luxaflex omhoog. Hij sprak ertegen.

'Weg jullie, dan zullen we die snuiter 's even met zijn neus op de feiten drukken.'

Hij gaf een ruk aan het touwtje en hield het nog even vast om er zeker van te zijn dat de luxaflex aan beide kanten omhoog bleef.

Hij drukte zijn duim tegen het glas.

'Kijk nou nog 's.'

De vlek veranderde in lijnen, kromme groeven.

'En nu de jouwe,' zei hij.

Ik drukte hard met mijn duim tegen de ruit. Hij hield me vast zodat ik niet van de stoel viel.

Ik keek.

'Zijn ze hetzelfde?' vroeg hij.

'Die van jou is groter.'

'Afgezien daarvan.'

Ik zei niks; ik wist het niet precies.

'Ze zijn allemaal anders,' zei hij. 'Geen twee mensen hebben dezelfde vingerafdrukken. Wist je dat?'

'Nee.'

'Dan weet je het nu.'

Een paar dagen later ontdekte Napoleon Solo vingerafdrukken op zijn koffertje.

Ik keek mijn vader aan.

'Zie je nou wel,' zei hij.

De schuur was niet onze schuld. Wij hadden hem niet in de fik gestoken.

De schuur hadden ze laten staan. Toen de Corporatie Donnelly's boerderij kocht, kocht hij een nieuwe in de buurt van Swords. Hij bracht er alles naar toe behalve zijn huis en de schuur, en de stank. De stank was echt vreselijk als het regende. De regen maakte de varkensmest die daar al jaren had gelegen nat. De schuur was enorm groot en groen, en een moordplek als hij vol hooi lag. Voor de nieuwe huizen er stonden, kropen we aan de achterkant naar binnen. Dat was linke soep. Donnelly had een geweer en een hond met één oog. Cecil, zo heette die hond. Donnelly had ook nog een gekke broer, oom Eddie. Hij verzorgde de kippen en de varkens. Hij veegde elke keer als een auto of een trekker viezigheid had achtergelaten de stenen en het grind op de oprijlaan voor het huis schoon. Oom Eddie liep een keer langs ons huis toen mijn ma het hek stond te schilderen.

'God sta hem bij,' zei ze binnensmonds maar luid genoeg om door mij te worden gehoord.

Toen we op een keer 's avonds aan tafel zaten, had mijn ma het over oom Eddie.

'God sta hem bij,' zei ik en mijn pa gaf me een stomp tegen mijn schouder.

Oom Eddie had twee ogen maar toch leek hij een beetje op Cecil omdat een van zijn ogen bijna dicht zat. Mijn pa zei dat dat kwam omdat het oog een keer op de tocht had gestaan toen oom Eddie door een sleutelgat keek.

Als je een gek gezicht trok of deed alsof je stotterde en de wind draaide of iemand gaf je een klap op je rug, dan bleef je altijd zo. Declan Fanning – hij was veertien en zijn ouders dachten erover om hem naar kostschool te sturen omdat hij rookte – die stotterde en dat kwam omdat hij iemand belachelijk had gemaakt die stotterde en iemand anders hem toen een klap op zijn rug had gegeven.

Oom Eddie stotterde niet maar hij kon maar twee woorden zeggen; groots, groots.

Tijdens de mis zaten de Donnelly's een keer achter ons en pater Moloney zei: 'U kunt weer gaan zitten.'

We stonden op uit onze geknielde houding en oom Eddie zei: 'Groots, groots.'

Sinbad proestte het uit. Ik keek mijn vader aan zodat hij niet zou denken dat ik het was.

Je kon over de hooibalen in de schuur helemaal omhoog klimmen. We doken van de ene verdieping balen op de verdieping daaronder. We deden ons nooit pijn; grandioos was dat. Liam en Aidan zeiden dat hun oom Mick, de broer van hun ma, net zo'n schuur had als die van Donnelly.

'Waar?' vroeg ik.

Dat wisten ze niet.

'Waar staat-ie?'

'Op het platteland.'

We zagen muizen. Ik heb ze nooit gezien, maar ik heb ze gehoord. Ik zei dat ik ze had gezien. Kevin heeft er massa's gezien. Ik heb een platgereden rat gezien. De bandensporen liepen er dwars overheen. We probeerden hem in de fik te steken, maar dat lukte niet.

We zaten helemaal boven in de hooiberg. Oom Eddie kwam binnen. Hij wist niet dat wij er waren. We hielden onze adem in. Oom Eddie liep twee rondjes en toen weer naar buiten. Het zonlicht viel als een blok door de deuropening naar binnen. Het was zo'n schuifdeur van golfplaten. De hele schuur was van golfplaten. We zaten zo hoog dat we het dak konden aanraken.

De schuur was omringd door geraamten van huizen. De weg die erlangs liep, werd verbreed en er lagen piramides van enorme pijpen aan het eind van de weg, aan de zeekant. De weg zou een hoofdweg naar het vliegveld worden. Kevins zuster, Philomena, zei dat de schuur eruitzag als de moeder van de huizen die op ze paste. Wij zeiden dat ze niet goed snik was, maar ze had gelijk; het leek net de moeder van de huizen.

Drie brandweerkorpsen kwamen uit de stad om de brand te blussen maar dat lukte ze niet. De hele weg stond onder water. Het gebeurde 's nachts. Toen we de volgende ochtend opstonden, was het vuur al uit en onze ma zei dat we uit de buurt van de schuur moesten blijven en ze hield ons scherp in de gaten om er zeker van te zijn dat we gehoorzaamden. Ik klom in de appelboom maar ik kon niks zien. Het was een boompje van niks en hij zat vol bladeren. Meer dan een paar armzalige appeltjes kwamen er nooit aan.

Ze vonden een doosje lucifers buiten de schuur; dat hoorden we later. Mevrouw Parker van de arbeidershuisjes had het onze ma verteld. Mevrouw Parker werkte voor Donnelly; ze reed op de trekker en ging elke zaterdagmiddag met oom Eddie naar de bioscoop.

'Die onderzoeken ze op vingerafdrukken,' zei ik tegen mijn ma.

'Ja. Dat zou best kunnen.'

'Die onderzoeken ze op vingerafdrukken,' zei ik tegen Sinbad. 'En als ze jouw vingerafdrukken op de lucifers aantreffen, dan komen ze je arresteren en dan stoppen ze je in de Jongensfanfare van Artane.'

Sinbad geloofde me niet maar hij was er toch niet helemaal gerust op.

'Dan moet je triangel spelen omdat je van die rare lippen hebt.'

Hij kreeg tranen in zijn ogen; ik haatte hem.

Oom Eddie was in het vuur omgekomen; dat hoorden we ook. Mevrouw Byrne van twee huizen verderop vertelde het mijn ma. Ze fluisterde het in haar oor en ze sloegen allebei een kruis.

'Misschien is dat nog maar het beste,' zei mevrouw Byrne.

'Ja,' zei mijn moeder.

Ik popelde om naar de schuur te gaan om oom Eddie te zien, als ze hem niet al hadden weggehaald. Mijn ma liet ons picknicken in de tuin. Mijn pa kwam thuis van zijn werk. Hij ging met de trein naar zijn werk. Mijn moeder stond op van de picknick om met hem te praten zonder dat wij het konden horen. Ik wist wat ze hem vertelde, over oom Eddie.

'Meen je dat?' zei mijn pa.

Mijn ma knikte.

'Daar heeft hij me niks over verteld toen ik hem daarnet op straat tegenkwam. Hij zei alleen maar Groots groots.'

Even was het stil en toen barstten ze in lachen uit, allebei.

Hij was helemaal niet dood. Hij was niet eens gewond.

De schuur werd nooit meer groen. Hij was helemaal kromgetrokken en ontwricht. Het dak was omhooggekruld als het deksel van een blikje. Het zwaaide krakend heen en weer. De grote deur stond tegen de muur van het erf. Hij was helemaal zwart. Een van de wanden was verdwenen. Het zwart viel van de wanden en het hele geval werd bruin en roestig.

Iedereen beweerde dat iemand van de nieuwe Corporatie-huizen het had gedaan. Later, ongeveer een jaar later, zei Kevin dat hij het had gedaan. Maar dat loog hij. Hij was met de caravan op vakantie in Courtown toen het gebeurde. Ik zei niks.

Op een mooie dag konden we de stofnesten bovenin onder het dak zien. Soms zat het in mijn haar als ik thuiskwam. Op winderige dagen vielen er grote stukken af. De bodem van de schuur was rood. De schuur brokkelde langzaam af.

Sinbad beloofde het.

Mijn ma streek zijn haar uit zijn ogen en ging er met haar vingers doorheen om het achterover te houden. Ze huilde ook bijna.

'Ik heb van alles geprobeerd,' zei ze tegen hem. 'Beloof het me nog eens.'

'Ik beloof het,' zei Sinbad.

Mijn ma begon zijn handen los te maken. Ik huilde ook.

Ze had zijn handen aan de stoel vastgebonden om te zorgen dat hij niet aan de korsten op zijn lippen pulkte. Hij had moord en brand geschreeuwd. Zijn gezicht was rood geworden, toen paars en een kreet van hem leek eeuwen te duren; hij ademde niet in. Sinbads lippen zaten onder de blaren van de aanstekerbenzine. Twee weken lang was het alsof hij geen lippen had.

'Steek je tong eens uit,' zei ze.

Ze wilde zien of hij niet zat te liegen.

'Oké, Francis,' zei ze. 'Geen vlekje te zien.'

Francis was Sinbad. Hij trok zijn tong weer in.

Ze liet zijn handen los maar hij bleef stil zitten. Ik liep naar ze toe.

Je rende over de pier en sprong en riep Reis Naar De Bodem Van De Zee, en degene die de meeste woorden zei voor hij in het water plonste, had gewonnen. Er was nooit een winnaar. Een keer haalde ik de tweede De maar Kevin, de scheids, zei dat mijn kont al in het water was voor ik bij Van was. We gooiden stenen naar elkaar, expres mis.

Ik verstopte me achter het dressoir toen de *Seaview* werd verzwolgen door een reusachtige kwal; het was verschrikkelijk. Eerst vond ik het niet erg en ik stopte mijn vingers in mijn oren toen mijn pa tegen mijn ma zei dat het belachelijk was. Maar toen de kwal de onderzeeër zo'n beetje omsingelde, kroop ik achter het dressoir. Ik had op mijn buik voor de televisie gelegen. Ik huilde niet. Mijn ma zei dat de kwal weg was, maar ik kwam pas terug toen ik hoorde dat het programma voorbij was. Daarna bracht ze me naar bed en ze bleef nog een poosje bij me. Sinbad sliep. Ik stond op om een glaasje water te halen. Ze zei dat ik er de volgende week niet meer naar mocht kijken maar dat vergat ze. Trouwens, de volgende week was er niks aan de hand. Het ging over een krankzinnige professor die een nieuwe torpedo had uitgevonden. Admiraal Nelson gaf hem een optater waardoor hij tegen de periscoop knalde.

'Zo mag ik 't zien,' zei mijn pa.

Hij zag het helemaal niet; hij hoorde het alleen. Hij keek niet eens op van zijn boek. Dat vond ik flauw; hij zat me in de maling te nemen. Mijn ma zat te breien. Ik was de enige die mocht opblijven om te kijken. Ik zei tegen Sinbad dat het grandioos was, maar ik zei niet waarom.

Ik was in het water aan de zeekant, met Edward Swanwick. Hij zat niet op dezelfde school als de meesten van ons. Hij zat op het Belvedere in de stad.

'Voor de Swanwicks is alleen het allerbeste goed genoeg,' zei mijn pa toen mijn ma hem vertelde dat ze in de winkel had gezien dat mevrouw Swanwick margarine kocht in plaats van echte boter.

Ze lachte.

Edward Swanwick moest een blazer en een das dragen en hij moest op rugby. Hij zei dat hij daar ontzettend van baalde, maar hij mocht elke dag alleen met de trein naar huis, dus zo erg was het nu ook weer niet.

We spetterden elkaar nat. We lachten niet meer omdat we het al eeuwen deden. Het was eb dus we moesten er zo langzamerhand uit. Edward Swanwick stootte zijn handen naar voren en stuurde een golf in mijn richting en daar zat een kwal in. Een enorme doorzichtige, met rose aderen en rood in het midden. Ik stak mijn armen hoog in de lucht en wilde opzij springen, maar hij raakte toch mijn zij. Ik gilde. Ik baande me door het water een weg naar de trap. Ik voelde dat de kwal mijn rug raakte; dat dacht ik tenminste. Ik gilde opnieuw; ik kon er niks aan doen. De bodem was bobbelig en rotsachtig aan de kant, niet zoals aan het strand. Ik bereikte de trap en greep de leuning.

'Het is een Portugees fregat,' zei Edward Swanwick.

Hij kwam met een wijde boog om de kwal heen naar de trap toe.

Ik kwam bij de tweede tree. Ik keek of ik vlekken zag. Kwallebeten gaan pas pijn doen als je uit het water bent. Er zat een rose striem aan de zijkant van mijn buik; ik zag het duidelijk. Ik was het water uit.

'Dat zet ik je betaald,' zei ik tegen Edward Swanwick.

'Het is een Portugees fregat,' zei Edward Swanwick.

'Moet je kijken.'

Ik liet hem mijn wond zien.

Hij was ook op het plankier aangekomen en keek over de reling naar de kwal.

Ik trok mijn zwembroek uit zonder dat geklooi met die handdoek. Er was toch verder niemand. De kwal dreef nog steeds in het water, als een slijmerige paraplu. Edward Swanwick was op zoek naar stenen. Hij liep de trap een paar treden af om er een paar te pakken, maar wilde niet terug het water in. Ik kreeg mijn T-shirt niet over mijn rug en borst omlaag omdat ik nat was. Het bleef aan mijn schouders plakken.

'Die beten zijn giftig,' zei Edward Swanwick.

Ik had mijn T-shirt inmiddels aan. Ik tilde het op om te zien of de vlek er nog steeds zat. Ik had het gevoel dat hij pijn begon te doen. Ik wrong mijn zwembroek uit over de reling. Edward Swanwick gooide stenen in de buurt van de kwal.

'Je moet 'm raken.'

Hij miste.

'Jij bent een grote flapdrol,' zei ik tegen hem.

Ik wikkelde mijn zwembroek in mijn handdoek. Het was zo'n grote zachte badhanddoek. Eigenlijk mocht ik die niet gebruiken.

Ik rende Barrytown Road helemaal af, de hele weg,

voorbij de arbeidershuisjes waar een spook woonde en een oud mens dat stonk en geen tanden had, voorbij de winkels; ik begon te huilen toen ik op drie tuinhekjes afstand van mijn huis was; achterom, door de keukendeur naar binnen.

Ma was de baby aan het voeden.

'Wat is er met jou aan de hand, Patrick?'

Ze keek omlaag om te zien of ik mijn been ergens aan had opengehaald. Ik trok mijn T-shirt uit om het haar te laten zien. Ik huilde nu echt. Ik wilde een knuffel en een zalfje en een verband.

'Een kwal... een Portugees fregat,' zei ik.

'Daar?'

'Au! Nee, kijk; die plek daar. Ze zijn heel erg giftig.'

'Ik zie niks... O, ja, nou zie ik 't.'

Ik trok mijn T-shirt omlaag en stopte het in mijn broek.

'Wat kunnen we het beste doen?' vroeg ze me. 'Zal ik naar hiernaast gaan en een ziekenwagen bellen?'

'Nee; zalf...'

'Oké, prima. Dat zal wel helpen. Kan ik eerst even Deirdre en Cathy eten geven voor we het erop smeren?'

'Ja.'

'Mooi zo.'

Ik drukte mijn hand hard tegen mijn zij om te zorgen dat die vlek bleef.

De waterkant was een afvoerkanaal. Er was een plankier achter met massa's traptreden ernaar toe. Als het springvloed was, overstroomde het water het plankier. Er liep ook een trap dieper het water in. Er was nog een trap aan de andere kant van het afvoerkanaal, maar aan die kant was het altijd koud en de stenen waren groter en puntiger. Het was een heel karwei om langs die kant in het water te komen. De pier was geen echte pier. Het was een pijp bedekt met cement. Het cement was niet glad. Er staken brokken steen en keien uit. Je kon er niet overheen rennen naar het eind. Je moest uitkijken waar je liep en je voet niet te hard neerzetten. Je kon niet lekker spelen aan de waterkant. Het barstte van het zeewier, het slib en de keien; je moest de bodem onder je voortdurend in de gaten houden. Je kon er eigenlijk alleen maar lekker zwemmen.

Ik was goed in zwemmen.

Sinbad ging er alleen maar in als onze ma met hem meeging.

Kevin kreeg een keer een gat in zijn hoofd toen hij van de pier af dook. Hij moest naar Jervis Street om het te laten hechten. Hij met zijn ma en zijn zus in een taxi.

Sommigen van ons mochten niet aan de waterkant zwemmen. Als je je teen openhaalde aan een steen, dan kon je kinderverlamming krijgen. Seán Rickard, een jongen uit Barrytown, is doodgegaan en ze zeiden dat dat kwam omdat hij een slok van dat vieze zeewater naar binnen had gekregen. Iemand anders zei dat hij een toverbal had doorgeslikt en dat die in zijn luchtpijp was blijven steken.

'Hij was in z'n eentje op zijn kamer,' zei Aidan. 'En hij kon niet op z'n rug meppen om hem los te krijgen.'

'Waarom ging hij niet naar de keuken?'

'Hij kreeg geen lucht.'

'Ik kan op m'n eigen rug slaan, kijk maar.'

We keken naar Kevin die op zijn eigen rug stond te bonken.

27

'Da's niet hard genoeg,' zei Aidan.

We probeerden het allemaal.

'Ze kletsen maar wat,' zei mijn moeder. 'Trek je er maar niks van aan.'

Ze ging zachter praten. 'Het arme schaap had leukemie.'

'Wat is leukemie?'

'Een ziekte.'

'Kun je die krijgen van water doorslikken?'

'Nee.'

'Hoe dan?'

'Niet van water.'

'Van zeewater?'

'Van geen enkel soort water.'

Het zeewater was dik in orde, zei mijn pa. De deskundigen van de Corporatie hadden het laten onderzoeken en er was niks mis mee.

'Zie je nou wel,' zei mijn ma.

Mijn opa Finnegan, haar vader, werkte bij de Corporatie.

Juffrouw Watkins, die ons les gaf voor we Henno kregen, bracht een theedoek mee met de onafhankelijkheidsverklaring erop omdat het vijftig jaar na 1916 was. De tekst stond in het midden en langs de randen stonden alle zeven mannen die hem hadden ondertekend. Ze prikte hem op het schoolbord en liet ons er één voor één naar kijken. Sommige jongens sloegen een kruis toen ze ervoor stonden.

'*Nach bhfuil sé go h'álainn,*[1] jongens?' zei ze steeds als er

[1] Is 't niet prachtig?

28

weer een paar jongens langs liepen.

'*Tá*," antwoordden wij.

Ik keek naar de namen die eronder stonden. Thomas J. Clarke was de eerste. Clarke, zo heette ik ook.

Juffrouw Watkins pakte haar *bata*[2] en las ons de verklaring voor, waarbij ze elk woord aanwees.

'Op dit cruciale moment moet de Ierse natie, met de heldhaftigheid en de discipline die haar eigen is, en met de bereidheid van haar kinderen zich op te offeren voor het algemeen belang, bewijzen het verheven lot waartoe zij is geroepen waardig te zijn. Namens de voorlopige regering getekend door Thomas J. Clarke, Seán MacDiarmada, Thomas MacDonagh, P.H. Pearse, Eamonn Ceannt, James Connolly, Joseph Plunkett.'

Juffrouw Watkins begon in haar handen te klappen en wij klapten mee. We begonnen te lachen. Ze keek ons aan en we hielden op met lachen maar bleven klappen.

Ik draaide me om naar James O'Keefe.

'Thomas Clarke is mijn opa. Zeg het voort.'

Juffrouw Watkins sloeg met de bata op het schoolbord.

'*Seasaígí suas.*'[3]

We moesten pas op de plaats maken naast onze banken.

'*Clé-deas, clé deas, clé.*'[4]

De muren van de dependance trilden. De dependancelokalen waren aan de achterkant van de school. Je kon eronder kruipen. De lak aan de voorkant was gaan bladderen door de zon; je kon de verf er zo aftrekken. Wij kregen pas een jaar later, toen we bij Henno in de klas kwamen,

1 Ja.   2 aanwijsstok   3 Sta op.   4 Links-rechts, links-rechts, links.

een lokaal in de echte school, die van steen. We vonden dat pas op de plaats maken maar wat leuk. We konden de planken onder ons voelen doorbuigen. We stampten zo heftig op de grond dat we het tempo niet konden bijhouden. Ze liet ons dat een paar keer per dag doen, als ze vond dat we zaten te suffen.

Toen we die keer pas op de plaats maakten, las juffrouw Watkins de onafhankelijkheidsverklaring voor.

'Ierse mannen en vrouwen: in de naam van God en van de gestorven generaties aan wie zij haar eeuwenoude traditie als natie dankt, roept Ierland ons, haar kinderen, bijeen onder haar blazoen en strijdt voor haar vrijheid.'

Ze moest ophouden. We stonden er maar wat op los te stampen. Ze sloeg tegen het bord.

'*Suígí síos.*'[1]

Ze keek geërgerd en teleurgesteld.

Kevin stak zijn vinger op.

'Juf?'

'*Sea?*'[2]

'Paddy Clarke zei dat zijn opa die Thomas Clarke op de theedoek is, juf.'

'Zo, zo, zei hij dat?'

'Ja, juf.'

'Patrick Clarke.'

'Ja, juffrouw.'

'Ga staan zodat we je kunnen zien.'

Het duurde eeuwen voordat ik uit mijn bank was.

'Is jouw grootvader Thomas Clarke?'

Ik glimlachte.

[1] Ga zitten.　[2] Ja.

'Nou, zeg op.'

'Ja, juffrouw.'

'Deze man hier?'

Ze wees op Thomas Clarke in een van de hoeken van de theedoek. Hij leek op een opa.

'Ja, juf.'

'Vertel ons dan maar eens waar hij woont.'

'In Clontarf, juf.'

'Waar?'

'In Clontarf, juf.'

'Kom naar voren, Patrick Clarke.'

Het enige wat je hoorde waren mijn voetstappen op de houten vloer.

Ze wees op de kleine lettertjes onder Thomas Clarkes hoofd.

'Lees ons eens voor wat daar staat, Patrick Clarke.'

'Ge... ge... ëxecuteerd door de Engelsen op 3 mei 1916.'

'Wat betekent Geëxecuteerd, Dermot Grimes, die in z'n neus zit te peuteren en denkt dat ik het niet zie?'

'Doodgemaakt, juf.'

'Precies. En volgens jou is dit jouw grootvader die in Clontarf woont, Patrick Clarke?'

'Ja, juffrouw.'

Ik deed alsof ik het plaatje nog eens goed bekeek.

'Ik vraag het nog één keer, Patrick Clarke. Is deze man jouw grootvader?'

'Nee, juffrouw.'

Ze gaf me drie tikken op elke hand.

Toen ik terug bij mijn bank was, kon ik de klapstoel niet omlaag krijgen; ik kon niks doen met mijn handen. James O'Keefe drukte met zijn voet de klapstoel omlaag.

Het gaf een knal; ik dacht dat ze me opnieuw zou pakken Ik stak mijn handen onder mijn benen. Ik ging niet voorover zitten: dat mochten we niet. Door de pijn leek het alsof mijn handen er waren afgevallen; dat zou gauw veranderen in een soort klamme steekpijn. Mijn handpalmen werden drijfnat van het zweet. Het was muisstil. Ik keek Kevin aan. Ik grijnsde maar ik klappertandde. Ik zag dat Liam die vooraan in de rij zat, zich omdraaide en wachtte tot Kevin zijn kant op keek, om naar hem te grijnzen.

Ik vond mijn opa Clarke aardig, veel aardiger dan opa Finnegan. De vrouw van opa Clarke, mijn oma, leefde niet meer.

'Ze is in de hemel,' zei hij, 'ze heeft 't er reuze naar haar zin.'

Hij gaf me een gulden als we bij hem op bezoek waren of als hij bij ons was. Een keer kwam hij op de fiets.

Ik zat een keer in de laden van het dressoir te rommelen toen *Mart and Market* op de televisie was. De onderste la zat zo propvol foto's dat, toen ik de la dichtdeed, een stel foto's boven op de stapel achterin op de grond onder het dressoir vielen. Ik raapte ze op. Er was een foto bij van opa en oma Clarke. We waren al tijden niet meer bij hem op bezoek geweest.

'Pap?'

'Ja, jongen.'

'Wanneer gaan we naar opa Clarke?'

Mijn pa keek alsof hij iets kwijt was, en het toen weer terugvond, maar het was niet wat hij wilde.

Hij ging rechtop zitten. Hij keek me een poosje aan.

'Opa Clarke is dood,' zei hij. 'Weet je dat niet meer?'

'Nee.'

Ik kon het me niet herinneren.

Hij tilde me op.

De handen van mijn vader waren groot. De vingers waren lang. Ze waren niet dik. Onder de huid en het vlees kon ik de botjes zien. Een van zijn handen hing slap over de stoelleuning. Met zijn andere hand hield hij zijn boek vast. Zijn nagels waren schoon – op eentje na – en de witte stukjes bovenaan waren langer dan die bij mij. De rimpels bij zijn knokkels leken een beetje op een gemetseld muurtje, de specie omhoog en opzij tussen de stenen. Verder had hij niet veel rimpels maar de poriën waren net holletjes met een haar in elke porie. Donker haar. Onder zijn manchet kwam haar uit.

The Naked and the Dead. Zo heette het boek. Er stond een soldaat op de omslag, met zijn uniform aan. Zijn gezicht was vuil. Hij was een Amerikaan.

'Waar gaat 't over?'

Hij keek op de omslag.

'Oorlog,' zei hij.

'Is 't wat?' vroeg ik.

'Ja,' zei hij. 'Het is heel goed.'

Ik knikte naar de omslag.

'Komt hij erin voor?'

'Ja.'

'Wat is 't voor iemand?'

'Zover ben ik nog niet. Maar ik hou je op de hoogte.'

De Derde Wereldoorlog Nadert Dreigend.

Ik haalde elke dag de krant voor mijn pa als hij thuis

was van zijn werk, en zaterdags op dezelfde tijd. Ma gaf me het geld; de *Evening Post*.

De Derde Wereldoorlog Nadert Dreigend.

'Betekent Nadert hetzelfde als Komt?' vroeg ik mijn moeder.

'Ik dacht van wel,' zei ze. 'Hoezo?'

'De Derde Wereldoorlog komt eraan,' vertelde ik haar. 'Kijk.'

Ze keek naar de krantekop.

'O jeetje,' zei ze. 'Die kranten zeggen maar wat. Ze overdrijven de boel.'

'Doen wij mee aan de oorlog?' vroeg ik haar.

'Nee,' zei ze.

'Waarom niet?'

'Omdat er geen oorlog komt,' zei ze.

'Was jij er al in de Tweede Wereldoorlog?' vroeg ik haar.

'Ja,' zei ze. 'Dat was ik zeker.'

Ze was aan het koken; ze keek alsof ze het druk had.

'Hoe was dat?'

'Ach, het viel wel mee,' zei ze. 'Je zou er weinig aan hebben gevonden, Patrick. Ierland deed niet echt mee aan de oorlog.'

'Waarom niet?'

'O, dat is een lang verhaal; we deden gewoon niet echt mee. Je vader zal het je wel uitleggen.'

Ik wachtte tot hij thuiskwam. Hij kwam door de achterdeur binnen.

'Kijk.'

De Derde Wereldoorlog Nadert Dreigend.

Hij las het.

'De Derde Wereldoorlog nadert dreigend,' zei hij.

'Dreigend nog wel, poe poe.'

Hij leek er niet van onder de indruk.

'Heb je je geweer klaar liggen, Patrick?' vroeg hij.

'Mam zei dat er geen oorlog komt,' zei ik.

'Gelijk heeft ze.'

'Waarom?'

Soms had hij zin in vragen en soms niet. Als hij er zin in had, sloeg hij zijn benen over elkaar als hij ging zitten en dan leunde hij een beetje opzij in zijn stoel. Dat deed hij nu ook, hij leunde naar me toe. Het eerste wat hij zei hoorde ik niet omdat dat was waarop ik had gehoopt – dat hij zijn benen over elkaar zou slaan en zich naar me toe zou buigen – en het ging precies zoals ik had gewild.

'...tussen de Israëli's en de Arabieren, heb ik gehoord.'

'Waarom?'

'Die liggen elkaar niet,' zei hij. 'Daar komt 't op neer. Hetzelfde ouwe liedje, vrees ik.'

'Waarom zegt de krant dat over de Derde Wereldoorlog?' vroeg ik hem.

'In de eerste plaats om kranten te verkopen,' zei hij. 'Met zo'n kop verkoop je kranten. Maar ook omdat de Amerikanen de joden steunen en de Russen de Arabieren.'

'De joden zijn de Israëli's.'

'Ja, dat klopt.'

'Wie zijn de Arabieren?'

'Alle anderen. Al hun buren. Jordanië, Syrië.'

'Egypte.'

'Bravo, jongen, jij bent goed op de hoogte.'

'De Heilige Familie ging naar Egypte toen Herodus achter ze aan zat.'

'Dat klopt. Een goeie timmerman vindt overal werk.'

Ik begreep niet precies wat hij bedoelde, maar het was het soort opmerking dat mijn moeder hem liever niet hoorde maken. Maar zij was er niet bij, dus lachte ik.

'En de joden zijn aan de winnende hand,' zei mijn pa. 'Tegen alle verhoudingen in. Mijn zegen hebben ze.'

'Joden gaan zaterdags naar de mis,' zei ik tegen mijn pa.

'Klopt,' zei hij. 'In synagogen.'

'Ze geloven niet in Jezus.'

'Klopt.'

'Waarom niet?'

'Tja.'

Ik wachtte.

'Niet alle mensen geloven hetzelfde.'

Daar nam ik geen genoegen mee.

'Sommigen geloven in God, anderen niet.'

'Communisten geloven niet,' zei ik.

'Klopt,' zei hij. 'Wie heeft je dat verteld?'

'Meester Hennessey.'

'Da's een beste kerel, die meester Hennessey,' zei hij.

Aan de manier waarop hij toen iets zei, hoorde ik dat het een stuk uit een gedicht was; dat deed hij soms.

'Nog keken zij verbaasd en groeide hun verwondering dat er zoveel in zo'n klein hoofd omging. Sommige mensen geloven dat Jezus de zoon van God was en anderen geloven dat niet.'

'Jij wel hè, jij gelooft het wel?'

'Ja,' zei hij. 'Ik wel. Hoezo? Heeft meester Hennessey je dat gevraagd?'

'Nee,' zei ik.

Zijn gezicht veranderde.

'De Israëli's zijn een geweldig volk,' zei hij. 'Hitler heeft geprobeerd ze uit te roeien, en het is 'm nog bijna gelukt ook, en moet je ze nou eens zien. Ver in de minderheid, veel minder wapens, veel minder van wat dan ook en toch winnen ze nog steeds. Soms denk ik weleens dat we daar naar toe zouden moeten verhuizen, naar Israël. Zou jij dat leuk vinden, Patrick?'

'Ik weet niet. Ja, misschien best.'

Ik wist waar Israël lag. Het had de vorm van een pijl.

'Het is daar warm,' zei ik.

'Hmmm.'

'Maar in de winter sneeuwt 't er.'

'Ja. Een aangename combinatie. Niet zoals hier, met altijd maar die regen.'

'Ze dragen geen schoenen,' zei ik.

'O nee?'

'Sandalen.'

'Zoals die, hoe heet-ie ook weer, die goser...'

'Terence Long.'

'Precies, die bedoel ik. Terence Long.'

We lachten allebei.

'Terence Long
Terence Long
Zonder sokken is berucht
Getverderrie wat een lucht.'

'Die arme ouwe Terence,' zei mijn pa. 'Maar toch petje af voor de Israëli's.'

'Hoe was de Tweede Wereldoorlog?' vroeg ik hem.

'Lang,' zei hij.

Ik kende de jaartallen.

'Ik was nog een kind toen hij begon,' zei hij. 'En ik was bijna van school toen hij voorbij was.'

'Zes jaar.'

'Ja. Lange jaren.'

'Meester Hennessey zei dat hij pas op z'n achttiende voor 't eerst een banaan zag.'

'Dat wil ik best geloven.'

'Luke Cassidy kreeg op z'n donder. Hij vroeg wat de apen tijdens de oorlog aten.'

'Wat gebeurde er met hem?' vroeg pa toen hij was uitgelachen.

'Hij kreeg klappen.'

Hij zei niks.

'Zes.'

'Da's niet best.'

'Luke had 't niet eens zelf bedacht. Kevin Conroy had gezegd dat-ie dat moest zeggen.'

'Boontje komt om zijn loontje.'

'Hij huilde.'

'En dat allemaal om een paar bananen.'

'Kevins broer gaat bij de commando's,' zei ik.

'Meen je dat? Nou, daar zullen ze wel een man van hem maken.'

Dat begreep ik niet. Hij was al een man.

'Heb jij daar ooit bij gezeten?'

'Bij de commando's?'

'Ja.'

'Nee.'

'Tijdens de...'

'Mijn vader zat bij de B.B.'

'Wat is dat?'

'De Bescherming Burgerbevolking.'

'Had hij een geweer?'

'Ik denk 't wel. Niet thuis; tenminste niet dat ik me kan herinneren.'

'Ik ga er ook bij als ik oud genoeg ben. Mag dat?'

'Bij de commando's?'

'Ja. Mag dat?'

'Tuurlijk.'

'Is Ierland weleens in oorlog geweest?'

'Nee.'

'En de Slag bij Clontarf dan?'

Hij lachte, ik wachtte.

'Dat was geen echte oorlog,' zei hij.

'Wat was het dan?'

'Een veldslag.'

'Wat is 't verschil?'

'Tja, laten we... Oorlogen duren lang.'

'En veldslagen duren kort.'

'Ja.'

'Waarom zat Brian Boru in een tent?'

'Hij was aan het bidden.'

'In een tent? Een tent is niet om in te bidden.'

'Ik heb honger,' zei hij. 'En jij?'

'Ik ook.'

'Wat eten we vanavond; weet jij 't?'

'Gehakt.'

'Jummie.'

'Hoe kan gas je doodmaken?'

'Het vergiftigt je.'

'Hoe?'

'Je mag het niet inademen. Je longen kunnen er niet tegen. Hoezo?'

'De joden,' zei ik.

'O,' zei hij. 'Ja.'

'Als Ierland in oorlog was, zou jij dan in het leger gaan?'

'Er komt geen oorlog.'

'Het zou best kunnen,' zei ik.

'Nee,' zei hij. 'Dat denk ik niet.'

'De Derde Wereldoorlog Nadert Dreigend,' zei ik.

'Trek je daar maar niks van aan,' zei hij.

'Maar zou jij 't doen?'

'Ja,' zei hij.

'Ik ook.'

'Mooi zo. En Francis.'

'Die is te jong,' zei ik. 'Die laten ze er niet in.'

'Er komt geen oorlog,' zei hij. 'Maak je maar geen zorgen.'

'Doe ik ook niet,' zei ik.

'Mooi.'

'We zijn in oorlog geweest met de Engelsen, hè?'

'Ja.'

'Dat was een oorlog,' zei ik.

'Ach, niet echt... of ja, eigenlijk wel, denk ik.'

'Wij hebben gewonnen.'

'Ja. We hebben ze ingemaakt. We hebben ze een pak op hun sodemieter gegeven dat ze niet glad zullen vergeten.'

We lachten.

We gingen aan tafel. Het was heerlijk. De gehakt was niet te klef. Ik ging op de stoel naast pa zitten, op Sinbads stoel. Sinbad zei niks.

'Het is geen Adidas. Het is Ad-die-das.'

'Nietes. Het is Adidas.'

'Nietes. Het is met een ieie.'

'i.'

'ieie.'

'i.'

'Kloothommel; met een ieieieie.'

'iiiiiiii.'

Niemand van ons had Adidas-voetbalschoenen. We kregen ze allemaal voor Kerstmis. Ik wilde die met die schroefnoppen. Dat zette ik in mijn brief aan de kerstman al geloofde ik niet in hem. Ik schreef hem alleen omdat mijn ma het zei, omdat Sinbad hem een brief schreef. Sinbad wilde een slee. Ma hielp hem met het schrijven van de brief. De mijne was af. Hij zat in de envelop maar ze wilde niet dat ik al langs de klep likte want Sinbads brief moest er ook in. Dat was niet eerlijk. Ik wilde een envelop voor mezelf.

'Zit niet te zeuren,' zei ze.

'Ik zeur niet.'

'Dat doe je wel; hou ermee op.'

Ik zeurde helemaal niet. Twee brieven in één envelop stoppen was stom. De kerstman zou denken dat er maar één brief in zat en dan zou hij alleen Sinbads cadeautjes brengen en de mijne niet. Ik geloofde trouwens toch niet in hem. Alleen kinderen geloofden in hem. Als zij nog eens zei dat ik zat te zeuren, dan zou ik dat zeggen en dan zou ze de hele dag nodig hebben om Sinbad weer in hem te laten geloven.

'Ik weet niet of de kerstman sleeën naar Ierland meebrengt,' zei ze tegen Sinbad.

'Waarom niet?'

'Omdat het hier bijna nooit sneeuwt,' zei ze. 'Je zou er toch niets aan hebben.'

'In de winter is er sneeuw,' zei Sinbad.

'Maar heel af en toe.'

'In de bergen.'

'Dat is kilometers ver weg,' zei ze. 'Kilometers.'

'Met de auto.'

Ze werd niet boos. Ik had er genoeg van. Ik ging naar de keuken. Als je een envelop boven de stoom uit een ketel hield, dan kon je hem openmaken en weer dichtplakken zonder dat iemand het merkte. Ik had een stoel nodig om de stekker van de ketel in het stopcontact te steken. Ik keek of er genoeg water in zat, boven het verwarmingselement. Ik tilde hem niet gewoon op om te voelen hoe zwaar hij was; ik haalde het deksel eraf en keek erin. Ik stapte van de stoel en zette hem terug. Ik had de stoel niet meer nodig.

Ik ging terug naar de woonkamer. Sinbad wilde nog steeds een slee.

'Ik vind dat hij je moet geven wat je vraagt,' zei hij.

'Dat doet hij ook, schat,' zei mijn ma.

'Maar...'

'Maar hij wil niet dat je teleurgesteld bent,' zei ze. 'Hij wil de kinderen cadeautjes geven waar ze altijd mee kunnen spelen.'

Haar stem klonk niet anders; ze zou niet boos op hem worden.

Ik ging terug naar de keuken. Ik pakte mijn brief uit de envelop en legde hem op de tafel, op veilige afstand van de ronde kring die de melkfles had achtergelaten. Ik likte langs de lijmstrook van de flap en plakte hem dicht. Ik drukte er hard op. De stoom kwam uit de tuit van de ketel. Ik wachtte. Ik wilde dat de lijm droog was. Meer stoom; hij begon te fluiten. Ik hield de envelop zo in de stoom dat ik mijn vingers niet zou branden. Ik hield hem te dichtbij; de envelop werd nat. Ik hield mijn hand hoger. Ik bewoog de envelop heen en weer boven de stoom. Maar niet te lang: de envelop begon slap te worden, alsof hij in slaap viel. Ik pakte de stoel, trok de stekker eruit en zette de ketel netjes terug naast het theeblik waar hij had gestaan voor ik de stekker in het stopcontact had gestoken. Er stonden Japanse vogels op het blik met hun staarten helemaal in de knoop en in hun snavels. De envelop was nat, een beetje. Ik nam hem mee naar de achtertuin. Ik zette mijn duimnagel onder de flap. Een hoekje liet los. Ik trok het omhoog. Het was gelukt. Ik drukte op de lijmstrook. Die was nog kleverig. Het werkte. Ik ging weer naar binnen; het was koud en winderig en het begon donker te worden. Ik was niet bang in het donker, alleen als het ook nog waaide. Ik stopte mijn brief terug in de envelop.

Sinbad was bijna klaar met zijn verlanglijstje.

'L.e.g.o.,' spelde mijn ma voor hem. Hij kon de letters niet aan elkaar schrijven. Ze liet mij zijn brief in de envelop stoppen. Ik vouwde hem apart op en schoof hem erin, naast mijn brief.

Toen mijn pa thuiskwam van zijn werk, stopte hij de brief omhoog in de schoorsteen. Hij stond voorovergebogen; hij wilde er zeker van zijn dat wij niet goed konden zien wat hij deed.

'Hebt u die brief ontvangen, kerstman?'

Hij riep het in de schoorsteen.

'Ja, hoor,' zei hij met een zware stem die zogenaamd van de kerstman was.

Ik keek naar Sinbad. Hij geloofde dat de kerstman dat zei. Hij keek mijn moeder aan. Ik niet.

'Denkt u dat u voor al die cadeautjes kunt zorgen?' riep mijn vader in de schoorsteen.

'We zullen zien,' zei hij terug. 'Voor de meeste wel. Nou, dag hoor. Ik moet nog meer huizen langs. Dag, allemaal.'

'Zeg de kerstman gedag, jongens,' zei mijn ma.

Sinbad zei dag en ik moest het ook zeggen. Mijn pa ging weg bij de schoorsteen zodat we netjes afscheid konden nemen.

Mijn warmwaterkruik was rood, de kleur van Manchester United. Die van Sinbad was groen. Ik hield van de geur van die kruik. Ik deed er heet water in en goot hem leeg en rook eraan; ik hield mijn neus bij het gat, bijna erin. Lekker was dat. Je moest hem niet gewoon met water vullen; mijn ma liet het me zien: je moest de kruik plat neerleggen en het water er langzaam in gieten want anders bleef er lucht in achter en dan ging het rubber rotten en barsten. Ik sprong op Sinbads kruik. Er gebeurde niks. Ik deed het niet nog een keer. Soms als er niks gebeurde maakte het zich klaar om wel te gebeuren.

Liam en Aidans huis was donkerder dan het onze, van binnen. Dat kwam door de zon, niet omdat het een vieze smeerboel was. Het was niet vies, al zeiden een hoop mensen dat; alleen alle stoelen en dingen waren gescheurd en krakkemikkig. Je kon er lekker op de bank ravotten, want die zat vol deuken en nooit zei iemand dat je eraf moest. We klommen op de armleuning, op de rugleuning en sprongen. Twee van ons gingen op de rugleuning zitten en vochten een duel uit.

Ik vond hun huis leuk. Je kon er beter in spelen. Alle deuren stonden open; we konden overal in. Op een keer speelden we verstoppertje en meneer O'Connell kwam de keuken in en maakte de muurkast naast het fornuis open en ik zat erin. Hij pakte er een zak koekjes uit en deed toen de deur doodkalm weer dicht; hij zei niks. Toen deed hij de deur weer open en vroeg fluisterend of ik ook een koekje wilde.

Het waren gebroken koekjes, in een bruine zak; er mankeerde niks aan behalve dat ze gebroken waren. Mijn ma kocht ze nooit.

Sommige jongens op school hadden een moeder die bij Cadbury werkte. Die van mij en Kevin niet en de moeder van Aidan en Liam was dood. Ian McEvoys ma wel; niet het hele jaar, alleen voor Pasen en Kerstmis. Soms kreeg Ian McEvoy een paasei mee voor tussen de middag; de chocola was prima, het ei had alleen de verkeerde vorm. Mijn ma zei dat mevrouw McEvoy alleen maar bij Cadbury werkte omdat ze wel moest.

Dat begreep ik niet.

'Jouw papa heeft een betere baan dan Ians papa,' zei ze. Toen zei ze: 'Mondje dicht tegen Ian hoor, maar dat hoef ik je vast niet te zeggen.'

De familie McEvoy woonde bij ons in de straat.

'Mijn pa heeft een betere baan dan de jouwe!'

'Nietes!'

'Welles.'

'Nietes.'

'Wel waar.'

'Bewijs dat dan 's.'

45

'Jouw moeder werkt alleen maar bij Cadbury omdat ze wel moet!'

Hij wist niet wat ik bedoelde. Ik eigenlijk ook niet.

'Omdat ze wel moet! Omdat ze wel moet!'

Ik gaf hem een duw. Hij gaf me een duw terug. Ik hield me met één hand vast aan het gordijn en gaf hem met de andere een harde duw. Een been gleed van de leuning van de bank en hij viel. Ik had gewonnen. Ik schoof langs de leuning omlaag en ging op de bank zitten.

'Kampi-oen! Kampi-oen! Kampi-oen!'

Ik vond het lekker om in de kuil te zitten, net naast de plek waar de veer te zien was. De bekleding was geweldig; het was net alsof het patroon was overgebleven en de rest van de stof met een kleine grasmaaier was bewerkt. Het patroon, bloemen, voelde aan als stug gras of de achterkant van mijn hoofd als ik net naar de kapper was geweest. De stof was verschoten maar als het licht aan was, kon je zien dat de bloemen vroeger gekleurd waren. We zaten er met z'n allen op als we televisie keken. We mochten gaan en staan waar we wilden en je kon er ontzettend goed knokken. Meneer O'Connell zei nooit dat we weg moesten of ons koest moesten houden.

De keukentafel was net zoals die van ons maar dat was ook het enige. Ze hadden allemaal verschillende stoelen; die van ons waren allemaal hetzelfde, van hout met een rode zitting. Toen ik een keer bij Liam langs ging, zaten ze thee te drinken toen ik op de keukendeur klopte. Meneer O'Connell riep dat ik binnen kon komen. Hij zat aan de zijkant van de tafel, waar ik en Sinbad zaten, niet aan de kant waar mijn pa zat. Daar zat Aidan. Hij stond op, zette de ketel op het vuur en ging zitten waar mijn ma altijd zat.

Ik vond dat maar niks.

Hij maakte het ontbijt klaar en het avondeten en alles, meneer O'Connell, bedoel ik. Elke middag aten ze chips; ik kreeg nooit iets anders dan boterhammen. Die at ik bijna nooit op. Ik legde ze op de plank onder mijn lessenaar; banaan, ham, kaas, jam. Soms at ik er een op maar de rest stopte ik in het kastje. Ik wist dat het daarin te vol begon te worden als mijn inktpotje door de stapel boterhammen eronder omhoog werd gedrukt. Ik wachtte tot Henno de deur uit was – hij liep voortdurend de deur uit; hij zei dat hij wist wat wij uitspookten als hij met zijn rug naar ons toe stond dus dat we ons maar beter gedeisd konden houden, en wij waren er niet gerust op – en ik pakte de prullenmand die naast zijn bureau stond en nam hem mee naar mijn bank. Ik mikte de boterhammen erin. Iedereen keek toe. Sommige boterhammen zaten in aluminiumfolie, maar de andere, die alleen in een plastic zakje zaten of in vetvrij papier, zagen er prachtig uit, vooral die achterin lagen. Er groeide allemaal troep op, groen en blauw en geel. Kevin daagde James O'Keefe uit er een op te eten maar dat deed hij niet.

'Lafaard.'

'Eet jij er dan een.'

'Ik vroeg het 't eerst.'

'Ik eet er een op als jij er een opeet.'

'Lafaard.'

Ik kneep in een aluminium lunchpakketje en alles werd naar een kant geperst en het aluminium begon te scheuren. Het was net een film. Iedereen wilde het zien. Dermot Kelly donderde van zijn lessenaar en sloeg met zijn hoofd tegen de stoel. Ik had de prullenmand al weer teruggezet naast Henno's bureau voor hij begon te krijsen.

De prullenmand was er zo eentje van riet, en hij zat vol met beschimmelde boterhammen. De stank verspreidde zich door het lokaal en werd steeds doordringender, en het was pas elf uur: nog drie uur te gaan.

Bij meneer O'Connell was het eten beregoed. Patat en hamburgers; hij maakte ze niet zelf klaar, hij bracht ze mee. Helemaal met de trein uit de stad, want er was geen snackbar in Barrytown.

'God sta hen bij,' zei mijn ma toen mijn pa vertelde van de geur van patat en azijn die meneer O'Connell in de trein had meegenomen.

Hij maakte puree voor ze. Hij maakte een holletje in het midden van de berg tot die eruitzag als een vulkaan en dan mikte hij daar een klont boter in en dekte die af. Dat deed hij op elk bord. Hij maakte boterhammen met spek voor ze. Hij gaf ze een blikje rijstepap met honing en liet ze uit het blik eten. Verse groente kregen ze nooit.

Sinbad at niks. Het enige dat hij at was brood met jam. Mijn ma probeerde hem 's avonds te dwingen zijn bord leeg te eten; ze zei dat hij pas van tafel mocht als hij alles op had. Mijn pa werd kwaad en schreeuwde tegen hem.

'Je moet niet tegen hem schreeuwen, Paddy,' zei mijn ma tegen mijn pa, niet tegen ons; het was niet voor onze oren bestemd.

'Hij vraagt erom,' zei mijn pa.

'Je maakt het alleen maar erger,' zei ze op luidere toon.

'Jij hebt hem verwend; dat is 't probleem.'

Hij stond op.

'Ik ga naar de kamer om mijn krant te lezen. En als dat bord niet leeg is als ik terugkom, dan zwaait er wat.'

Sinbad zat knarsetandend op zijn stoel en staarde naar het bord, alsof hij probeerde het eten weg te kijken.

Mijn ma ging achter mijn pa aan om hem nog het een en ander te zeggen. Ik hielp Sinbad zijn bordje leeg eten. Hij liet het steeds weer uit zijn mond op het bord en op tafel vallen.

Hij liet Sinbad een uur wachten voor hij terugkwam om het bord te inspecteren. Het was leeg; het eten zat in mijn maag en in de vuilnisemmer.

'Zo mag ik het zien,' zei mijn pa.

Sinbad ging naar bed.

Zo was hij nu eenmaal, onze pa. Af en toe kon hij gemeen uit de hoek komen, echt gemeen, om niks. Het ene moment verbood hij ons naar de televisie te kijken en het volgende moment zat hij naast ons op de grond mee te kijken, al was het nooit voor lang. Hij had het altijd druk. Zei hij. Maar meestal zat hij in zijn stoel.

Voor we zondags naar de mis gingen stofte ik alles in huis af. Mijn ma gaf me een doek, meestal een stuk van een oude pyjama. Ik begon boven, in hun slaapkamer. Ik stofte de kaptafel af en legde haar borstels netjes naast elkaar. Ik stofte de bovenkant van het hoofdeinde van het bed af. Daar lag altijd een hele hoop stof op. Het liet altijd een vlek op de doek achter. Ik stofte het schilderij van Jezus met ontbloot hart af voor zover ik er bij kon. Jezus hield zijn hoofd scheef, een beetje als een jong katje. Op het schilderij stonden de namen van mijn ma en pa en de datum van hun huwelijk – 25 juli 1957 – en onze geboortedatums, behalve die van mijn jongste zusje dat mijn ma pas later kreeg. De namen waren opgeschreven door pater

Moloney. Mijn naam stond bovenaan; Patrick Joseph. Dan die van mijn zusje dat dood is gegaan; Angela Mary. Ze was al dood voor ze uit mijn moeder kwam. Dan Sinbad; Francis David. Dan mijn zusje; Catherine Angela. Er was nog ruimte genoeg voor mijn nieuwe zusje. Zij heette Deirdre. Ik was de oudste; dezelfde naam als mijn pa. Er was ruimte voor nog zes namen. Ik veegde de trap, helemaal tot onderaan, en de leuning ook. Ik stofte de mooie spulletjes in de pronkkamer af. Ik brak nooit iets. Er stond een oude speeldoos; als je een sleuteltje omdraaide dan hoorde je een deuntje. Er hing een foto van matrozen op de boulevard. Het vilt aan de achterkant begon te verteren. Hij was van mijn moeder. De keuken deed ik niet.

Aidan en Liams tante, die tante die in Raheny woonde, maakte bij hen het huis schoon. Soms logeerden ze bij haar. Ze had drie kinderen maar die waren veel ouder dan Aidan en Liam. Haar man maaide gras voor de Corporatie. Twee keer per jaar deed hij de bermen langs onze weg. Hij had een enorme rode neus als een spons met allemaal bobbels erop. Liam zei dat hij er van dichtbij nog fraaier uitzag.

'Herinner jij je moeder?' vroeg ik hem.

'Ja.'

'Wat dan?'

Hij zei niets. Hij zuchtte alleen.

Zijn tante was aardig. Ze liep met een waggelgangetje. Ze zei: 'God wat is het koud' of: 'God wat is het heet', dat hing van het weer af. Als ze door de keuken liep, mompelde ze: 'Thee thee thee thee thee.' Als ze om zes uur het angelus hoorde luiden, dan liep ze naar de televisie en de hele weg zei ze dan: 'Het nieuws het nieuws het nieuws het nieuws.' Ze had aderen zo dik als kronkelige boomwortels op de zijkant en de achterkant van haar benen. Ze maakte zelf koekjes, enorme plakaten; die waren om te smullen, zelfs als ze oudbakken waren.

Ze hadden nog een tante die niet hun echte tante was. Dat vertelde Kevin me tenminste; hij had zijn ma en pa erover horen praten. Zij was het meisje van meneer O'Connell, hoewel ze al lang geen meisje meer was; ze was al eeuwen een vrouw. Ze heette Margaret en Aidan vond haar aardig en Liam niet. Ze gaf hun altijd een pakje gomballen als ze bij hen thuis kwam en ze zorgde er altijd voor dat ze allebei evenveel witte en rose hadden, hoewel ze precies hetzelfde smaakten. Ze maakte stoofpot en broodschotel met appel. Liam zei dat ze, toen hij een keer naast haar naar *The Fugitive* zat te kijken, een scheet had gelaten.

'Vrouwen kunnen geen scheten laten.'

'Mooi wel.'

'Nee, dat kunnen ze niet; bewijs 't dan 's.'

'Mijn oma laat de hele tijd scheten,' zei Ian McEvoy.

'Oude vrouwen kunnen 't wel; jonge niet.'

'Margaret is oud,' zei Liam.

'Eet je veel bonen dan blijf je gezond!

En stink je ontzettend uit je kont!'

Ze viel een keer in hun huis in slaap. Liam dacht dat ze tegen hem aan viel – ze zaten televisie te kijken – maar ze leunde alleen maar tegen hem aan. Ze snurkte. Meneer O'Connell hield haar neus dicht en toen hield ze op met snurken.

In de vakantie, na Kerstmis, gingen Liam en Aidan naar

Raheny, naar hun echte tante, en we zagen ze in geen eeuwen terug. Dat was omdat Margaret bij meneer O'Connell in huis was komen wonen. Er stond een kamer leeg in hun huis. Hun huis was precies zo gebouwd als het onze; Liam en Aidan sliepen in dezelfde kamer en ze hadden geen zusjes, dus was er een kamer over. Daar sliep zij.

'Mooi niet,' zei Kevin.

Liam en Aidans tante, de echte, had ze meegenomen. Ze was midden in de nacht naar ze toe gekomen. Ze had een brief van de politie waarin stond dat zij hen mocht meenemen, omdat Margaret in het huis woonde en zij daar niet hoorde te wonen. Dat was alles wat we erover hoorden. Ik verzon er wat bij; ze had Liam en Aidan achter in hun ooms vrachtwagen van de Corporatie meegenomen. Dat klonk ontzettend goed toen ik het had bedacht. Maar de rest geloofde ik.

Hun oom had ons achter in de vrachtwagen een keer een lift gegeven. Maar hij zette ons eruit omdat we rechtop gingen staan en omdat dat gevaarlijk was en omdat hij niet verzekerd was als wij eraf zouden vallen en met onze kop tegen de straat zouden smakken.

We liepen naar Raheny. Daar deden we een hele tijd over omdat niemand het hoogspanningshuisje bewaakte, dus we klommen erop en trapten lol. Er stonden allemaal piramides van palen omheen, voor de draden, en het rook er naar teer. We probeerden het slot van het huisje open te breken maar dat lukte ons niet. We wilden het niet echt openbreken, we deden maar alsof, ik en Kevin. We waren op weg naar de tante van Liam en Aidan.

We kwamen eraan. Ze woonde in een van de huisjes vlak bij het politiebureau.

'Komen Liam en Aidan buiten spelen?' vroeg ik.

Zij had opengedaan.

'Ze spelen al buiten,' zei ze. 'Ze zijn bij de vijver. Ze maken gaten in het ijs voor de eendjes.'

We liepen naar St.-Anne's. Ze waren niet bij de vijver. Ze zaten in een boom. Liam zat heel hoog, waar de takken doorbogen; hij schudde er als een gek aan. Aidan kon niet zo hoog komen als hij.

'Hé!' zei Kevin.

Liam bleef de tak heen en weer zwiepen.

'Hé!'

Liam hield op.

Ze kwamen niet naar beneden. Wij klommen niet naar boven.

'Waarom wonen jullie bij jullie tante en niet bij jullie pa?' vroeg Kevin.

Ze zeiden niks.

'Nou, waarom?'

We liepen weg over de speelweide. Ik draaide me om. Ik kon hen bijna niet meer zien in de boom. Ze wachtten tot wij weg waren. Ik keek of ik ergens stenen zag liggen. Die waren er niet.

'Wij weten waarom!'

Ik zei het ook.

'Wij weten waarom!'

'Brendan Brendan, kijk eens snoes!

Ik heb haartjes op m'n poes!'

Meneer O'Connell heette Brendan.

'Brendan Brendan, kijk eens snoes!

Ik heb haartjes op m'n poes!'

'Trouwens, ik hoorde laatst mijn pa aan mijn ma vragen: "Wanneer hebben we hem voor 't laatst tegen de maan horen huilen?" '

Margaret kwam terug van boodschappen doen. We stonden haar op te wachten, achter Kevins heg. We hoorden haar voetstappen; we konden de kleur van haar jas zien, stukjes ervan door de heg.

'Brendan Brendan, kijk eens snoes!

Ik heb haartjes op m'n poes!

Brendan Brendan, kijk eens snoes!

Ik heb haartjes op m'n poes!'

Ik wilde een glaasje water. Ik wilde geen water uit de badkamer. Ik wilde het uit de keuken. Het was donker op de gang na het nachtlampje in de slaapkamer. Op de tast liep ik de trap af.

Ik was op de derde tree toen ik ze hoorde. Pratende stemmen, ze schreeuwden een beetje. Ik bleef stilstaan. Het was koud.

In de keuken, daar waren ze. Inbrekers. Ik moest mijn pa waarschuwen. Die lag in bed.

Maar de televisie stond aan.

Ik ging even zitten. Het was koud.

De televisie stond aan; dat betekende dat mijn pa en ma niet in bed lagen. Ze waren nog beneden. Er waren geen inbrekers in de keuken.

De keukendeur was niet helemaal dicht; er viel een streep licht op de trap, vlak onder me. Ik kon niet verstaan wat ze zeiden.

'Hou op.'

Ik zei het heel zachtjes.

Een poosje dacht ik dat het alleen pa was. Hij

schreeuwde zoals mensen schreeuwen als ze proberen zich in te houden, maar dat soms even vergeten; een beetje alsof ze schreeuwend fluisteren.

Mijn tanden klapperden. Daar zat ik niet mee. Ik vond het wel een grappig gevoel.

Maar ma schreeuwde ook. Ik kon pa's stem voelen maar alleen de hare kon ik horen. Ze hadden weer eens ruzie.

'En jij dan!?'

Zij zei het, het enige dat ik goed kon verstaan.

Ik zei het nog eens.

'Hou op.'

Er viel een stilte. Het had gewerkt; ik had ze gedwongen ermee op te houden. Pa kwam de keuken uit en ging voor de televisie zitten. Ik herkende zijn zware voetstappen en het tempo waarin hij liep, toen zag ik hem.

Ze sloegen niet met deuren: het was voorbij.

Ik bleef daar eeuwen zitten.

Ik hoorde ma in de keuken rommelen.

Als je pony gezond was, dan was zijn huid soepel en plooibaar en als hij ziek was, dan was zijn huid stug en hard. De televisie is uitgevonden door John Logie Baird in 1926. Hij kwam uit Schotland. Wolken waar regen in zit werden meestal nimbostratus genoemd. De hoofdstad van San Marino was San Marino. Jesse Owens won vier gouden medailles tijdens de Olympische spelen van 1936 en Hitler had de pest aan negers en Berlijn was de hoofdstad van Duitsland. Dat wist ik allemaal. Ik had het allemaal gelezen. Ik las onder de deken met mijn zaklantaarn, en niet alleen als het al bedtijd was geweest; het was spannender op die manier, net alsof ik spioneerde en betrapt kon worden.

Ik maakte mijn opstel in braille. Dat duurde eeuwen, want je moest oppassen dat je het papier niet scheurde met de naald. Er zaten allemaal kleine gaatjes in de keukentafel toen ik klaar was. Ik liet het braille aan mijn vader zien.

'Wat is dat?'

'Braille. Het schrift voor blinde mensen.'

Hij deed zijn ogen dicht en betastte de bobbeltjes op het papier.

'Wat staat er?' vroeg hij.

'Dat is mijn huiswerk voor taal,' vertelde ik hem. 'Vijftien regels over je favoriete huisdier.'

'Is de meester blind?'

'Nee, ik heb 't zomaar gedaan, voor de lol. Ik heb het ook op de gewone manier gedaan.'

Henno zou me hebben vermoord als ik het alleen in braille zou hebben ingeleverd.

'Jij hebt geen huisdier,' zei mijn pa.

'We mochten het verzinnen.'

'Wat heb je gekozen?'

'Een hond.'

Hij hield de bladzijde omhoog en keek naar het licht door de gaatjes. Dat had ik ook al gedaan.

'Knap werk,' zei hij.

Hij betastte opnieuw de bobbeltjes. Hij deed zijn ogen dicht.

'Ik kan er geen wijs uit worden,' zei hij. 'Jij wel?'

'Nee.'

'Als je je gezichtsvermogen verliest, dan worden je andere zintuigen scherper; daar zal 't wel aan liggen, denk je niet?'

'Ja. Braille is uitgevonden door Louis Braille in 1836.'

'Is 't werkelijk?'

'Ja. Hij is blind geworden bij een ongeluk toen hij klein was en hij kwam uit Frankrijk.'

'En hij heeft het naar zichzelf genoemd.'

'Ja.'

Ik probeerde het. Ik probeerde mijn vingers te laten lezen. Ik wist al wat er stond. Ik trok de dekens over me heen en ik deed de zaklantaarn niet aan. Ik raakte het papier heel licht aan: alleen maar bobbeltjes, pukkeltjes. Mijn favoriete speelkameraad is een hond. Zo begon mijn vijftienregelige opstel. Maar het braille kon ik niet lezen. Ik kon de puntjes niet uit elkaar houden, waar de ene letter ophield en de volgende begon.

Ik probeerde blind te zijn. Maar ik deed steeds weer mijn ogen open. Ik bond een blinddoek voor maar ik kreeg er geen goede knoop in en ik wilde niemand vertellen waar ik mee bezig was. Ik zei tegen mezelf dat ik elke keer als ik mijn ogen opendeed, mijn vinger op de buis van de elektrische kachel moest leggen, maar ik wist dat ik dat toch niet zou doen en dus deed ik steeds weer mijn ogen open. Ik had één keer, omdat Kevin me dat had gezegd, mijn hand op de gloeibuis gelegd. Weken later liep ik nog met een zwarte streep en rook ik nog mijn verbrande vinger.

Een muis wordt gemiddeld achttien maanden oud.

Mijn ma gilde.

Ik kon geen stap verzetten. Ik durfde niet te gaan kijken.

Ze was naar de wc gegaan en had een muis rondjes zien rennen in de toiletpot. Pa was thuis. Hij trok door en het water stroomde over de muis heen omdat hij vlak onder de rand zat. Hij stak zijn voet in de pot en trapte de muis het water in. Nu durfde ik wel te gaan kijken; nu wist ik waarom ze had gegild. Maar er was geen ruimte. De muis zwom en probeerde langs de kant omhoog te klauteren en mijn pa moest wachten tot de stortbak weer was volgelopen.

'O Jezus, Jezus,' zei mijn ma. 'Gaat-ie dood, Paddy?'

Pa gaf geen antwoord. Hij telde de seconden af tot het water in de stortbak ophield met sissen; ik kon zijn lippen zien.

'Een muis wordt gemiddeld achttien maanden oud,' vertelde ik hem.

Ik had het net gelezen.

'Niet in dit huis,' zei mijn pa.

Mijn ma schoot bijna in de lach; ze gaf me een klopje op mijn hoofd.

'Mag ik 's kijken?'

Ze maakte plaats voor me en bleef toen staan.

'Laat hem maar,' zei mijn pa.

De muis had best goed kunnen zwemmen maar hij pakte het verkeerd aan. Hij probeerde het water uit te rennen.

'Toedeloe,' zei pa, en hij trok door.

'Mag ik 'm houden?' vroeg ik.

Dat kwam opeens bij me op. Mijn favoriete huisdier.

De muis draaide rond en dieper het water in en hij gleed op zijn rug de pot uit en verdween in de afvoerpijp. Sinbad wilde het zien.

'Aan de waterkant komt hij er weer uit,' zei ik.

Sinbad keek naar het water.

'Daar zal hij het meer naar zijn zin hebben,' zei mijn ma. 'In een natuurlijkere omgeving.'

'Mag ik een muis?' vroeg ik.

'Nee,' zei pa.

'Voor m'n verjaardag?'

'Nee.'

'Voor Kerstmis?'

'Nee.'

'Ze maken het rendier bang,' zei ma. 'Kom mee.'

Ze wilde dat we de wc uitgingen. We stonden te wachten tot de muis weer opdook.

'Wat?' vroeg pa.

'Muizen,' zei ma. 'Die maken het rendier bang.'

Ze knikte naar Sinbad.

'Da's waar,' zei pa.

'Kom, jongens,' zei ze.

'Ik moet nodig,' zei Sinbad.

'Dan pakt de muis je,' zei ik hem.

'Ik moet alleen een plas,' zei Sinbad. 'Staande; zo.'

'Dan bijt hij in je piemel,' zei ik.

Ma en pa liepen de trap af.

Sinbad ging te ver achteruit staan en hij plaste op de bril en op de grond.

'Francis heeft de bril niet omhoog gedaan!' riep ik.

'Welles.'

Hij knalde gauw de bril omhoog.

'Nu pas,' zei ik, 'toen ik het al had gezegd.'

Ze kwamen niet terug. Ik gaf Sinbad een schop toen hij de bril afveegde met zijn mouw.

'Als de aarde ronddraait, waarom draaien wij dan niet?' vroeg Kevin.

We lagen in het lange gras op een uitgevouwen kartonnen doos en keken omhoog. Het gras was drijfnat. Ik wist het antwoord maar ik zei het niet. Kevin wist het antwoord; daarom stelde hij die vraag. Dat wist ik. Ik hoorde het aan zijn stem. Ik gaf nooit antwoord op Kevins vragen. Ik haastte me nooit om een antwoord te geven, op school niet en nergens; ik gaf hem altijd een kans om eerder te antwoorden.

Het beste verhaal dat ik ooit heb gelezen ging over pater Damien en de leprozen. Pater Damien was de een of andere man en hij heette Joseph de Veuster voor hij priester werd. Hij was geboren in 1840 in het plaatsje Tremeloo in België.

Ik had een paar leprozen nodig.

Toen hij een klein jongetje was, noemde iedereen hem Jef en hij was nogal dik. Alle grote mensen dronken donker Vlaams bier. Joseph wilde priester worden maar zijn vader vond het niet goed. Later wel.

'Hoeveel verdienen priesters?' vroeg ik.

'Te veel,' zei mijn pa.

'Toe nou, Paddy,' zei mijn ma tegen mijn pa. 'Ze krijgen helemaal geen loon,' vertelde ze me.

'Waarom niet?'

'Dat is moeilijk uit te...' begon ze. 'Dat is heel ingewikkeld. Ze hebben een roeping.'

'Wat is dat?'

Joseph sloot zich aan bij een stel priesters die de Congregatie van de Heilige Harten van Jezus en Maria heette.

De priester die met die orde was begonnen, had tijdens de Franse Revolutie een leven geleid vol gevaarlijke ontsnappingen en spannende avonturen. Hij had in de schaduw van de guillotine geleefd. Joseph moest een nieuwe naam verzinnen en hij noemde zich Damien naar een man die Damien heette en die een martelaar was toen de Kerk nog niet zo lang bestond. Hij was broeder Damien voordat hij pater Damien werd. Hij ging naar Hawaii. Op weg daarnaar toe leverde de kapitein van het schip hem een vuile streek. Hij pakte zijn telescoop en spande een haar voor de lens en hij liet pater Damien erdoorheen kijken en vertelde hem dat dat de evenaar was. Pater Damien geloofde hem maar dat betekent niet dat hij een sufkont was want in die tijd wisten ze niks van dat soort dingen af. Pater Damien moest hosties maken van meel op het schip omdat de ouwel op was. Hij werd niet zeeziek. Hij had bijna meteen zeebenen.

Het deeg van saucijzebroodjes was het beste om hosties te maken als het vers was. Dat hoefde je niet nat te maken. Bakmeel was ook niet slecht maar gewone boterhammen waren waardeloos. Dat veerde steeds weer terug. Het was heel moeilijk om de hosties mooi rond te krijgen. Ik gebruikte een stuiver uit de portemonnee van mijn ma. Ik zei tegen ma dat ik hem had gepakt voor het geval ze me bezig zou zien. Ik drukte de stuiver heel hard in het platgeslagen brood en soms bleef het rondje aan de onderkant van de stuiver plakken. Mijn hosties smaakten lekkerder dan de echte. Ik liet ze twee dagen in de vensterbank liggen en ze werden net zo hard als de echte maar ze smaakten niet lekker meer. Ik vroeg me af of het zondig was om ze te maken. Ik dacht van niet. Een van de hosties in de vensterbank beschimmelde; dat was een zonde, dat ik dat had laten gebeuren. Ik zei een Weesgegroetje en vier Onze Vaders, omdat ik het Onze Vader mooier vond dan het Weesgegroetje en het was langer en beter. Ik zei ze voor mezelf op in het schuurtje in het donker.

'Corpus Christi.'

'Amen,' zei Sinbad.

'Doe je ogen dicht,' zei ik.

Hij deed het.

'Corpus Christi.'

'Amen.'

Hij hief zijn hoofd op en stak zijn tong uit. Ik gaf hem de beschimmelde.

'Hoe maken priesters hosties?' vroeg ik mijn ma.

'Van meel,' zei mijn ma. 'Het is gewoon brood zolang het niet is gewijd.'

'Geen echt brood.'

'Een ander soort brood,' zei ze. 'Het is ongedesemd brood.'

'Wat is dat?'

'Dat weet ik niet.'

Ik geloofde haar niet.

Het mooiste van het verhaal begon toen pater Damien naar de leprakolonie ging. Molokai heette die. Daar werden alle leprozen heen gebracht zodat ze niemand anders konden besmetten. Pater Damien wist waar hij aan begon; hij wist dat hij daar nooit meer weg zou gaan. Er lag een merkwaardige gloed op het gezicht van pater Damien toen hij de bisschop vertelde dat hij daar naar toe wilde. De bisschop was verheugd over en ingenomen met de moed van zijn jonge missionaris. Het kerkje op Molokai was vervallen en verwaarloosd maar pater Damien knapte het op. Hij brak een tak van een boom en gebruikte die als bezem en begon de vloer van het kleine kapelletje te vegen. Hij zette er bloemen in. De leprozen die in de buurt rondhingen, keken naar hem en deden eeuwen niks anders dan kijken. Hij was een grote gezonde man en zij waren maar leprozen. Na de eerste dag hadden de leprozen nog steeds geen vinger uitgestoken om hem te helpen. Als hij naar bed ging, kon hij de leprozen horen kermen in het donker en hij hoorde de golven die tegen de kale kust beukten. België had nog nooit zo ver weg geleken. Na een poosje begonnen de leprozen hem te helpen. Hij raakte bevriend met ze. Ze noemden hem Kamiano.

'Zijn er leprozen in Ierland?'

'Nee.'

'Geen een?'

'Nee.'

Pater Damien bouwde een betere kerk en huizen en deed massa's andere dingen – hij leerde hun allemaal hoe ze groenten moesten verbouwen – en hij wist al die tijd dat hij ook lepra zou krijgen, maar dat kon hem niks schelen. Zijn grootste geluk was de kinderen, de jongens en meisjes die hij onder zijn hoede had genomen, te zien spelen. Elke dag bracht hij uren met hen door.

Er vielen stukken van de leprozen af. Dat hoorde bij hun ziekte. Ken je die van de cowboy met lepra? Die gooide zijn been over zijn paard. Ken je die van de hardloper met lepra? Die liep z'n benen uit z'n lijf.

Op een avond in december 1884 stak pater Damien zijn pijnlijke voeten in wat water om de pijn te verzachten. Zijn voeten zaten onder de rode blaren; het water was kokendheet maar zijn voeten bleven steenkoud. Hij wist dat hij lepra had. 'Ik vind het verschrikkelijk om het u te zeggen,' zei de dokter bedroefd. Maar pater Damien maalde er niet om. 'Ik heb lepra,' zei hij. 'Gezegend zij de Goede God!'

'Gezegend zij de Goede God,' zei ik.

Mijn pa schoot in de lach.

'Waar heb je dat vandaan?' vroeg hij.

'Dat heb ik gelezen,' zei ik. 'Pater Damien zei dat.'

'Wie is dat ook weer?'

'Pater Damien en de leprozen.'

'O, da's waar ook. Hij was een goed mens.'

'Zijn er ooit leprozen in Ierland geweest?'

'Ik geloof van niet.'

'Waarom niet?'

'Dat komt alleen in warme landen voor, geloof ik.'

'Het is hier ook weleens warm,' zei ik.

'Niet zo warm.'

'Wel, hoor.'

'Niet warm genoeg,' zei mijn pa. 'Het moet heel heel heel erg warm zijn.'

'Hoeveel warmer dan hier?'

'Vijftien graden,' zei mijn pa.

Lepra was ongeneeslijk. In de brieven aan zijn moeder zei hij er niets over. Maar het nieuws verspreidde zich. De mensen stuurden geld naar pater Damien en daarvan bouwde hij een nieuwe kerk. Eentje van steen. De kerk staat er nog steeds en als je nu naar Molokai reist, kun je hem bezichtigen. Pater Damien vertelde zijn kinderen dat hij spoedig dood zou gaan en dat de nonnen vanaf dat moment voor hen zouden zorgen. Ze klampten zich aan zijn voeten vast en zeiden: 'Nee, nee, Kamiano! Wij willen bij u blijven zolang u leeft.' De nonnen keerden onverrichter zake terug naar huis.

'Doe dat nog eens.'

Sinbad pakte mijn benen.

'Nee, nee, Kam... Kam...'

'Kamiano!'

'Dat kan ik niet onthouden.'

'Kamiano.'

'Kan ik niet gewoon Patrick zeggen?'

'Nee,' zei ik. 'Doe het nog eens en nou goed.'

'Ik wil niet meer.'

Ik pakte zijn arm en deed even prikkeldraad. Hij pakte mijn benen.

'Lager.'

'Hoeveel lager?'

'Lager.'

'Dan schop je me.'

'Nietes. Alleen als je niet doet wat ik zeg.'

Sinbad pakte me bij mijn enkels. Hij hield me stevig vast zodat mijn voeten geen kant op konden.

'Nee, nee, Kamiano! Wij willen bij u blijven zolang u leeft.'

'Goed, mijn kinderen,' zei ik. 'Jullie mogen blijven.'

'Reuze bedankt, Kamiano,' zei Sinbad.

Hij wilde mijn voeten niet loslaten.

Pater Damien stierf op Palmzondag. De mensen zaten op de grond en beukten naar oud Hawaiiaans gebruik op hun borst en schommelden naar voren en naar achteren en jammerden bedroefd. De lepra had hem verlaten; er waren geen littekens of wat dan ook. Hij was een heilige.

Ik las het verhaal twee keer.

Ik had leprozen nodig. Sinbad was niet genoeg. Hij liep steeds weg. Ik zei tegen mijn ma dat ik een leproos van hem wilde maken en dat hij dat niet wilde zijn. Dus had ik leprozen nodig. Kevin kon ik het niet vragen want dan zou het erop uitdraaien dat hij pater Damien was en ik een leproos. Het was mijn verhaal. Ik koos de McCarthy-tweeling en Willy Hancock. Ze waren vier jaar, alle drie. Ze vonden het geweldig om met een grote jongen als ik te spelen. Ik liet ze naar onze achtertuin komen. Ik vertelde wat leprozen waren. Ze wilden graag leprozen zijn.

'Kunnen leprozen zwemmen?' vroeg Willy Hancock.

'Ja,' zei ik.

'Wij kunnen niet zwemmen,' zei een van de McCarthy's.

'Leprozen kunnen zwemmen,' zei Willy Hancock.

'Ze hoeven niet te zwemmen,' zei ik. 'Jullie hoeven niet te zwemmen. Jullie hoeven alleen maar te spelen dat jullie leprozen zijn. Geen kunst aan. Je hoeft alleen maar een beetje ziek te zijn en een beetje te waggelen.'

Ze waggelden.

'Kunnen ze lachen?'

'Ja,' zei ik. 'Ze moeten alleen af en toe gaan liggen zodat ik hun voorhoofd kan afvegen en voor ze kan bidden.'

'Ik ben een leproos!'

'Ik ben een leproos! Waggel waggel waggel!'

'Waggel waggel leproos!'

'Waggel waggel leproos!'

'Onze Vader die in de hemel zijt; Uw Naam worde geheiligd...'

'Waggel waggel waggel!'

'Hou 's even jullie kop dicht.'

'Waggel waggel waggel.'

Ze moesten naar huis om te eten. Ik hoorde ze door de heg op het pad naar hun huis.

'Ik ben een leproos! Waggel waggel waggel!'

'Ik heb een roeping,' zei ik tegen mijn moeder, voor het geval mevrouw McCarthy aan de deur kwam vanwege de tweeling, of mevrouw Hancock.

Ze was nog steeds aan het koken en probeerde Catherine te beletten in het kastje onder het aanrecht met de schoonmaakmiddelen en de borstels te kruipen.

'Wat zei je, Patrick?'

'Ik heb een roeping,' zei ik.

Ze tilde Catherine op.

'Heeft iemand met jou gepraat?' vroeg ze.

Dat had ik niet verwacht.

'Nee,' zei ik. 'Ik wil missionaris worden.'

'Goed zo,' zei ze, maar niet zoals ik had gewild. Ik wilde dat ze zou gaan huilen. Ik wilde dat mijn pa me een hand zou geven. Ik vertelde het hem toen hij thuiskwam van zijn werk.

'Ik heb een roeping,' zei ik.

'Niks hoor,' zei hij. 'Daar ben je te jong voor.'

'Echt waar,' zei ik. 'God heeft tot me gesproken.'

Het ging helemaal mis.

Hij zei wat tegen mijn ma.

'Ik heb het je nog zo gezegd,' zei hij.

Hij klonk kwaad.

'Je moet 'm die onzin niet aanpraten,' zei hij.

'Ik heb het hem niet aangepraat,' zei ze.

'Jawel, dat heb je verdomme wel,' zei hij.

Ze keek alsof ze een besluit nam.

'En of je dat hebt!'

Hij schreeuwde tegen haar.

Ze liep de keuken uit en begon te rennen. Ze probeerde de knoop van haar schort los te maken. Hij ging achter haar aan. Hij zag er anders uit, alsof hij ergens op was betrapt. Ze lieten me alleen. Ik wist niet wat er was gebeurd. Ik wist niet wat ik had gedaan.

Ze kwamen terug. Ze zeiden geen woord.

Huisjesslakken en naaktslakken waren gastropoden; ze waren buikpotig. Ik strooide zout op een slak. Ik kon de folterende pijn zien. Ik raapte hem op met het planteschopje en gaf hem een fatsoenlijke begrafenis. Er was verschil tussen Amerikaans voetbal en gewoon voetbal. Echt voetbal werd gespeeld met een ronde bal op een rechthoekig veld door twee elftallen. De bedoeling is doelpunten te maken, dat wil zeggen de bal in het doel van de tegenstander te plaatsen, dat wordt gevormd door twee rechtop staande palen met daarop een dwarslat. Dat had ik uit mijn hoofd geleerd. Het klonk niet als spelregels; het klonk eigenwijs. De hoogste score ooit gehaald was Arbroath tegen Bon Accord, 36-0. Joe Payne maakte de meeste doelpunten, wel tien, voor Luton, in 1936. Geronimo was de laatste Apache die rebelleerde.

Ik hield de bal boven mijn hoofd. We waren in Barrytown Grove. Daar waren de stoepranden goed hoog om te stuiteren. In de bal zat een barst.

'De bedoeling,' zei ik, 'is doelpunten te maken, dat wil zeggen, de bal in het doel van de tegenstander te plaatsen dat... wordt gevormd door twee rechtop staande palen met daarop een dwarslat.'

Ze barstten in lachen uit.

'Zeg dat nog eens.'

Ik deed het. Ik zei het op plechtige toon. Ze lachten opnieuw.

'Ge-ro-Nimo!'

Hij was de laatste rebellerende Apache. De laatste der rebellen.

'Jij bent een rebel, meneer Clarke.'

Hennessy noemde ons soms rebellen voor hij ons sloeg.

'Wat ben jij?'

'Een rebel, meester.'

'Juist.'

'Rebel!'

'Rebel rebel rebel!'

Ik had een foto van Geronimo. Hij zat geknield op één been. Zijn linker elleboog steunde op zijn linkerknie. Hij had een geweer. Hij had een sjaal om zijn nek en een hemd met vlekken erop die ik pas opmerkte toen ik de foto op mijn muur prikte. Hij had een armband om zijn rechterpols die eruitzag als een horloge. Misschien had hij die gestolen. Misschien had hij iemands arm afgehakt om hem te krijgen. Het geweer leek zelfgemaakt. Het mooiste was zijn gezicht. Hij keek recht in de camera, er dwars doorheen. Hij was er niet bang voor; hij dacht niet dat hij zijn ziel zou stelen, zoals sommigen dachten. Zijn haar was zwart, met een scheiding in het midden en het hing recht omlaag tot op zijn schouders; geen veren of andere frutsels. Hij zag er heel oud uit, zijn gezicht, maar de rest was jong.

'Pap?'

'Ja?'

'Hoe oud ben jij?'

'Drieëndertig.'

'Geronimo was vierenvijftig,' vertelde ik hem.

'Wat?' zei hij. 'Zijn hele leven?'

Hij was vierenvijftig toen die foto werd gemaakt. Misschien nog wel ouder. Hij zag er woest en treurig uit. Zijn mond zat ondersteboven, als een treurig gezicht in een stripverhaal. Zijn ogen waren glazig en zwart. Hij had een grote neus. Ik vroeg me af waarom hij bedroefd was. Misschien wist hij hoe het met hem zou aflopen. Het stuk van zijn been op de foto was net een meisjesbeen, zonder haar of bulten. Hij had laarzen aan. Er waren struiken om hem heen. Ik bedekte zijn haar met mijn vingers. Hij had het gezicht van een oude vrouw. Een droevige oude vrouw. Ik haalde mijn vingers weg. Toen was het Geronimo weer. Het was maar een zwart-witfoto. Ik kleurde zijn hemd, blauw. Dat kostte me eeuwen.

Ik zag een andere foto in een boek. Van Geronimo met zijn krijgers. Ze stonden in een groot veld. Geronimo stond in het midden, met een jasje aan en een streepjessjaal. Hij zag er nog steeds oud en jong uit. Zijn schouders leken oud. Zijn benen leken jong.

Geen een van de plaatjes in het boek leek op de Indianen in de film. Er was er een van de Snake- en Sioux-Indianen op oorlogspad. De belangrijkste figuur op het plaatje had een paardestaart en de rest van zijn hoofd was kaal en glom als een appel. Hij reed aan de zijkant van zijn paard hangend zodat de anderen hem niet met hun pijlen konden raken. Het oog van het paard keek op hem neer;

het paard zag er bang uit. Het was een schilderij. Ik vond het mooi. Er was ook een schitterend plaatje van een Indiaan die een buffel doodt. De buffel had zijn kop onder het paard; de Indiaan moest hem snel doden anders zou de buffel het paard omvergooien. Maar iets in de manier waarop de Indiaan op het paard zat, met zijn rug recht en zijn arm gestrekt, met zijn speer in de aanslag, zei me dat hij zou winnen. Onder het plaatje stond trouwens De Laatste der Buffels. Aan de zijkant van het plaatje joegen andere Indianen op andere buffels. Het veld was bezaaid met buffelschedels en overal lagen dode buffels. Dat plaatje kon ik niet aan mijn muur prikken omdat het in een boek van de bibliotheek stond. Ik ging naar de bibliotheek in Baldoyle. Samen met m'n pa. Er was een zaal voor volwassenen en een andere zaal voor kinderen.

Hij bemoeide zich er altijd mee. Als hij zijn eigen boeken had omgeruild, kwam hij naar ons deel van de bibliotheek en begon boeken voor me te kiezen. Hij zette ze nooit netjes terug.

'Dit heb ik gelezen toen ik zo oud was als jij nu.'

Dat kon me geen barst schelen.

Ik mocht twee boeken tegelijk meenemen. Hij bekeek de omslagen.

'*De Amerikaanse Indianen.*'

Hij haalde het kaartje eruit en stopte dat in het hoesje van mijn bibliotheekkaart. Dat deed hij ook altijd. Hij bekeek het andere boek.

'*Daniel Boone, held.* Zo mag ik het zien.'

Ik las in de auto. Dat kon ik zonder misselijk te worden als ik niet opkeek. Daniel Boone was een van de grootste Amerikaanse pioniers. Maar, zoals bij zoveel pioniers, was schrijven niet zijn sterkste kant. Hij kerfde iets in de bast van een boom als hij een beer had geschoten.

'D. Boone doodte ber op dees boom 1773.'

Zijn spelling was veel slechter dan de mijne, zelfs slechter dan die van Sinbad. Ik zou Beer nooit verkeerd hebben gespeld. En trouwens, waarom schreef een volwassen kerel dingen op bomen?

'DANIEL BOONE WAS EEN KEREL

EEN REUS VAN EEN KEREL

MAAR DE BEER WAS NOG DIKKER

EN HIJ VLUCHTTE ALS EEN NIKKER

IN EEN BOOM.'

Er stond een plaatje van hem in en hij zag eruit als een mafkees. Hij hield een Indiaan tegen die zijn vrouw en zijn zoon met een bijl te lijf wilde. De Indiaan had stekelhaar en hij droeg rose lappen om zijn middel en verder niks. Hij keek omhoog naar Daniel Boone alsof hij opeens de bibberatie had gekregen. Daniel Boone hield zijn pols vast en had zijn andere arm in een houdgreep. De Indiaan was minstens twee koppen kleiner dan Daniel Boone. Daniel Boone was gekleed in een groene jas met een witte kraag en franje aan de mouwen. Hij droeg een bontmuts met een rode rand. Hij leek op een van die mevrouwen in de banketbakkerij in Raheny. Zijn hond blafte. Zijn vrouw keek alsof ze zich ergerde aan het lawaai dat hij maakte. Haar jurk was van haar schouders gegleden en haar haar was zwart en hing tot op haar billen. De hond had een halsband met zijn naam erop. Midden in de wildernis. Op televisie vond ik Daniel Boone ook waardeloos. Hij was te braaf.

'Fess Parker,' zei mijn pa. 'Wat is dat nou voor een naam?'

Ik was dol op de Indianen. Ik was dol op hun wapens. Ik maakte zelf een slingerknots, zoals de Apachen hadden. Het was een knikker, een stuiter, in een sok, en die spijkerde ik vast aan een stok. Ik stak een veer in de sok. Hij gonsde toen ik hem rondslingerde en de veer viel eruit. Ik sloeg ermee tegen de muur en er brak een schilfer af. Ik had die andere sok weg moeten gooien. Mijn ma sprong uit haar vel toen ze zelf die andere vond die ik niet gebruikte.

'Hij kan niet ver weg zijn,' zei ze. 'Kijk eens onder je bed.'

Ik ging naar boven en keek onder het bed, ook al wist ik dat de sok daar niet lag en dat mijn ma me niet naar boven was gevolgd. Ik was in m'n uppie maar ik knielde op de grond en keek. Ik kroop eronder. Ik vond een soldaatje. Een Duitser uit de Eerste Wereldoorlog met een punthelm.

Ik las William. Ik las ze allemaal. Er waren vierendertig delen uitgekomen. Ik had er zelf acht. De andere waren in de bibliotheek. William de Piraat was de beste. Drommels! zei William stomverbaasd. Zo'n slimme hond heb ik nog nooit gezien. Drommels! zei hij, hij is een wonder. Hé, Toby! Toby! Kom 's hier, ouwe reus! Daar had Toby wel oren naar. Toby was een vrolijk, vriendelijk hondje. Hij rende naar William toe en speelde met hem en gromde tegen hem en deed alsof hij hem wilde bijten en rolde en duikelde.

'Mag ik een hond voor mijn verjaardag?'

'Nee.'

'Voor Kerstmis?'

'Nee.'

'Voor allebei samen?'

'Nee.'

'Voor Kerstmis en mijn verjaardag?'

'Wil je soms een knal voor je kop?'

'Nee.'

Ik vroeg het aan mijn moeder. Zij zei hetzelfde. Maar toen ik tweemaal Kerstmis en twee verjaardagen bood, zei ze: 'We zien nog wel.'

Daar kon ik het mee doen.

Williams bende heette de Vogelvrijen; hij, Ginger, Douglas en Henry. Het was Gingers beurt om aan het roer te staan en hij greep het met nieuwe vastberadenheid.

'Vastberadenheid,' zei ik.

'Vastberadenheid!'

'Vastberaden vastberaden vastberaden!'

Een dag lang noemden we onszelf de Bende van de Vastberadenen. We pakten een van Sinbads viltstiften en tekenden grote V's op onze borst, van Vastberaden. Het was koud. De viltstift kriebelde. Grote zwarte V's. Van onze tepies tot onze navels.

'Vastberaden.'

Kevin gooide de dop van Sinbads viltstift over een schutting in Barrytown Road, een oude met drab aan de onderkant. We gingen Tootsie's winkel binnen en lieten onze borst zien.

'Een twee drie...'

'Vastberaden!'

Ze zag niks of zei niks. We renden de winkel uit. Kevin tekende een grote piemel op Kiernans hek. We renden weg. We gingen terug om Kevin de druppels te laten tekenen die uit de piemel kwamen. We renden weer weg.

'Vastberaden.'

De Kiernans waren alleen meneer en mevrouw Kiernan.

'Zijn hun kinderen doodgegaan?' vroeg ik mijn ma.

'Nee,' zei ze. 'Nee. Ze hebben nooit kinderen gehad.'

'Waarom niet?'

'O, dat weet God alleen, Patrick.'

'Stom zeg,' zei ik.

Ze waren niet oud. Ze gingen allebei naar hun werk, in zijn auto. Zij kon ook rijden. We gingen hun achtertuin in als ze naar hun werk waren. Het was een hoekhuis; geen kunst aan. De muur was hoger vanwege de hoek dus we konden daar eeuwen blijven zonder dat iemand ons zag. Het gevaarlijkste was het naar buiten klimmen en dat was grandioos. Het was tof als je als tweede ging; als eerste was te link. Je ma kon toevallig net langskomen met de kinderwagen. Je mocht niet van tevoren kijken; dat was verboden. Je moest er recht tegenop klimmen en eroverheen gaan zonder te kijken of er iemand in de buurt was. We werden nooit gepakt. Op een keer hing er een onderbroek van mevrouw Kiernan aan de waslijn. Ik trok de paal weg en daardoor hing de lijn een stuk lager. We pakten Aidan. We hadden niks afgesproken maar wisten wat we moesten doen. We hielden hem vast en drukten zijn gezicht in de onderbroek. Hij maakte een geluid alsof hij moest overgeven.

'Je boft dat het geen vuile is.'

Ik zette de paal terug. We deden het om beurten. We namen een aanloop, sprongen omhoog en kopten tegen de onderbroek. Het was grandioos. We deden het eeuwenlang. We haalden hem niet van de lijn.

Mijn ma zag de V toen we op zaterdag na de thee in bad moesten. Ik en Sinbad zaten er samen in. Ze gaf ons altijd vijf minuten om te spelen. Ze zag de V. Hij was bijna niet meer te zien. Sinbad had er ook een.

'Wat zijn dat?' vroeg ze.

'V's,' zei ik.

'Waarom staan die daar?' vroeg ze.

'Zomaar,' zei ik.

Ze zeepte het washandje stevig in. Ze hield mijn schouder vast toen ze de V eraf boende. Het deed pijn.

Ik was in de winkel van meneer Fitz om een half blok roomijs te kopen. Het was zondag. IJs met rode streepjes erin. Ik moest meneer Fitz zeggen dat hij het op ma's rekening moest zetten. Dat betekende dat ze hem vrijdag zou betalen. Hij pakte het ijs in het papier waar hij ook de saucijzebroodjes in pakte. Hij vouwde het dicht. Het was al nat.

'Alsjeblieft,' zei hij.

'Dank u zeer,' zei ik.

Mevrouw Kiernan stond bij de deur; ze kwam net binnen, ze stond in de deuropening. Ik kreeg een rode kop. Ze zou mijn gezicht zien en me betrappen. Ze zou het door hebben.

Ik liep langs haar. Ze zou me tegenhouden, me bij mijn schouder pakken. Er waren meer mensen; ze stonden op de stoep te praten. Ze hadden kranten en bekertjes roomijs. Ze zouden het zien. Kevins pa en ma waren er ook. En meisjes. Ze zou me bij mijn lurven pakken en me uitschelden.

Ik stak over en liep aan de verkeerde kant van de straat

naar huis. Ze wist het. Iemand had het haar verteld. Ze wist het beslist. Ze stond me op te wachten. Ze had me naar de winkel gevolgd om te zien of ik een rode kop zou krijgen. Ze had het gezien. Ik had nog steeds een kop als een boei; ik voelde het. Haar haar was langer dan dat van mijn ma. Het was ook voller, dikker. Bruin. Ze groette nooit. Ze ging nooit lopend naar de winkels. Ze gingen altijd met de auto en hun huis was maar een klein stukje verderop. Hij was de enige volwassen man in Barrytown met krullen, en hij had ook een snor.

Ik keek achterom. Ik was veilig; ze kwam me niet achterna. Ik stak weer over naar onze kant. Ze was bloedmooi. Ze was adembenemend. Ze droeg een spijkerbroek op zondag. Misschien wachtte ze een geschikt moment af om me bij mijn kladden te grijpen.

Ik prakte het ijs met mijn lepel tot het zacht was. Ik maakte er bergjes van. De streepjes waren weg. Het ijs was helemaal rose geworden. Ik nam altijd een klein lepeltje; dan duurde het langer. Toen ik eraan terugdacht, kreeg ik weer een rood hoofd, maar niet zo erg als eerst. Ik kon mijn bloed horen kloppen. Ik zag me naar de deur lopen en daar zou mevrouw Kiernan staan; ze zou mijn ma willen spreken en haar vertellen over wat ik had gedaan met haar onderbroek, en mijn pa. Ik kon de voetstappen horen. Ik wachtte op de bel.

Als er niet werd gebeld voor ik mijn ijs op had, dan zou ze niet meer komen. Maar ik mocht me niet haasten. Ik moest het langzaam opeten zoals ik altijd deed, altijd het laatste klaar. Ik mocht de kom uitlikken. Er werd helemaal niet gebeld. Ik had het gevoel dat ik iets had gepresteerd; mijn missie was volbracht. Ik wachtte tot mijn gezicht weer normaal aanvoelde. Het was heel stil. Ik was de enige die nog bij ze aan tafel zat. Ik keek ze niet aan toen ik het vroeg.

'Mag je een spijkerbroek dragen op zondag?'

'Nee,' zei mijn pa.

'Dat hangt ervan af,' zei mijn ma. 'In ieder geval pas na de kerkdienst.'

'Nee,' zei mijn pa.

Mijn ma keek hem aan met een gezicht, zoals ze ook keek als ze ons ergens op betrapte; maar dan verdrietiger.

'Hij heeft helemaal geen spijkerbroek,' zei ze. 'Hij vraagt 't zomaar.'

Mijn pa zei niks. Mijn ma zei niks.

Mijn ma las boeken. Meestal 's avonds. Ze likte aan haar vinger als ze onder aan de bladzijde kwam en sloeg hem dan om; ze trok het hoekje omhoog met haar vochtige vinger. 's Ochtends vond ik haar boekelegger, een stukje krantepapier, in het boek en dan telde ik de bladzijden die ze de avond ervoor had gelezen. Het record was tweeënveertig.

De lessenaars op onze school roken een beetje naar kerk. Als ik mijn armen over elkaar sloeg en mijn hoofd in het holletje stak, als Henno zei dat we ons slapend moesten houden, dan rook ik de geur die opsteeg van de kerkbanken. Lekker vond ik dat. Het was kruidig en net als de aarde onder een boom. Ik likte aan de lessenaar maar die smaakte ontzettend vies.

Ian McEvoy viel een keer echt in slaap toen Henno zei dat we ons slapend moesten houden. Henno stond bij de deur te praten met meester Arnold en zei ons dat we onze armen over elkaar moesten doen en gaan slapen. Dat gebeurde altijd als Henno met iemand praatte of de krant zat te lezen. Meester Arnold had dikke lokken die elkaar onder zijn kin bijna raakten. Hij was een keer op de *Late Late Show* en zong toen een liedje en speelde gitaar met nog een man en twee dames. Ik mocht opblijven om naar hem te kijken. Een van de dames speelde ook gitaar. Zij en meester Arnold zaten aan de buitenkant en de andere twee in het midden. Ze hadden allemaal dezelfde soort blouse aan maar de mannen hadden een das om en de dames niet.

'Hij kan zich maar beter bij zijn werk houden,' zei mijn pa.

Mijn ma zei dat hij stil moest zijn.

James O'Keefe tikte met zijn voet tegen de stoel van mijn schoolbank. Ik verschoof mijn arm zodat ik mijn hoofd kon optillen en snel achterom kijken.

'Hup,' zei hij. 'Geef 't door.'

Zijn hoofd verdween weer achter zijn armen.

Ik schoof onderuit zodat ik met mijn voet bij de bank van Ian McEvoy kon. Ik tikte ertegenaan. Hij gaf geen krimp. Ik deed het nog eens. Ik ging nog verder onderuit zitten en met mijn voet langs de bank en ik raakte zijn been. Hij draaide zich niet om. Ik ging weer rechtop zitten en wachtte, en draaide me om naar James O'Keefe.

'McEvoy is in slaap gevallen.'

James O'Keefe beet op zijn trui om zijn lach in te houden. Iemand in de klas zat lelijk in de nesten en hij was het niet.

We wachtten allemaal. We maakten gebaren naar elkaar dat we stil moesten zijn zodat we Ian McEvoy niet wakker zouden maken, ook al maakten we toch al geen geluid.

Henno deed de deur dicht.

'Ga maar weer rechtop zitten.'

Dat deden we, meteen; we gingen kaarsrecht zitten. We keken naar Hennessey om te zien of hij Ian in de gaten had.

We hadden taal, woorden spellen. Henno had zijn agenda op zijn bureau gelegd. Daar schreef hij al onze cijfers en beurten in en die telde hij vrijdags op en dan moesten we van plaats verwisselen. De hoogste cijfers zaten in de banken bij het raam en de slechtsten moesten achterin bij de kapstokken zitten. Ik zat meestal ergens in het midden, soms wat meer vooraan. Degenen die achteraan zaten, kregen de moeilijkste spelwoorden; in plaats van hun, laten we zeggen, elf drietjes te vragen, vroeg hij hun elf elfjes of elf twaalfjes. Als je na het optellen van de cijfers eenmaal op de achterste rij was gezet, dan was het ontzettend moeilijk om daar weer weg te komen, en je werd nooit op een boodschap uitgestuurd.

'Mediterraan.'

'M.e.d...'

'Dat is eenvoudig; ga verder.'

'i.t...'

'Ga door.'

Dat redde hij nooit; het was Liam. Hij zat gewoonlijk achter me of naast me in de rij bij de kapstokken, maar hij had donderdag een tien gehaald met rekenen en dus zat hij voor me, en voor Ian McEvoy. Ik had maar een zes gehaald bij het proefwerk rekenen omdat Richard Shiels me niet bij hem liet afkijken, maar daarvoor heb ik hem later pootje gehaakt.

't.e.r... a.'

'Fout. Je bent een kluns. Wat ben je?'

'Een kluns, meester.'

'Precies,' zei Henno. 'Fou-hout!' zei hij terwijl hij Liams miskleun in zijn agenda noteerde.

Op vrijdag liet hij ons niet alleen van plaats verwisselen; hij sloeg ons ook. Dat wekte zijn eetlust op, vertelde hij ons. Dat stimuleerde zijn trek, en dat had hij nodig want hij hield eigenlijk niet van vis. Een tik voor elke fout. Met de leren riem die hij in de grote vakantie in azijn drenkte.

Toen was Kevin aan de beurt, daarna Ian McEvoy.

'M.e.d.,' zei Kevin, 'i.t.e.r...'

'Ja?'

'r.i.a.a.n.'

'Fou-hout! Meneer McEvoy.'

Ian McEvoy was nog steeds diep in slaap. Kevin zat bij hem in de bank en hij vertelde ons later dat Ian McEvoy glimlachte in zijn slaap.

'Droomde zeker van een mokkel,' zei James O'Keefe.

Henno stond op en keek over Liam heen naar Ian McEvoy.

'Hij is in slaap gevallen, meester,' zei Kevin. 'Zal ik hem wakker maken?'

'Nee,' zei Henno.

Henno drukte zijn vinger tegen zijn lippen; we moesten muisstil zijn.

We giechelden en zeiden sssst. Henno liep op zijn tenen naar Ian McEvoys kant van de bank; we keken naar hem.

Hij maakte niet de indruk een grapje te maken.

'Me-neer McEvoy!'

Het was niet leuk; we konden er niet om lachen. Ik voelde de luchtstroom toen Henno's hand uitschoot en met een harde klap op Ian McEvoys nek neerkwam. McEvoy schoot omhoog en hapte naar adem. Hij kreunde. Ik kon hem niet zien. Ik kon de zijkant van Kevins gezicht zien. Het was bleek; zijn onderlip stak verder naar voren dan zijn bovenlip.

Hennessy waarschuwde ons dat we niet ziek mochten zijn op vrijdag. Als we vrijdags niet op school waren voor onze bestraffing, dan zou hij ons maandag te grazen nemen, zonder pardon.

Alle banken roken hetzelfde, in alle lokalen. Soms was het hout wat lichter omdat de bank bij het raam stond, waar de zon erop kon schijnen. Het waren niet van die ouderwetse schoolbanken met een blad met scharnieren dat je omhoogklapte met daaronder een plek om je boeken in op te bergen. Het blad zat vastgeschroefd; daaronder was een plank voor je boeken en je schooltas. Er was een brede gleuf voor je pennen en een gat voor de inktpot. Je kon je pen over het blad omlaag laten rollen. We deden het soms expres omdat Henno de pest in kreeg als hij dat geluid hoorde.

James O'Keefe dronk uit de inktpot.

Als we moesten opstaan, als ons dat werd bevolen, dan moesten we de zitting opklappen zonder lawaai te maken. Als er op de deur werd geklopt, als er een meester binnenkwam of meneer Finnucane, de bovenmeester, of pater Moloney, dan moesten we gaan staan.

'*Dia duit*,'[1] zeiden we dan.

Henno hief alleen zijn hand op alsof hij iets in zijn handpalm had en dan zeiden we het allemaal tegelijk.

In elke bank zaten twee jongens. Als een jongen voor je opstond om naar het bord te gaan of naar de *leithreas*,[2] dan zag je een rode striem van de bank achter op zijn benen.

Ik moest naar beneden om mijn ouders te halen. Sinbad bleef maar huilen, hij jankte als een stoomlocomotief. Hij wist van geen ophouden.

'Ik ram je in elkaar als je niet ophoudt.'

Ik begreep niet dat ze het niet hadden gehoord. Het licht in de gang was uit. Dat hoorden ze aan te laten. Ik kwam onder aan de trap. Het zeil in de gang was ijskoud. Ik luisterde nog even: Sinbad jankte nog steeds.

Ik vond het geinig om hem in moeilijkheden te brengen. Dit was de beste manier. Ik kon doen alsof ik hem hielp.

Ze zaten naar een cowboyfilm te kijken. Pa deed niet alsof hij de krant las.

'Francis huilt.'

Ma keek pa aan.

'Hij wil niet ophouden.'

Ze keken elkaar nog eens aan, en ma stond op. Het duurde eeuwen voor ze overeind was gekomen.

'Hij doet 't al de hele avond.'

'Terug naar boven, Patrick; vooruit.'

Ik liep voor haar uit. Ik wachtte op de plek waar het

1 Hallo/God zij met u.   2 wc

83

echt donker begon te worden om er zeker van te zijn dat ze achter me aan kwam. Ik ging naast Sinbads bed staan.

'Ma komt eraan,' zei ik hem.

Het zou beter zijn geweest als pa was gekomen. Zij zou hem niks doen. Ze zou tegen hem praten, meer niet, hem misschien een knuffeltje geven. Maar dat kon me niet schelen. Op dat moment wilde ik hem geen loer draaien. Ik had het koud.

'Ze komt eraan,' zei ik nog eens.

Ik had hem gered.

Hij ging een beetje harder huilen, en ma duwde de deur open. Ik stapte in bed. Het was nog een beetje warm van daarvoor.

Pa zou ook niks hebben gedaan; hij zou hetzelfde hebben gedaan als ma.

'Zo, wat is er aan de hand, Francis?'

Ze zei het niet op zo'n toon van Wat is er *nu* weer aan de hand?

'Ik heb pijn in mijn benen,' vertelde Sinbad haar.

Hij kalmeerde een beetje; zij was gekomen.

'Wat voor soort pijn?'

'Erge pijn.'

'In allebei je benen?'

'Ja.'

'Twee pijnen?'

'Ja.'

Ze wreef over zijn gezicht, niet over zijn benen.

'Net als de vorige keer.'

'Ja.'

'Dat is vreselijk; arm schaap.'

Sinbad kreunde.

'Dat zijn groeipijntjes, weet je,' zei ze tegen hem. 'Jij wordt een hele grote jongen.'

Ik had nooit pijn in mijn benen.

'Heel groot. Lijkt je dat niet fantastisch? Dan kun je ontzettend goed appels pikken.'

Dat was een goeie. We lachten.

'Wordt 't al minder?' vroeg ze hem.

'Ik geloof van wel.'

'Mooi... Groot en knap. Heel knap. Hartenbrekers. Jullie allebei.'

Toen ik mijn ogen weer opendeed, was ze er nog. Sinbad sliep; ik kon hem horen.

We stroomden allemaal de gymzaal in. Allemaal een kwartje voor meester Arnold en we waren binnen. De eerste rijen waren allemaal bezet door de kleintjes, de kleine ukkies en de grote ukkies en de andere klassen onder ons. Dat gaf niks want als ze het licht uitdeden, gingen we toch op de leuning van onze stoel zitten; achterin zat je beter. Sinbad zat met zijn klas vooraan, met zijn nieuwe bril op. Een van zijn ogen was afgedekt, net als bij mevrouw Byrne bij ons in de straat. Pa zei dat dat was om het andere oog de kans te geven bij te trekken omdat het lui was. Op weg naar huis van de winkel in de stad waar Sinbad zijn bril vandaan had, hadden we allebei een Mars gekregen. We gingen terug met de trein. Sinbad zei tegen ma dat hij als hij groot was, de eerste vijf pond die hij zou verdienen zou meenemen in de trein en aan de noodrem zou trekken en de boete zou betalen.

'Wat word jij later, Francis?'

'Boer,' zei hij tegen haar.

'Boeren gaan niet met de trein,' zei ik.

'Waarom niet?' zei ma. 'Natuurlijk wel.'

Sinbads bril had pootjes van ijzerdraad die helemaal achter zijn oren doorliepen en ze lieten uitsteken, om te voorkomen dat hij hem verloor, maar hij verloor hem toch.

Soms hadden we op vrijdag na de kleine pauze niet echt school; dan kregen we film, in de gymzaal. Donderdag werd ons op het hart gedrukt dat we een kwartje moesten meebrengen om erin te mogen, maar Aidan en Liam vergaten hun kwartje een keer en mochten er toch in; ze moesten alleen wachten tot alle anderen binnen waren. Wij zeiden dat dat kwam omdat meneer O'Connell geen twee kwartjes had om hun te geven – dat had ik verzonnen – maar ze brachten het geld maandag mee. Aidan huilde toen we dat bleven zeggen.

Henno bediende de projector. Hij voelde zich een hele piet. Hij stond ernaast of het een Spitfire was of zoiets. De projector stond op een tafel achter in de zaal, midden tussen de rijen stoelen. Als het licht uit was, kropen we soms voor de gein in het middenpad en richtten ons een beetje op en maakten schaduwfiguren met onze handen in het licht van de projector; die figuur – meestal een blaffende hond – was dan zichtbaar op het scherm op het podium voor in de zaal. Dat was niet zo moeilijk. De kunst was om terug te zijn op je plaats voor ze het licht weer aandeden. Iedereen probeerde je tegen te houden, zodat je niet weg kon uit het middenpad. Ze schopten je en gingen op je handen staan als je onder de stoelen door kroop. Grandioos was dat.

'Pak jullie taalboeken,' zei Henno.

We wachtten.

'*Anois.*' [1]

We pakten ze. Al mijn boeken waren gekaft met behangpapier dat onze tante Muriel over had toen ze haar badkamer had behangen en ze had mijn pa een rol of tien gegeven.

'Ze dacht zeker dat ze de Taj Mahal moest behangen,' zei hij.

'Hou toch op,' zei mijn ma.

Ik had er plastic etiketten opgeplakt voor de namen. Patrick Clarke. Meester Hennessey. Taal. Afblijven.

'Deze rijen, die en die,' zei Henno. 'Jullie nemen je boek mee. *Seasaígí suas.*' [2]

Toen we bij de zaal kwamen gaven we onze boeken aan Henno en hij legde ze onder de voorpoten van de projector zodat het beeld precies op het scherm viel.

De onderwijzers stonden langs de zijkant en sisten onder alle films Sssst. Ze leunden in groepjes van twee of drie tegen de muur en rookten, sommigen tenminste. Alleen juffrouw Watkins liep rond maar ze kreeg nooit iemand te pakken want we zagen haar hoofd op het scherm als ze door het middenpad kwam aanlopen.

'Ga uit het beeld!'

'Ga uit het beeld!'

Als buiten de zon scheen, dan zagen we nauwelijks iets op het scherm omdat de gordijnen voor de ramen niet dik genoeg waren. We juichten als er een wolk voor de zon kwam en we juichten als de zon er weer achter vandaan kwam. Soms hoorden we de film alleen maar. Maar je wist

1 Nu.   2 Sta op.

toch wel wat er gebeurde.

Het begon altijd met twee of drie Woody Woodpeckers. Ik kon Woody Woodpeckers stem nadoen.

'Hou daarmee op!' zei een van de onderwijzers dan.

'Sssst.'

Maar ze hielden het gauw voor gezien. Tegen de tijd dat Woody Woodpecker was afgelopen en de Three Stooges begonnen, waren de meeste onderwijzers niet meer in de zaal, alleen Henno en meester Arnold en juffrouw Watkins. Mijn Woody Woodpecker deed pijn achter in mijn keel maar dat had ik ervoor over.

'Ik weet dat jij het bent, Patrick Clarke.'

We zagen juffrouw Watkins onze kant op turen maar ze kon geen barst zien.

'Doe 't nog 's.'

Ik wachtte tot ze ons recht aankeek, toen deed ik het.

'Waa-kaa-kaa-kaa-kieie-koe...'

'Patrick Clarke!'

'Ik deed niks, juf.'

'Het was die vogel in de film, juf.'

'Uw hoofd staat ervoor, juf.'

'Hé; in het licht kun je de luizen van de juf zien!'

Ze ging naar Henno die bij de projector stond, maar hij wilde hem niet voor haar uitzetten.

'Waa-kaa-kaa-kaa-kieie-koe...'

Ik vond de Three Stooges ook leuk. Soms draaiden ze Laurel en Hardy maar de Three Stooges vond ik leuker. Er waren jongens die ze de Three Stoogies noemden, maar ik wist dat het Stooges was want dat had mijn pa me verteld. Bij hun films konden we het verhaal nooit volgen; er was veel te veel lawaai en ze deden trouwens toch niks anders dan elkaar aftuigen. Larry en Moe en Curly, zo heetten ze. Kevin prikte me in mijn ogen zoals de Stooges dat deden – we waren op het veld achter de winkels, met z'n allen – en ik kon eeuwen niks zien. Dat had ik eerst niet in de gaten vanwege de pijn; ik kon mijn ogen niet opendoen. Het was net als al die keren dat ik hoofdpijn had; het was net als de hoofdpijn die je krijgt als je ijs te snel eet; het was alsof je met een zachte tak een knal op je ogen kreeg. Ik bedekte mijn ogen met mijn handen en ik wilde ze niet weghalen. Ik beefde net als mijn zusje Catherine, als ze eeuwen had gejammerd en gegriend. Dat wilde ik niet.

Ik wist niet dat ik schreeuwde. Dat vertelden ze me later. Ze waren ervan geschrokken, dat wist ik zeker. De volgende keer dat ik gewond raakte, toen ik mijn schouder openhaalde aan een spijker in een doelpaal, schreeuwde ik ook. Maar omdat ik dat expres deed klonk het stom. Ik hield op en rolde over de grond, in de modder. Mijn pa ging naar Kevins huis toen hij was thuisgekomen van zijn werk en mijn ma hem had verteld wat er was gebeurd. Ik keek hem na door het raam van mijn kamer. Toen hij terugkwam, zei hij niks. Kevin wist niet wat er was voorgevallen tussen mijn pa en zijn pa. Hij dacht dat hij op z'n donder zou krijgen, vooral toen hij de gestalte van mijn pa door de glazen vestibuledeur zag. Maar hij bleef ongedeerd. Zijn pa deed niks, hij zei er zelfs niks over tegen hem. Dat vertelde ik mijn pa toen hij de volgende dag aan de thee zat; hij keek niet eens verbaasd op of zo.

Ik had twee bloeddoorlopen ogen en een blauw oog.

Het fijnste van de Three Stooges was dat er geen pauzes in zaten. Om de hoofdfilm te kunnen draaien moest Hennessey een andere spoel opzetten en de oude terugdraaien. Dan werd het doek wit met kleine kleurexplosies en het geluid was weg; we hoorden de film ratelen als hij tegen de lege spoel sloeg. Het duurde eeuwen voor het weer begon.

Ze deden het licht aan zodat Henno kon zien wat hij deed. We sprongen op tijd van de stoelen. We deden wie 't langste durfde te blijven staan; de eerste die zat was een flapdrol.

Op een keer kreeg Fluke Cassidy tijdens de hoofdfilm een epileptische aanval en niemand had het in de gaten. Ze draaiden *De Vikingen*. Buiten was het bewolkt dus we konden de hele film zien. Fluke viel van zijn stoel, maar dat kwam zo vaak voor. Het was een hartstikke goede film, verreweg de beste die ik ooit had gezien. We stampten op de grond om te maken dat Henno opschoot toen de eerste spoel op was. Toen zagen we Luke.

'Meester! Luke Cassidy heeft een aanval.'

We maakten allemaal dat we bij hem uit de buurt kwamen voor het geval wij de schuld zouden krijgen.

Fluke was opgehouden met trillen; hij had drie stoelen omvergetrapt en meester Arnold had zijn jasje over hem heen gelegd.

'Misschien gaan ze nu niet door met de film,' zei Liam.

'Waarom niet?'

'Vanwege Fluke.'

Meester Arnold vroeg om jassen.

'Jassen, jongens; kom op.'

'Ga mee kijken,' zei Kevin.

We schoven twee rijen naar voren en naar het midden, zodat we Fluke goed konden zien. Hij zag eruit alsof hij gewoon lag te slapen. Hij was bleker dan normaal.

'Geef hem de ruimte, jongens.'

Henno stond inmiddels naast meester Arnold. Ze hadden vier jassen over Fluke heen gelegd. Als ze er een over zijn hoofd legden, dan betekende dat dat hij dood was.

'Iemand moet meneer Finnucane waarschuwen.'

Meneer Finnucane was de bovenmeester.

'Meester!'

'Meester!'

'Ik, meester!'

'Jij.' Henno koos Ian McEvoy. 'Ga meneer Finnucane vertellen wat er is gebeurd. Wat is er gebeurd?'

'Luke Cassidy heeft een aanval gehad, meester.'

'Juist.'

'Wilt u dat we hem dragen, meester?'

'En jullie houden je koest daar achterin jullie houden je heel koest.'

'Kop! Dicht! Ga! Zitten!'

'Dat is mijn plaats!'

'Kop! Dicht!'

We gingen allemaal zitten. Ik draaide me om naar Kevin.

'Geen kik, meneer Clarke,' zei Henno. 'Kijk recht vooruit naar het scherm. Allemaal.'

Simon, Kevins kleine broertje, stak zijn vinger op. Hij zat helemaal vooraan.

'Ja; jij daar met die vinger in de lucht.'

'Malachy O'Leary moet naar de wc.'

'Ga zitten.'

'Hij moet een plas.'

'Ga! Zitten!'

De muziek van *De Vikingen* vond ik het mooiste eraan;

die was grandioos. Elke keer als er een vikingboot thuiskwam, zag een goser op een rots hem aankomen en dan blies hij een deun op een reusachtige hoorn en dan kwamen ze allemaal uit hun hutten te voorschijn en renden naar het strand om de boot te verwelkomen. En als er werd gevochten, speelden ze dezelfde muziek. Het was grandioos; zoiets vergat je nooit meer. Aan het eind werd een van de hoofdfiguren gedood – ik wist niet precies welke – en die legden ze in een boot en overdekten hem met hout; dat staken ze in brand en ze duwden de boot af. Ik begon de muziek te neuriën, langzamer; ik wist dat het in de film zou gebeuren. En het gebeurde ook.

Ik had een rat doodgeslagen met een hockeystick. Dat was stom geluk. Ik zwaaide alleen maar met de hockeystick. Ik wist niet dat de rat mijn kant op zou komen. Ik hoopte van niet. Toch was het fantastisch, dat voldane gevoel toen de stick tegen de zijkant van de rat knalde en hem een heel stuk de lucht in mepte; schitterend.

Ik juichte.

'Heb je dat gezien?'

Het was schitterend. De rat lag in de modder, stuiptrekkend; er droop wat uit zijn mond.

'Kampi-oen! Kampi-oen! Kampi-oen!'

We slopen naar hem toe maar ik wilde er eerder bij zijn dan de anderen. Dus ik sloop snel. Hij bewoog nog steeds een beetje.

'Hij beweegt nog.'

'Nietes. Dat zijn z'n zenuwen.'

'De zenuwen gaan later dood dan de rest van hem.'

'Heb je gezien hoe ik hem te grazen nam?'

'Ik stond hem op te wachten,' zei Kevin. 'Anders had ik 'm gepakt.'

'Ik heb 'm gepakt.'

'Wat doen we met hem?' vroeg Edward Swanwick.

'Begraven.'

'Joehoe!'

Edward Swanwick had *De Vikingen* niet gezien; hij zat niet bij ons op school.

We waren op Donnelly's erf, achter de schuur. We zouden de rat stiekem mee moeten nemen.

'Waarom?'

'Omdat het hun rat is.'

Met zulke vragen verpestte je alles.

Oom Eddie stond aan de voorkant van het huis het grind te harken. Mevrouw Donnelly was in de keuken. Kevin liep naar de zijkant van de schuur en wierp een steen in de heg – een afleidingsmanoeuvre – en keek.

'Ze staat een broek te wassen.'

'Oom Eddie heeft het in z'n broek gedaan.'

'Oom Eddie heeft een drol gedraaid en meneer Donnelly heeft hem tussen de kool gelegd.'

Twee uitwegen waren versperd. We moesten over de achtermuur ontsnappen, net zoals we waren gekomen.

Niemand had de rat nog opgepakt.

Sinbad zat met zijn speer in het spul te wroeten, het spul dat uit de rat zijn mond was gedropen.

'Pak hem op,' zei ik hem, en ik wist dat hij dat niet zou doen.

Maar hij deed het wel. Aan zijn staart. Hij hield hem omhoog en liet hem langzaam ronddraaien.

'Geef hier,' zei Liam, maar hij stak zijn hand niet uit en

probeerde niet Sinbad de rat af te pakken.

Het was niet zo'n erg grote rat; door zijn staart leek hij groter toen hij op de grond lag, maar zoals Sinbad hem vasthield viel het tegen. Ik ging naast Sinbad staan; hij was mijn broertje en hij had een dode rat in zijn hand.

Het was eb. Dat kwam goed uit; de plank zou niet steeds terug komen drijven. Sinbad had de rat afgespoeld. Hij had hem bij de arbeidershuisjes op de grond onder de pomp gelegd en er massa's water overheen laten stromen. Hij wikkelde de rat in zijn trui zodat alleen zijn kop nog zichtbaar was.

Kevin hield het einde van de plank vast en probeerde hem stil te houden.

Ik begon.

'Wees gegroet, Maria, vol van genade, de Heer is met u.'

Het klonk geweldig, vijf stemmen tegelijk en de wind. Kevin trok de plank uit het water; er kwam een golf aan.

'...nu en in het uur van onze dood. Amen.'

Ik was de priester want ik was hopeloos met lucifers. Mijn taak zat erop. Edward Swanwick zat op de natte trap en hield de plank voor Kevin vast. Kevin ging met zijn rug naar de zee en de wind staan en streek de lucifer af. Hij draaide zich om en hield hem brandend door hem af te schermen met zijn hand. Goed vond ik dat, zoals hij dat kon.

De vlam bleef lang genoeg branden. Even leek het net een kerstpudding; ik kon het vuur zien maar de rat vatte geen vlam. Ik rook de petroleum. Ze duwden de plank af, niet te hard als een oorlogsschip; we wilden niet dat het vuur uitging. De rat bleef op de plank liggen. Het vuur brandde nog maar aan de rat veranderde niks.

We zetten allemaal onze handen aan onze mond als een trompet. Edward Swanwick deed mee, ook al wist hij niet wat er gebeurde.

'Nu.'

Met z'n allen maakten we de muziek van *De Vikingen*.

'DOEDIE DOE

DOEDIE DOE

DOEDIE DOE DOE... DOE DOE

DOE DOE DOEHOEHOE.'

Het vuur bleef lang genoeg branden om het twee keer te doen.

Ik had een boek op mijn hoofd. Ik moest de trap oplopen zonder dat het eraf viel. Als het eraf viel zou ik doodgaan. Het was een gebonden boek, zwaar, het beste soort boek om op je hoofd te dragen. Ik wist niet meer welk boek het was. Ik kende alle boeken in huis. Ik wist hoe ze eruitza-gen, hoe ze roken. Ik wist bij welke bladzijde ze zouden openslaan als ik ze met de rug tegen de grond hield en de zijkanten opzij liet vallen. Ik kende alle boeken maar ik wist niet meer welk boek ik op mijn hoofd had. Dat zou ik wel zien als ik boven was geweest, de deur van mijn kamer had aangeraakt en weer beneden was. Dan kon ik het van mijn hoofd nemen – ik zou mijn hoofd langzaam naar voren buigen en het eraf laten glijden en opvangen – en dan kijken welk boek het was. Ik zou de hoek van het om-slag kunnen zien als ik heel voorzichtig omhoogkeek; als ik de kleur van de hoek zag zou ik weten welk boek het was. Maar dat was te gevaarlijk. Ik had een missie te vol-brengen. Een regelmatig tempo was beter dan te lang-zaam. Als ik te langzaam liep, dan zou ik gaan wankelen en dan zou ik denken dat ik het nooit zou halen en dan zou het boek eraf vallen. Dood. Er zat een bom in het boek. Een regelmatig tempo was het beste, de eerst tree, de tweede tree; niet te snel. Te snel was net zo erg als te langzaam. Dan raakte je aan het einde in paniek. Net als Catherine als ze door de woonkamer liep. De eerste vier, vijf passen ging het prima en dan zag je haar gezicht betrekken omdat ze zag dat het nog eeuwen duurde voor ze aan de andere kant was; haar glimlach verstrakte, ze wist dat ze het niet zou halen, ze probeerde er sneller te komen, ze viel. Ze wist dat het zou gebeuren; haar gezicht bereidde zich erop voor. Ze huilde. Rustig aan. Je bent bijna boven. Het keerpunt. Napoleon Solo. Als je boven aan de trap was, moest je eraan wennen dat er geen treden meer waren; het leek bijna alsof je voorovreviel.

De wc-deur ging open. Mijn pa kwam eruit met zijn krant. Hij keek naar me en achter me.

Hij zei wat.

'De ene aap aapt de andere na.'

Hij keek achter me, omlaag.

Ik draaide mijn hoofd om. Het boek viel. *Onze man in Havana*. Sinbad stond achter me op de trap met een boek op zijn hoofd.

Ivanhoe. Mijn boek gleed uit zijn omslag en viel op de grond. Ik was dood.

Liam brak zijn tanden toen we Grand National speelden. Het was niemands schuld behalve zijn eigen. Het waren zijn tweede tanden, die waar je het de rest van je leven mee moest doen. Hij scheurde ook zijn lip.

'Zijn lip is weg!'

Zo zag hij eruit toen het net was gebeurd. Door het bloed en de manier waarop hij zijn hand tegen zijn mond hield, leek het alsof zijn hele mond was afgesneden. Het enige dat uitstak was één grote voortand die roze was van het bloed. Het roze aan de onderkant van de tand werd rood en viel omlaag in wat achter zijn hand zat.

Zijn ogen stonden raar. Eerst – toen hij overeind kwam uit de heg – zagen ze er alleen uit alsof hij in het donker was geweest en het licht had aangedaan, maar toen veranderden ze; gek, bang, uitpuilend, alsof ze uit zijn hoofd zouden rollen.

Toen begon hij te huilen.

Zijn mond bewoog niet, zijn hand evenmin. Maar het geluid was er. Aan zijn ogen zag ik dat het van hem kwam.

'O mammie...!'

'Moet je hem horen.'

Het was net alsof iemand een spook nadeed maar er niks van terechtbracht; ze probeerden ons bang te maken maar wij wisten wel beter; daar trapten wij niet in. Maar dit was eng; dit was verschrikkelijk. Dit was Liam die vlak voor onze neus stond, niet achter een gordijn. Hij maakte dat geluid maar hij deed het niet voor de grap. Dat zag je aan zijn ogen; hij kon niet anders.

Als het gewoon, een gewoon ongeluk was geweest, waren wij hem gesmeerd; dan hadden we de benen genomen voor we de schuld kregen, alleen omdat we er toevallig bij waren. Zo ging het altijd. Een jongen trapte met een bal een ruit in en tien jongens kregen de schuld.

'Ik houd jullie allemaal aansprakelijk.'

Dat had mevrouw Quigley gezegd toen Kevin haar wc-raampje had ingekinkeld. Ze had het ons van achter de hoge kant van haar muur toegeroepen. Ze kon ons niet zien maar ze wist wie we waren.

'Ik weet precies wie jullie zijn.'

Meneer Quigley was dood en mevrouw Quigley was niet eens zo oud, dus moest ze hem iets hebben aangedaan; dat dacht iedereen tenminste. Wij kwamen tot de conclusie dat ze een wijnglas had vermalen en de splintertjes in zijn omelet had gedaan – dat had ik in *Alfred Hitchcock Presenteert* gezien en dat zou heel goed kunnen. Kevin vertelde het tegen zijn pa en zijn pa zei dat ze meneer Quigley gewoon dood had verveeld, maar wij hielden vast aan onze theorie; die was beter. Maar daarom waren we nog niet bang voor haar. Ze had ontzettend de pest in als we op haar muurtje zaten. Dan tikte ze tegen haar raam om ons weg te jagen, niet altijd tegen hetzelfde raam, soms boven, soms beneden.

'Dat doet ze alleen om ons te laten denken dat ze niet de hele tijd in de voorkamer op de uitkijk staat.'

We waren niet bang voor haar.

'Ze kan ons niet dwingen iets op te eten.'

Dat was de enige manier waarop ze ons kon pakken, door ons te vergiftigen. Ze wist geen andere manier. Ze was niet klein en rimpelig genoeg om angstaanjagend te zijn. Ze was groter dan mijn ma. Grote vrouwen – niet de grote, dikke – grote vrouwen waren normaal. Kleintjes waren gevaarlijk; kleine vrouwen en grote mannen.

Ze had geen kinderen.

'Die heeft ze opgegeten.'

'Dat lieg je!'

Dat ging te ver.

Kevins broer wist waarom.

'Meneer Quigley kon geen stijve piemel krijgen.'

We klommen nooit over de muur. Dat zei ik tegen mijn ouders toen mevrouw Quigley bij hen over mij had geklaagd. Ze had nooit eerder iets ondernomen. Ik had 't kunnen weten, ik moest in mijn kamer blijven tot ze vonden dat de tijd was gekomen om me op het matje te roepen. Dat vond ik vreselijk; het werkte. Ze lieten me daar uren zitten. Ik had al mijn spulletjes bij me op mijn kamer, mijn boeken en mijn autootjes en zo, maar ik kon me niet op de zinnen in het boek concentreren en het was stom om met Dinky Toys te spelen als ik wist dat ik straks van mijn pa op m'n falie zou krijgen; het was zaterdag. Ik wilde niet op de grond zitten spelen als hij binnenkwam; ik wilde niet dat hij een verkeerde indruk zou krijgen. Ik wilde dat hij zou denken dat ik mijn lesje al had geleerd. Het begon donker te worden maar ik bleef uit de buurt van het lichtknopje. Dat zat te dicht bij de deur. Ik zat op mijn bed in de hoek tegen de muur. Ik rilde. Ik liet mijn tanden klapperen. Ik kreeg er pijn in mijn kaken van.

'Biecht maar eens op.'

Dat was een vreselijke vraag, een valstrik; alles wat ik zei zou verkeerd uitpakken.

'Biecht maar eens op, zei ik.'

'Ik heb niks verkeerd...'

'Dat maak ik wel uit,' zei mijn pa. 'Vooruit.'

'Ik heb helemaal niks gedaan.'

'Dat moet wel.'

'Nietes,' zei ik.

Er viel een stilte. Hij keek naar mijn linkeroog, toen naar mijn rechter.

'Echt niet,' zei ik. 'Eerlijk.'

'Waarom is mevrouw Quigley dan helemaal hiernaar toe gekomen...'

Ze woonde maar vijf huizen verderop.

'...om zich over jou te beklagen?'

'Weet ik niet; ik heb het niet gedaan.'

'Wat heb jij niet gedaan?'

'Wat zij zei.'

'Wat zei ze dan?'

'Weet ik niet. Ik heb helemaal niks gedaan, ik zweer 't, pap, met mijn hand op mijn hart, pap. Moge ik ter plekke doodblijven als het niet zo is. Kijk.'

Ik legde mijn hand op mijn hart. Dat deed ik zo vaak; meestal jokte ik en ik was nog nooit doodgebleven.

Maar die keer jokte ik niet. Ik had niks gedaan. Kevin was degene die de ruit had ingekinkeld.

'Ze moet toch een reden hebben gehad,' zei mijn pa.

Het ging de goede kant op. Hij was niet in de juiste stemming, hij had geen zin om me te slaan. Hij was redelijk.

'Ik denk dat ze denkt dat ik iets heb gedaan,' zei ik.

'Maar dat heb je niet.'

'Nee.'

'Dat zeg jij.'

'Jottem.'

'Zeg ja.'

'Ja.'

Dat was het enige dat mijn ma zei. Zeg ja.

'Ik heb alleen...'

Ik wist niet zeker of dat wel goed – verstandig – was, maar het was te laat om het in te slikken; dat zag ik aan zijn gezicht. Mijn ma ging rechtop zitten toen ik begon te praten en ze keek mijn pa aan. Ik overwoog over iets anders te beginnen en te vertellen dat mevrouw Quigley meneer Quigley had vergiftigd, maar dat deed ik niet. Daar hoefde je bij mijn pa niet mee aan te komen; hij geloofde nooit wat.

'Ik heb alleen op de muur gezeten,' zei ik.

Toen had hij me een pets kunnen verkopen. Hij zei wat.

'Nou, dan ga je voortaan niet meer op die muur zitten. Afgesproken?'

'Jottem.'

'Ja,' zei mijn moeder.

'Ja.'

Verder niks; dat was alles. Hij keek om zich heen of er iets te doen viel, naar een uitweg. Hij stak de stekker van de grammofoon in het stopcontact. Hij stond met zijn rug naar me toe; ik kon gaan. Een onschuldig man. Ten onrechte veroordeeld. Ik richtte vogeltjes af toen ik in de gevangenis zat en werd er een kei in.

Door Liams gehuil stonden we vastgeplakt aan het gras; we konden geen stap verzetten. Ik kon hem niet aanraken of wegrennen. Het gehuil nam bezit van me; ik maakte er deel van uit. Ik was hulpeloos. Ik kon niet eens vallen.

Hij was bezig dood te gaan.

Kon niet anders.

Er moest iemand komen.

De heg waaruit hij gevallen was, was niet die van mevrouw Quigley. Mevrouw Quigley had er niks mee te maken. Het was de enige hoge heg in onze straat. Die van Liam en Aidan was groter en takkiger maar zij woonden niet bij ons in de straat; zij woonden in een zijstraat. Deze groeide sneller dan de andere en hij had kleine blaadjes die niet zo glanzend en groen waren als normaal. De blaadjes waren bijna helemaal niet groen; aan de achterkant waren ze grijs. De meeste heggen waren niet zo hoog; daar waren de huizen niet oud genoeg voor. Alleen deze heg; het was de laatste sprong, we bewaarden hem voor het laatst.

De heg stond in de voortuin van de Hanleys. Het was hun heg. De heg van meneer Hanley. Hij deed alles in de tuin. Ze hadden een vijver in de achtertuin, maar met niks erin. Vroeger zwommen er goudvissen in maar die zijn doodgevroren.

'Hij liet ze er gewoon in liggen tot ze begonnen te rotten.'

Dat geloofde ik niet.

'Ze dreven.'

Dat geloofde ik niet. Meneer Hanley was altijd in zijn tuin, om dingen op te rapen, blaadjes, slakken – hij pakte ze met zijn hand; dat heb ik gezien. Met zijn blote handen. Hij was altijd aan het spitten, en hij hield zich vast aan het muurtje. Toen ik boodschappen ging doen, zag ik een hand, de hand van meneer Hanley, op de muur, hij hield zich vast terwijl hij spitte; alleen zijn hand. Ik probeerde hem voorbij te zijn voor hij opstond, maar ik kon niet gaan rennen – ik kon alleen sneller gaan lopen. Het ging er niet om dat hij me niet zag; ik was niet bang voor hem; ik deed het gewoon voor de lol. Hij wist niet dat ik het deed. Ik heb hem een keer in de voortuin zien liggen, op zijn rug. Met zijn voeten in het bloemperk. Ik bleef stilstaan om te kijken of hij dood was; toen werd ik bang dat iemand uit het raam naar me stond te kijken. Toen ik terugkwam, was meneer Hanley verdwenen. Hij had geen baan.

'Waarom niet?'

'Hij is met pensioen,' zei mijn moeder.

'Waarom?'

Daarom had hij de mooiste tuin in Barrytown en daarom was het betreden van de tuin van de Hanleys het grootste waagstuk van allemaal. En daarom eindigde de Grand National daar. Over de heg, overeind, door het hek, de winnaar. Liam had niet gewonnen.

In zekere zin was winnen het gemakkelijkst. De winnaar was degene die als eerste de stoep bereikte. Daar konden meneer Hanley of Billy en Laurence, zijn zoons, je niet meer inhalen. Voor degenen die als laatsten over de heg kwamen, was het gevaar het grootst. Meneer Hanley raakte meteen buiten adem en het spuug vloog uit zijn mond; er zat altijd wit spul in de hoeken. Een hoop oude mensen hadden zo'n mond. Billy Hanley en vooral Laurence Hanley vermoordden je als ze je te pakken kregen.

'Het wordt hoog tijd dat die twee niksnutten hun vleugels eens uitslaan en gaan trouwen of zoiets.'

'Wie zou ze willen hebben?'

Laurence Hanley was dik maar hij was snel. Hij greep ons bij ons haar. Hij was de enige die ik kende die dat deed. Het was maf, een vent die mensen bij hun haar pakte. Hij deed het omdat hij dik was en niet goed kon vechten. Hij was ook gemeen. Zijn vingers waren hard en net dolken, veel erger dan een stomp. Vier steken tegen de zijkant van je borst terwijl hij je aan je haar overeind hield.

'Maak dat je wegkomt uit onze tuin.'

Nog eentje om het af te leren, dan liet hij los.

'Weg... en blijf weg!'

Soms gaf hij een trap na maar hij kon zijn been niet hoog opzwaaien. Zijn broek zat te strak.

De Grand National ging over tien hindernissen. Alle muurtjes tussen de voortuinen waren even hoog, precies even hoog, maar de heggen en de bomen zorgden voor de variatie. En de tuinen tussen de hindernissen, daar moesten we dwars doorheen; duwen mocht in de tuinen, maar trekken en pootje haken niet. Het was waanzinnig; retegoed was het. We begonnen in Ian McEvoys tuin, in een rechte rij naast elkaar. We deden niet aan handicaps; niemand kreeg een voorsprong op de anderen. Dat zou trouwens toch niemand hebben gewild, want je had een flinke aanloop nodig om het eerste muurtje te nemen en niemand wilde in zijn eentje in de volgende tuin wachten tot de race begon. Dat was Byrnes tuin. Mevrouw Byrne had een zwart glas in haar bril. Vrouwtje Plakoog werd ze genoemd, maar dat was het enige grappige aan haar.

Het duurde altijd eeuwen voor we in een rechte lijn naast elkaar stonden. Er werd altijd een beetje voorgedrongen; dat mocht, zolang de ellebogen maar niet te hoog kwamen, boven de schouders.

'Ze maken zich klaar voor de start...' zei Aidan.

We drongen naar voren. Als je achter de eerste linie stond als de race begon, dan kon je nooit meer winnen en was jij waarschijnlijk degene die door Laurence Hanley te grazen werd genomen.

'Ze zijn weg!'

Daarna hield Aidan verder zijn mond.

De eerste hindernis was een eitje. De muur tussen McEvoy en Byrne. Daar was geen heg. Je moest er alleen voor zorgen dat je genoeg ruimte had om je benen uit te zwaaien. Sommigen van ons konden eroverheen springen zonder de bovenkant van het muurtje met de voeten aan te raken – ik kon dat – maar daar had je enorm veel ruimte voor nodig. Door de tuin van Byrne. Gillend en schreeuwend. Dat hoorde erbij. Om te zorgen dat de achterblijvers werden gepakt. Over het gras, door het bloemperk, over het pad, over de muur – een heg. Op de muur springen, de heg vastpakken, rechtop gaan staan, eroverheen springen, landen. Dan werd het link. De tuin van de Murphy's. Massa's bloemen. Er een paar vertrappen. Om de auto heen. Heg voor de muur. Voet op de bumper. Springen. Op de heg landen. Doorrollen. Ons huis. Om de auto heen, geen heg, over de muur. Geen geschreeuw meer; adem te kort. Jeuk in de nek door de heg. Nog twee grote hindernissen.

Op een keer was meneer McLoughlin bezig het gras te maaien toen we allemaal over de heg sprongen en hij kreeg zowat een beroerte.

Op de muur van de Hanleys, pak de heg vast. Benen gestrekt; lastiger nu, echt moe. Over de heg springen, doorrollen, opstaan en door hun hekje ervandoor.

Gewonnen.

Ik keek boven hun hoofd.

'IK TROUWDE EEN VROUW, VOORHEEN, VOORHEEN
IK TROUWDE EEN VROUW VOORHEEN.'

Mijn tante en mijn oom en mijn vier neefjes keken naar me. Ze zaten op de bank, en twee neefjes op de grond.

'IK TROUWDE EEN VROUW

MAAR NU HEB IK BEROUW.'

Ik zong graag. Soms deed ik het zonder dat iemand het me vroeg.

'O WAS IK MAAR WEER ALLEEN.'

We waren in het huis van mijn oom en tante, in Cabra, maar ik wist eigenlijk niet precies waar dat lag. Het was Sinbads Heilige Communie. Een van mijn neefjes wilde zijn gebedenboek zien maar Sinbad wilde het niet loslaten. Ik zong luider.

'IK TROUWDE EEN ANDER METEEN, METEEN.'

Mijn moeder wilde al klappen. Sinbad zou geld krijgen van mijn oom; hij graaide met zijn hand in zijn broekzak. Ik zag het. Hij strekte zijn been zodat hij bij het kleingeld onderin kon.

Mijn tante had een zakdoek in haar mouw. Ik zag de bult waar hij zat. We hadden nog twee huizen van ooms en tantes waar we langs moesten. Daarna gingen we naar de bioscoop.

'IK TROUWDE EEN ANDER

MAAR DAT WAS NIET ZO SCHRANDER

NUMMER TWEE WAS NOG ERGER DAN EEN.'

Ze klapten allemaal. Mijn oom gaf Sinbad een gulden, en we vertrokken.

Als Indianen doodgingen – roodhuiden, bedoel ik – dan gingen ze naar de eeuwige jachtvelden. Vikingen gingen naar het walhalla als ze stierven of werden gedood. Wij gingen naar de hemel, tenzij we naar de hel gingen. Je ging naar de hel als je een doodzonde op je geweten had als je stierf, zelfs als je op weg was naar de biecht toen een vrachtwagen je schepte. Voordat je in de hemel kwam moest je meestal een tijdje naar het vagevuur, om je ziel te reinigen van je zonden, meestal voor een paar miljoen jaar. Het vagevuur was net zoiets als de hel maar het duurde niet eeuwig.

'Je komt er weer uit, jongens.'

Er stond ongeveer een miljoen jaar voor elke pekelzonde, afhankelijk van de zonde en of je het al eerder had gedaan en beloofd had het nooit meer te doen. Liegen tegen je ouders, vloeken, de naam van de Heer ijdel gebruiken, daar stond allemaal een miljoen jaar op.

'Jezus.'

'Eén miljoen.'

'Jezus.'

'Twee miljoen.'

'Jezus.'

'Drie miljoen.'

'Jezus.'

Dingen uit winkels jatten was erger; tijdschriften waren erger dan snoep. Vier miljoen jaar voor *Football Monthly*, twee miljoen voor *Goal* en *Football Weekly*. Als je vlak voor je doodging netjes biechtte, dan hoefde je helemaal niet naar het vagevuur; dan ging je meteen naar de hemel.

'Zelfs als die knakker massa's mensen heeft vermoord?'

'Zelfs dan.'

Het was niet eerlijk.

'Kom nou; gelijke monniken, gelijke kappen.'

In de hemel moest het geweldig zijn, maar niemand wist er veel van. Er waren vele woningen.

'Iedereen zijn eigen woning?'

'Ja.'

'Moet je alleen wonen?'

Pater Moloney gaf niet snel genoeg antwoord.

'Mag je moeder niet bij je wonen?'

'Natuurlijk mag ze dat.'

Pater Moloney kwam elke eerste woensdag van de maand bij ons in de klas. Voor een babbeltje. We vonden hem aardig. Hij was aardig. Hij had een manke poot en een broer die in een showband speelde.

'Wat gebeurt er dan met haar woning, meneer pastoor?'

Pater Moloney stak zijn handen omhoog om onze vragen af te weren. Hij lachte veel en wij wisten niet waarom.

'In de hemel, jongens,' zei hij en hij wachtte, 'in de hemel mag je wonen waar en met wie je maar wilt.'

James O'Keefe maakte zich zorgen.

'Meneer pastoor, maar als je moeder niet bij je wil wonen?'

Pater Moloney schaterde het uit, maar het was niet grappig, niet echt.

'Dan ga jij bij haar wonen; zo simpel is dat.'

'Maar als zij je niet in huis wil hebben?'

'Dat wil ze heus wel,' zei pater Moloney.

'Dat weet je maar nooit,' zei James O'Keefe. 'Als je een smeerpoets bent.'

'Aha, daar heb je het al,' zei pater Moloney. 'Dat is je antwoord. Er zijn geen smeerpoetsen in de hemel.'

Het was altijd lekker weer in de hemel en overal groeide gras en het was altijd dag, nooit nacht. Maar dat was alles wat ik ervan wist. Mijn opa Clarke woonde er.

'Weet je dat zeker?' vroeg ik mijn ma.

'Ja,' zei ze.

'Heel zeker?'

'Ja.'

'Is hij het vagevuur al uit?'

'Ja. Daar hoefde hij niet naar toe omdat hij netjes had gebiecht.'

'Dan heeft hij geboft, hè?'

'Ja.'

Daar was ik blij om.

Mijn zusje was er ook, het zusje dat is doodgegaan: Angela. Ze stierf voordat ze uit mijn moeders buik was, maar ze hadden nog tijd om haar te dopen, zei ze; anders was ze ergens in het voorportaal terechtgekomen.

'Weet je zeker dat het water haar heeft geraakt voor ze doodging?' vroeg ik mijn ma.

'Ja.'

'Heel zeker?'

'Ja.'

Ik vroeg me af hoe ze zich redde, een baby van nog geen uur oud, in haar uppie.

'Opa Clarke zorgt voor haar,' zei mijn moeder.

'Tot jij boven komt?'

'Ja.'

Het voorportaal was voor niet-gedoopte baby's en huisdieren. Het was er prettig, net als in de hemel, alleen God was er niet. Jezus kwam er wel eens op bezoek, en Maria, zijn moeder, ook. Ze hadden daar een kampeerwagen. Katten en honden en baby's en cavia's en goudvissen. Dieren die geen huisdieren waren gingen nergens heen. Die rotten gewoon weg en vermengden zich met de aarde en maakten die vruchtbaarder. Die hadden geen ziel. Huisdieren wel. Er waren geen dieren in de hemel, alleen paarden en zebra's en kleine aapjes.

Ik was weer aan het zingen. Mijn pa leerde me een nieuw liedje.

'I WENT DOWN TO THE RIVER
TO WATCH THE FISH SWIM BY-YY.'

Ik vond het maar niks.

'BUT I GOT TO THE RIVER
SO LONESOME I WANTED TO DIE-EE-IE – OH LORD.'

Dat DIE-EE-IE kreeg ik niet voor mekaar; ik kon mijn stem niet omhoog en omlaag laten gaan zoals Hank Williams dat op de plaat deed.

Maar het volgende stukje vond ik wel goed.

'THEN I JUMPED INTO THE RIVER
BUT THE DOGGONE RIVER WAS DRY-YY.'

'Niet onverdienstelijk,' zei mijn pa.

Het was zondag, zondagmiddag, en ik verveelde me. Dat was altijd het moment waarop hij me een nieuw liedje leerde. Hij zocht me op. De eerste keer was het Brian O'Linn geweest. We hadden er geen plaat van, alleen een boek dat *Ierse Levensliedjes* heette. Ik keek naar wat mijn pa me aanwees en we zongen samen de tekst.

'BRIAN O'LINN... HIS WIFE AND WIFE'S MOTHER...
THEY ALL LAY DOWN IN THE BED TOGETHER...
THE SHEETS THEY WERE OLD AND THE BLANKETS WERE THIN...
LIE CLOSE TO THE WAW-ALL SAYS BRIAN O'LINN.'

Zo ging dat maar door, leuk en makkelijk. Ik zong het op school en juffrouw Watkins zei dat ik mijn mond moest houden toen ik bij het couplet kwam waarin Brian O'Linn een vrouw aan de haak slaat omdat ze dacht dat het smeriger zou worden. Dat werd het niet, maar ze wilde me niet geloven.

Ik zong het laatste couplet op het schoolplein tijdens de kleine pauze van elf uur.

'Het is niet smerig,' waarschuwde ik hen.

'Zing het toch maar; kom op.'

'Oké, maar...'

'BRIAN O'LINN... HIS WIFE AND WIFE'S MOTHER.'

Ze lachten.

'Het is niet...'

'Kop dicht en doorzingen.'

'WERE ALL GOING HOME O'ER THE BRIDGE TOGETHER...
THE BRIDGE IT BROKE DOWN AND THEY ALL TUMBLED IN...
WE'LL GO HOME BY THE WATER SAYS BRIAN O'LINN.'

'Wat een stom eind,' zei Kevin.

'Weet ik,' zei ik. 'Dat zei ik toch al.'

Ik vond het helemaal geen stom eind.

Henno kwam naar ons toe en joeg ons uit elkaar omdat hij dacht dat er geknokt werd. Hij pakte mij in mijn kraag en zei dat hij wist dat ik een van de belhamels was en dat hij me in de gaten zou houden en toen liet hij me gaan. Toen zaten wij nog niet bij hem in de klas – dat was pas het jaar daarna – dus hij kende me niet.

'Je bent gewaarschuwd, jochie,' zei hij.

'SHE'S A LONG-HONG GOH-HON.'

Ik kreeg het niet voor elkaar; ik wist niet eens waar Hank Williams het over had.

Pa gaf me een klap.

Op mijn schouder; ik keek hem aan, ik wilde net zeggen dat ik geen zin meer had om dat lied te zingen; het was te moeilijk. Grappig was dat; ik kon seconden voor hij het deed aan zijn gezicht zien dat hij me een opduvel ging verkopen. Dan keek hij alsof hij zich had bedacht, alsof hij zich inhield, en dan hoorde ik de dreun en voelde hem, alsof hij vergeten was tegen zijn hand te zeggen dat hij me met rust moest laten.

Hij had de plaat niet afgezet.

'A MAN NEEDS A WOMAN THAT HE CAN LEAN ON…
BUT MY LEANING POST IS DONE LE-HEFT AND GONE.'

Ik wreef door mijn trui en overhemd en onderhemd over mijn schouder; het was net alsof hij opzwol en ineenkromp, uitdijde en kromp. De pijn viel wel mee.

Ik huilde niet.

'Kom op,' zei pa.

Hij zette de naald terug en we begonnen opnieuw.

'I WENT DOWN THE RIVER
TO WATCH THE FISH SWIM BY-YY.'

Hij legde zijn hand op mijn schouder, zijn andere. Ik wou me eronderuit wringen maar na een tijdje vond ik het niet erg meer.

De grammofoon was een rode kist. Op een dag bracht hij hem mee van zijn werk. Je kon zes platen op de wisselaar leggen. We hadden er maar drie: The Black and White Minstrels, South Pacific en Hank Williams The King of Country Music. Toen hij de grammofoon mee naar huis bracht, hadden we er maar een, South Pacific. Die draaide hij de hele vrijdagavond en in het weekend. Hij wilde me 'I'm Gonna Wash That Man Right Out of My Hair' leren, maar daar stak mijn ma een stokje voor. Ze zei dat ze het huis zouden moeten verkopen en ergens anders moesten gaan wonen als ik dat ooit op school of daarbuiten zong.

Je kon er 33- en 45- en 78-toeren-platen op draaien. 33 toeren waren langspeelplaten zoals de drie die wij hadden. Kevin smokkelde een keer *I'm a Believer* van de Monkees, een plaat van zijn broer, het huis uit. Die was 45 toeren. Maar mijn pa wilde niet dat we die draaiden. Hij zei dat er een kras op zat; hij had er niet eens naar gekeken. Hij gebruikte de grammofoon niet eens. Hij was van hem. Hij stond in dezelfde kamer als de televisie. Als hij platen draaide, bleef de televisie uit. Hij zette een keer The Black and White Minstrels op toen ze op hetzelfde moment op de televisie waren en toen zette hij het geluid van de televisie uit, maar dat werkte niet. De mond van de zanger, die zwarte goser die de ernstige liedjes zong, ging open en dicht toen de plaat was afgelopen en de naald omhoog moest komen, maar dat deed hij niet. Hij bleef in de groef ronddraaien. Pa moest hem optillen.

'Heb jij er met je poten aangezeten?' vroeg hij mij.

'Nee.'

'En jij; heb jij eraan gezeten?'

'Nee,' zei Sinbad.

'Iemand heeft er toch aan gezeten,' zei hij.

'Zij zijn er niet eens in de buurt geweest,' zei mijn ma.

Mijn wangen gloeiden van angst om wat er zou volgen, dat hij iets terug zou zeggen tegen haar.

Op een keer zette hij Hank Williams op tijdens het Journaal. Fantastisch was dat; het was alsof Charles Mitchell zat te zingen NOW YOU'RE LOOKING AT A MAN THAT'S GETTING KIND O' MAD, I'VE HAD A LOT O' LUCK BUT IT'S ALL BEEN BAD. We lachten ons kapot. Ik en Sinbad mochten een half uur langer opblijven.

Toen we de auto kregen, een Cortina net als die van Henno, een zwarte, reed pa de straat op en neer om te leren hoe hij hem moest besturen. Zonder hulp. Wij mochten er niet in.

'Nu nog niet,' zei hij.

Hij reed naar de zeekant. Wij hem achterna; we konden hem niet bijhouden. Hij kon de auto niet keren om terug te rijden naar ons huis. Hij zag ons kijken en riep ons bij zich. Ik dacht dat hij ons ervan langs zou geven. We waren met z'n zevenen. We gingen met z'n allen achterin zitten en reden helemaal achteruit terug naar ons huis. Pa zong de herkenningsmelodie van *Batman*; af en toe was hij hartstikke gek, grandioos gek. Aidan had een bloedneus toen we uitstapten. Hij griende. Pa ging op zijn hurken zitten en legde zijn handen op Aidans schouders. Hij veegde zijn neus af met zijn zakdoek en liet hem erin snuiten en zei tegen hem dat hij het enig zou vinden om de droge korstjes bloed uit zijn neus te pulken als hij straks in bed lag en Aidan moest erom lachen.

Ze gingen allemaal naar het veld achter de winkels om de hut van de grote jongens op te sporen en kapot te schoppen, maar ik ging niet mee; ik wilde bij pa blijven. Ik zat naast hem en we reden de straat op en neer. We gingen naar Raheny. Toen hij keerde, schoot hij dwars over de weg en kwam bijna in de sloot.

'Stomme plek om een sloot te graven,' zei hij.

Iemand toeterde.

'Verdomde klootzak,' zei mijn pa en hij toeterde terug toen die vent weg was.

We gingen over de snelweg terug naar Barrytown en pa drukte het gaspedaal in. We draaiden onze raampjes open. Ik stak mijn elleboog naar buiten maar dat mocht niet van hem. Hij parkeerde langs de weg twee huizen van ons vandaan.

'Zo is 't welletjes,' zei hij.

Sinbad zat achterin.

De volgende dag gingen we picknicken. Het regende, maar we gingen toch; ik en Sinbad achterin, mijn ma met Catherine op haar schoot naast mijn pa. Deirdre was toen nog niet geboren. De buik van mijn moeder was helemaal bol, daar zat ze in. We gingen naar Dollymount.

'Waarom niet naar de bergen?' wilde ik weten.

'Stil, Patrick,' zei mijn ma.

Pa maakte zich klaar om van Barrytown Road de snelweg op te draaien. We hadden naar Dollymount kunnen lopen. We konden het eiland vanuit de auto zien. Pa slaagde erin de weg over te steken en rechtsaf te slaan. De Cortina schokte een beetje en maakte een geluid alsof je je lippen op elkaar perste en blies. En er klonk een schrapend geluid toen we de stoeprand raakten.

'Waar komt dat geluid vandaan?'

'Ssssst,' zei ma.

Ze vond er niks aan; dat zag ik. Ze had behoefte aan een echt uitje.

'Daar zijn de bergen,' zei ik.

Ik ging tussen haar stoel en de zijne zitten en wees ze de bergen aan, aan de overkant van de baai, niet eens zo ver weg.

'Kijk.'

'Ga zitten!'

Sinbad zat op de grond.

'Daar zijn wouden.'

'Wees stil, Patrick.'

'Ga zitten, rotjongen.'

Dollymount was maar anderhalve kilometer ver weg. Misschien iets meer, maar niet veel. Je moest een houten brug over om op het eiland te komen; verder was er niks te beleven.

'Ik moet,' zei Sinbad.

'Jezus Christus!'

'Pat,' zei mijn ma tegen mijn pa.

'Als we naar de bergen gaan,' zei ik, 'kan hij het achter een boom doen.'

'Ik hang jou straks nog op aan een boom als je niet uit m'n zicht gaat!'

'Je vader is een beetje zenuwachtig...'

'Dat ben ik niet!'

Hij was het wel.

'Ik wil alleen een beetje rust.'

'In de bergen is 't heel rustig.'

Sinbad zei dat. Ze lachten allebei, pa en ma voorin, vooral pa.

We kwamen in Dollymount aan, maar we moesten twee keer langs de brug rijden voor hij genoeg vaart kon minderen om de oprit te nemen en hem niet te missen en door de strandmuur te rijden. Het regende nog steeds. Hij parkeerde de auto met zijn neus naar de zee. Het was eb dus we konden hem niet zien. Trouwens, met de motor uit deden de ruitewissers het niet. Het leukste was nog het geluid van de regen op het dak. Ma had een idee; we zouden terug kunnen rijden naar huis en daar picknicken.

'Nee,' zei pa.

Hij reed.

'Wij zijn hier nu toch,' zei hij, 'dus...'

Hij klopte op het stuur.

Ma pakte de rieten mand die voor haar op de grond stond en deelde de picknickspullen uit.

'En pas op dat je niet overal kruimels en troep rondstrooit,' zei pa.

Hij had het tegen mij en Sinbad.

We moesten de sandwiches opeten; er was geen plek om ze te verstoppen. Ze waren lekker; met ei. Ze waren helemaal plat geworden; er zaten geen gaatjes meer in het brood. We kregen samen een Fanta, ik en Sinbad. We mochten het blikje niet zelf openmaken van ma. Zij had de opener. Ze haakte hem onder de rand en drukte er één keer op voor het driehoekige gaatje om uit te drinken en nog een keer aan de andere kant zodat de lucht erin kon. Toen we allebei een paar slokken hadden genomen, voelde ik kleine stukjes voedsel in de Fanta; ik voelde ze als ik slikte. De Fanta was lauw.

Ma en pa zeiden niks. Ze hadden een thermosfles met thee. Er zat een kopje op de fles geschroefd en ma had een echt kopje meegenomen dat ze in wc-papier had gewikkeld. Ze hield pa de kopjes voor zodat zij kon inschenken, maar hij pakte ze niet van haar aan. Hij zat recht voor zich uit te staren naar de regen die langs de voorruit stroomde. Ze zei niks. Ze zette één kopje neer en schonk het in, over Catherine's hoofd. Ze hield het omhoog; pa pakte het aan. Het was de grote kop, die van de fles. Hij nam een slokje en zei toen Bedankt, alsof hij er niets van meende.

'Mogen we eruit?'

'Nee.'

'Waarom niet?'

'Nee.'

'Het regent te hard,' zei ma. 'Jullie zouden doodziek worden in dit hondeweer.'

Sinbad stopte zijn hand onder zijn arm en klapte hem naar beneden. Het klonk als een scheet. Margaret, de vriendin van meneer O'Connell, had ons geleerd hoe je dat moest doen. Sinbad deed het nog eens.

'Nog één keer...,' zei pa.

Hij draaide zich niet om.

'En je zult wat beleven.'

Sinbad stopte zijn hand opnieuw onder zijn arm. Ik hield zijn arm omhoog zodat hij hem niet omlaag kon klappen; ik zou de schuld krijgen. Hij glimlachte omdat ik hem probeerde tegen te houden. Anders glimlachte hij nooit. Zelfs als pa foto's van ons maakte, verdomde Sinbad het om te lachen. We moesten naast elkaar voor ma staan – altijd hetzelfde liedje – en dan liep pa weg en draaide zich om en keek naar ons door de zoeker van het fototoestel – het was zo'n ouderwets boxje; mijn ma had het van haar eerste eigen verdiende geld gekocht voor ze trouwde, voor ze mijn pa had ontmoet – en dan zei hij dat we een beetje moesten opschuiven en dan stond hij eeuwenlang in de zoeker en weer naar ons te kijken, en dan zag hij dat Sinbad niet lachte.

'Lachen nu,' zei hij dan, eerst tegen ons allemaal.

Lachen was geen kunst.

'Francis,' zei hij dan, op kalme toon.

'Hoofd omhoog; kom op.'

Ma legde dan haar hand op Sinbads schouder en probeerde ook nog een van de kleintjes vast te houden.

'Godverdomme; nou is de zon weg.'

Maar Sinbad bleef met gebogen hoofd staan. En pa kreeg de pest in. Alle foto's waren hetzelfde, ik en ma grijnzend als idioten en Sinbad met voorovergebogen hoofd. We stonden al zo lang te glimlachen dat die glimlachen geen echte glimlachen meer waren. Toen ma met pa van plaats wisselde zodat hij ook op de kiek kon, leek het alsof hij echt glimlachte en Sinbad had zijn hoofd zo diep naar voren gebogen dat je totaal niks van zijn gezicht zag.

Die dag werden er geen foto's gemaakt.

Ma had de koekjes voor elk van ons in aluminiumfolie verpakt. Dan hoefden we niet te delen en kregen we geen ruzie. Ik kon aan de vorm van het aluminiumfolie zien wat voor koekjes erin zaten; vier Maria-biskwietjes, twee op elkaar als een sandwich, met boter ertussen, en de rechthoekige vorm onderin was een pennywafel. Die zou ik voor het laatst bewaren.

Ma zei wat tegen pa. Ik kon het niet verstaan. Ik zag aan de uitdrukking op de zijkant van haar gezicht dat ze op een antwoord wachtte. Maar er was meer mee aan de hand, met haar gezicht.

Je pakte de Maria-biskwietjes en kneep ze tegen elkaar zodat de boter door de gaatjes naar buiten kwam. Soms noemden we ze boterpoepers, om de manier waarop de boter eruit kwam, maar van ma mochten we ze niet zo noemen.

Ik pakte Sinbad de Fanta af. Hij protesteerde niet. Het blikje was leeg, en dat hoorde het niet te zijn.

Ik keek opnieuw naar ma. Zij keek nog steeds naar pa. Catherine had een van ma's vingers in haar mond en daar beet ze heel hard op – ze had een paar tandjes – maar ma deed alsof ze het niet merkte.

Sinbad zat zijn koekjes op te eten zoals hij dat altijd deed, en ik deed hetzelfde. Hij knabbelde langs de rand tot hij weer op hetzelfde punt was uitgekomen en het koekje nog dezelfde vorm had, alleen kleiner. Waar de boter uit de gaatjes was gekomen, likte hij. Toen hij de eerste keer rond was wachtte hij even. Ik greep de hand met de koeksandwich erin en ik kneep met beide handen en dwong hem de koekjes fijn te knijpen tot kruimels die te klein waren om nog wat aan te hebben. Dat was omdat hij alle Fanta had opgedronken.

Ma was bezig uit de auto te stappen. Dat was niet eenvoudig vanwege Catherine. Ik dacht dat het de bedoeling was dat we allemaal uitstapten, dat het was opgehouden met regenen.

Maar dat was niet zo. Het goot pijpestelen.

Er was iets gebeurd; maar wat?

Ma liet het portier open; het ging vanzelf weer een stukje dicht maar het bleef open. Ik en Sinbad wachtten af wat pa zou doen, zodat we wisten wat er van ons werd verwacht. Hij leunde opzij, greep de hendel van het portier aan ma's kant en trok het dicht. Hij kreunde toen hij rechtop ging zitten.

Sinbad likte zijn hand af.

'Waar is ma heen?' vroeg ik.

Pa zuchtte en draaide zich een stukje om zodat ik iets van de zijkant van zijn gezicht kon zien. Toen zei hij niks. Hij keek in de achteruitkijkspiegel naar ons. Ik kon zijn ogen niet zien. Sinbad zat met zijn hoofd voorovergebogen, zoals hij meestal zat. Ik veegde de damp van de binnenkant van het raampje aan mijn kant. Ik was van plan geweest er niet aan te komen voor we thuis waren. Ik zag niks, kilometers zand, maar ma niet. Ik zat aan de verkeerde kant, achter pa.

'Is ze wat kopen?'

Ik veegde opnieuw over het raam.

Het portier klikte open. Ma stapte in, bukte en paste goed op dat Catherine nergens tegenaan stootte. Haar haar plakte plat op haar hoofd. Ze had niks bij zich; ze had niks voor ons gekocht.

'Het was te nat voor Cathy,' zei ze na een poosje, tegen pa.

Hij startte de motor.

'Jij wordt al een hele kerel,' zei ze.

Ze probeerde de rits van mijn gulp dicht te krijgen.

'Nog even en je hebt dezelfde maat als je pappie.'

Dat wilde ik, dezelfde maat hebben als mijn pa. Ik had dezelfde naam als hij. Ik had gewacht tot hij naar zijn werk was voor ik haar liet zien dat de rits niet goed dichtging. Hij zou hem wel dicht hebben gekregen. Ik hoopte dat het haar niet zou lukken. Ik vond het een rotbroek. Hij was van geel ribfluweel. Vroeger was hij van een van mijn neefjes geweest. Ik zou nooit zo'n broek hebben gekozen.

Ze sjorde hem omhoog. Ze probeerde de twee kanten tegen elkaar te drukken zodat de rits dicht zou kunnen. Ik smokkelde niet. Ik hield zelfs mijn buik in.

'Nee,' zei ze. 'Dat heeft geen zin.'

Ze liet de broek los.

'Die heeft zijn tijd gehad,' zei ze. 'Je groeit te snel, Patrick.'

Ze meende het niet.

'We zullen een veiligheidsspeld moeten gebruiken,' zei ze.

Ze zag mijn gezicht.

'Alleen voor vandaag.'

Ze kwamen onze t.b.c.-prikken controleren, dat zei iedereen tenminste. Henno had ons niets verteld. Hij zei alleen dat we in een rij moesten gaan staan en dat de voorste twee steeds moesten zorgen dat ze hun trui en blouse en onderhemd uit hadden als de deur openging, anders zwaaide er wat. Er waren er pas twee binnen en die waren nog niet terug. Hij had op ons moeten passen, maar dat deed hij niet. Hij was 'm gesmeerd, naar boven, naar de lerarenkamer voor een kopje thee.

'Ik hoor alles,' zei hij. 'Reken daar maar op.'

Hij stampte met zijn voet op de houten vloer. Het geluid galmde door de gang. Het duurde eeuwen voor het weer stil was.

'Alsjeblieft,' zei hij. 'Fluisteren is onmogelijk in deze school. Ik hoor elk piepje.'

Toen ging hij weg.

We hoorden hem boven aan de trap. Hij was stil blijven staan.

Ian McEvoy zorgde ervoor dat hij verscholen stond achter de muur en stampte toen met zijn voet op de grond, net als Henno had gedaan. We lachten ons een kriek en luisterden of we Henno hoorden terugkomen. Hij kwam niet. We begonnen allemaal te stampen. Maar het moet aan zijn schoenen hebben gelegen; het lukte ons niet om het net zo te laten klinken. Maar verder deden we niks; schreeuwen of keten was er niet bij.

Ze kwamen onze t.b.c.-prikken controleren.

Wat zouden ze doen als je ze niet allemaal hebt?

Je hoorde er drie te hebben.

'Dan krijg je er een paar bij.'

Ze stonden in een driehoekje op je linkerarm. De huid zag er raar uit binnen die kringetjes.

'Dat betekent dat je kinderverlamming hebt.'

'Nietes!'

'Het betekent dat je kinderverlamming kunt krijgen.'

'Je hoeft het niet te hebben.'

David Geraghty, de jongen bij ons in de klas die kinderverlamming had, stond in de rij achter ons.

'Hé Geraghty,' zei ik. 'Ben jij tegen t.b.c. ingeënt?'

'Ja,' zei hij.

'Hoe heb jij dan kinderverlamming gekregen?' vroeg Fluke Cassidy hem.

Van de rij bleef weinig over omdat iedereen om David Geraghty heen ging staan.

'Dat weet ik niet,' zei hij. 'Dat kan ik me niet herinneren.'

'Ben je ermee geboren?'

David Geraghty trok een gezicht alsof hij op het punt stond te gaan huilen. De rij herstelde zich weer; we probeerden allemaal zover mogelijk van hem vandaan te komen. De eerste twee waren nog steeds niet terug.

'Je kunt kinderverlamming krijgen als je water uit de wc drinkt.'

De deur ging open. De twee jongens kwamen naar buiten. Brian Sheridan en James O'Keefe. Ze waren weer aangekleed. Ze zagen er niet bleek of geschrokken uit. Er waren geen traansporen. De twee volgende jongens gingen naar binnen.

'Wat hebben ze met jullie gedaan?'

'Niks.'

Ze wisten niet wat ze nu moesten doen. Ze konden niet terug naar de klas want daar was niemand en Henno zou ze vermoorden als ze daar op eigen houtje naar binnen gingen. Ik trok mijn trui uit en liet hem op de grond vallen.

'Wat deden ze?'

'Niks,' zei Brian Sheridan. 'Ze keken alleen maar.'

Er was iets aan hem veranderd. Zijn gezicht was verkrampt. Hij stond met zijn schoen te pielen. Ik hield op met het uittrekken van mijn blouse. Kevin pakte Brian Sheridan bij zijn lurven.

'La me los!'

'Wat hebben ze gedaan? Vertel op!'

'Ze hebben naar me gekeken.'

Zijn gezicht was knalrood geworden en hij deed niet echt zijn best om aan Kevins greep te ontsnappen; hij probeerde te voorkomen dat Kevin of de rest van ons zijn gezicht goed kon zien. Hij begon te huilen, nu echt.

De andere jongen, James O'Keefe, had geen kleur gekregen.

'Ze hebben naar onze piemels gekeken,' zei hij.

Ik hoorde de rubber doppen aan de onderkant van David Geraghty's krukken piepend over de vloer schuiven. James O'Keefe keek de rij langs. Hij wist dat hij macht over ons had. Hij wist dat het niet lang zou duren. Ik stond te vernikkelen. James O'Keefe's gezicht stond doodernstig. We hingen aan zijn lippen.

'La me los!'

Kevin liet Brian Sheridan los.

'Waarom?'

Daar gaf James O'Keefe geen antwoord op. Dat vond hij niet de moeite waard.

'Waarom deden ze dat?'

'Alleen kijken?'

'Ja,' zei James O'Keefe. 'Ze bukte zich en keek er even naar. Bij mij dan. De zijne heeft ze aangeraakt.'

'Niet waar!' zei Brian Sheridan. 'Ze heeft 'm niet aangeraakt.'

Hij begon bijna weer te huilen.

'Mooi wel,' zei James O'Keefe. 'Jij moet niet liegen, Sherro.'

'Ze heeft 'm niet aangeraakt.'

'Ze gebruikte het stokje van een ijslollie,' zei James O'Keefe.

We stonden allemaal door elkaar heen te schreeuwen. We wilden dat James O'Keefe opschoot met zijn verhaal.

'Niet met haar vingers!'

Brian Sheridan gilde het uit. Het was belangrijk voor hem; dat konden we aan zijn gezicht zien.

'Niet met haar vingers! Niet met haar hand.'

Daarna kalmeerde hij maar zijn gezicht was nog rood en heel bleek. Kevin greep James O'Keefe. Ik gooide mijn trui om zijn nek om hem te wurgen. We moesten weten wat zij met dat lolliestokje had gedaan. Wij waren zo dadelijk aan de beurt.

'Vertel op.'

Ik keelde James O'Keefe een beetje.

'O'Keefe, vertel op! En gauw een beetje.'

Ik liet de trui een beetje vieren. Hij had een rode striem op zijn nek. Wij maakten geen geintjes.

'Ze tilde z'n piemel op met een ijslolliestokje.'

Hij draaide zich om naar mij.

'Jou krijg ik nog wel,' zei hij.

Hij zei het niet tegen Kevin, alleen tegen mij.

'Waarom?' vroeg Ian McEvoy.

'Om de achterkant te bekijken,' zei James O'Keefe.

'Waarom?'

'Weet ik niet.'

'Misschien om te kijken of hij normaal was.'

'En is-ie dat?' vroeg ik aan Brian Sheridan.

'Ja.'

'Bewijs dat dan 's.'

De deur ging open. De twee anderen kwamen naar buiten.

'Heeft ze je met een ijslolliestokje aangeraakt? Nou?'

'Nee. Ze keek alleen maar. Ja toch?'

'Ja.'

'Waarom bij jou dan wel?' vroeg Kevin aan Brian Sheridan.

Brian Sheridan stond weer te grienen.

'Ze keek alleen maar,' zei hij.

We lieten hem verder met rust. Ik trok mijn blouse uit en toen mijn hemd. Wij waren daarna aan de beurt. Toch begreep ik iets niet.

'Waarom moeten we onze bovenkleren eigenlijk uittrekken?'

James O'Keefe gaf antwoord. 'Ze doen ook nog andere dingen.'

'Hoezo andere dingen?'

Die twee voor ons deden er behoorlijk lang over. De verpleegster moest ze bij hun elleboog pakken om ze mee te krijgen naar de kamer. Ze deed de deur achter zich dicht.

'Is dat 'r?' vroeg ik James O'Keefe.

'Ja,' zei hij.

Zij was dat mens met dat ijslolliestokje. Die op haar knieën naar onze piemels zat te koekeloeren. Ze zag er niet naar uit. Ze zag er leuk uit. Ze had geglimlacht toen ze de twee jongens voor ons beetpakte. Ze had haar haar in een grote knoet met een paar loshangende pieken tussen haar ogen en haar oren. Ze droeg geen kapje. Ze was jong.

'Geile teef,' zei David Geraghty.

We lagen in een deuk van het lachen, omdat het een goeie was en omdat David Geraghty het zei.

'Heeft jouw piemel kinderverlamming?' vroeg Kevin hem.

Kevin kreeg een ander antwoord dan hij had verwacht.

'Zeker weten,' zei David Geraghty. 'Daar blijft ze wel vanaf.'

Toen herinnerden we het ons weer.

'Hoezo andere dingen?'

Brian Sheridan vertelde het ons. De rode vlekken waren uit zijn gezicht verdwenen. Hij zag er normaal uit. 'Hij luistert naar je rug met een stethoscoop,' zei hij. 'En naar je voorkant.'

'Het voelt ijskoud aan,' zei James O'Keefe.

'Ja,' zei Brian Sheridan.

'Ja,' zei een van de anderen die net naar buiten waren gekomen. 'Da's 't vervelendste.'

'Heeft hij je t.b.c.-injecties gecontroleerd?'

'Ja.'

'Wat zei ik je.'

Ik keek nog eens naar de mijne. Alle prikjes waren er, alle drie. Je kon ze duidelijk zien, als de punt van een ko-

kosnoot. Ik keek naar die van Kevin. De zijne ook.

'Prikken ze je?' vroeg iemand.

'Nee,' zei Brian Sheridan.

'Ons tenminste niet,' zei James O'Keefe. 'Misschien een paar van jullie.'

'Lul niet, O'Keefe.'

David Geraghty zei weer wat.

'Hebben ze nog wat met je kont gedaan?'

We lachten ons krom. Ik lachte overdreven hard. Dat deden we allemaal. Wij waren bang en wij hadden David Geraghty bijna aan het huilen gemaakt. Het was de eerste keer dat David Geraghty leuk uit de hoek kwam waar iedereen bij was. Ik mocht hem wel.

De twee kwamen naar buiten. Ze grijnsden. De deur stond open voor ons. Wij waren aan de beurt, ik en Kevin. Ik ging als eerste naar binnen. Ik moest wel. Ik werd geduwd.

'Vraag haar om een choco-ijsje,' zei David Geraghty.

Later moest ik erom lachen. Toen niet.

Ze stond ons op te wachten. Ik hield op met kijken toen zij me aankeek.

'De broeken en onderbroeken, jongens,' zei ze.

Toen dacht ik opeens aan de veiligheidsspeld boven aan mijn rits, toen pas. Die had ik aan mijn ma te danken. Ik kreeg een kop als een boei. Ik draaide me een beetje om, weg van Kevin. Ik stopte hem in mijn broekzak. Ik draaide me weer terug en floot om mijn rode kleur kwijt te raken. Kevin had een vieze onderbroek. In het midden liep een rechte bruine streep die aan de buitenkant lichter werd. Ik keek niet naar de mijne. Ik liet hem gewoon zakken. Ik keek nergens naar. Niet naar beneden. Niet naar

Kevin. Niet naar de dokter achter het bureau. Ik wachtte. Ik wachtte tot ik het stokje zou voelen. Ze was voor me. Dat voelde ik. Ik keek niet. Ik voelde niks van mijn piemel. Ik had helemaal geen gevoel daar beneden. Als ze het lolliestokje eronder stak, zou ik door de grond gaan. Ik zou mijn plas laten lopen. Ze dacht na. Ze boog zich voorover om hem goed te bekijken. Ze keek. Misschien wreef ze over haar kin. Wist ze niet goed wat ze ervan moest denken. Er zat een spinneweb boven het hoofd van de dokter, een groot droog spinneweb. Er hing een draad aan die bewoog. Het tochtte daar een beetje. Ze nam een besluit. Of hij er ernstig genoeg aan toe was om hem op te tillen en de andere kant te bekijken. Als ik niet keek zou ze het niet doen. Ik keek of ik de spin zag. Als ze het deed was mijn doodvonnis getekend. Het eigenaardigste aan spinnen is de manier waarop ze hun web maken. Ik zou nooit meer normaal worden...

'Okido,' zei ze. 'Jij kunt door naar dokter McKenna.'

Geen aanraking. Geen stokje. Ik vergat bijna mijn onderbroek en broek aan te trekken. Ik had al een stap gezet. Ik trok ze omhoog. Ik was nat tussen mijn billen. Maar dat gaf nu niks meer. Geen stokje. Drie t.b.c.-injecties.

'Heeft ze de jouwe aangeraakt?' vroeg Kevin me.

Bij de deur, toen we eruit liepen. Hij fluisterde.

'Nee,' zei ik.

Grandioos gevoel was dat.

'De mijne ook niet,' zei hij.

Ik zei niks over zijn onderbroek.

Onder de tafel was een fort. Als de zes stoelen eronder geschoven stonden, had je nog meer dan genoeg ruimte; dat

129

was zelfs beter, geheimer. Daar zat ik soms urenlang. Dit was de mooie tafel in de woonkamer, die bijna nooit werd gebruikt, behalve met Kerstmis. Ik kon rechtop zitten. Het blad van de tafel was vlak boven mijn hoofd. Goed vond ik dat. Dan kon ik me concentreren op de vloer en de voeten. Ik zag dingen. Balletjes stof, bij elkaar gehouden door haren, die over het zeil zweefden. Er zaten kleine barstjes in het zeil die groter werden als je erop drukte. In het zonlicht stikte het van het stof, enorme ladingen stof. Daardoor wilde ik geen adem meer halen. Maar ik vond het prachtig om naar te kijken. Het dwarrelde als sneeuw. Als mijn pa stond, stond hij doodstil. Zijn voeten aan de grond genageld. Ze bewogen alleen als hij ergens heen ging. Mijn ma had andere voeten. Die hadden geen rust. Ze wisten niet wat ze wilden. Ik viel daar weleens in slaap; vroeger dan. Het was daar altijd koel, nooit koud, en warm als ik dat wilde. Het zeil voelde lekker aan tegen mijn gezicht. De lucht bewoog niet zoals buiten, voorbij de tafel; het was er veilig. Het rook er ook lekker. Mijn pa had ruitjessokken. Ik werd een keer wakker en toen lag er een deken over me heen. Ik had daar wel altijd willen blijven. Ik was vlak bij het raam. Ik kon de vogels horen zingen. Mijn pa had zijn benen over elkaar geslagen. Hij neuriede. De lucht uit de keuken was verrukkelijk; ik had geen honger, ik hoefde geen eten. Stoofpot. Dan was het donderdag. Kon niet anders. Mijn ma neuriede ook. Hetzelfde deuntje als mijn pa. Het was geen echt liedje, alleen een deuntje met een paar noten erin. Het klonk niet alsof ze wisten dat ze hetzelfde stonden te neuriën. De noten waren gewoon in het hoofd van een van hen opgekomen, waarschijnlijk in dat van mijn vader. Mijn ma neuriede het meest. Ik strekte me uit tot mijn voet tegen een stoel-poot aankwam, en maakte me weer klein. Er zat zand in de deken, van een picknick.

Dat was voordat mijn moeder Cathy en Deirdre kreeg. Sinbad kon toen nog niet lopen; dat wist ik nog. Hij schoof op zijn bibs over het zeil. Nu kon ik dat niet meer doen. Ik kon wel onder de tafel gaan zitten maar mijn hoofd drukte tegen het tafelblad als ik rechtop zat en ik kon me niet stilhouden; het deed pijn, mijn benen deden pijn. Ik was bang dat iemand me betrapte. Ik heb het een paar keer geprobeerd maar het was waardeloos.

De meesten van ons konden rechtop staan in de pijp. Alleen Liam en Ian McEvoy moesten zich een beetje bukken om hun kop niet te stoten. Daarom voelden ze zich hele pieten. Liam stootte expres met zijn kop tegen de pijp. We gingen de greppel in; hij was hartstikke diep, net als een loopgraaf in de oorlog. De mannen die hem groeven – we hadden gewacht tot ze naar huis waren – hadden houten ladders om erin en eruit te komen. Die borgen ze op in hun keet. Wij gebruikten planken. We lieten de plank in de greppel zakken en renden er dan vanaf. Dat was beter dan een ladder. Je sprintte naar de andere kant van de greppel, zette je ertegen af en sprong snel opzij voor de volgende jongen de plank af kwam.

De greppel lag een tijdje vlak voor ons hek, ongeveer een week of zo; het leek wel eeuwen omdat het vlak voor Pasen was en de dagen langer werden en de werklui toch precies om halfzes stopten hoewel het nog uren licht bleef. Het was een reusachtige waterpijp, om water te brengen naar alle nieuwe huizen die verderop langs de weg helemaal tot aan Santry werden gebouwd en ook voor de fabrieken, of om vies water van de huizen en fabrieken af te voeren; dat wisten we niet precies.

'Die is voor de riolering,' zei Liam.

'Wat is riolering?'

'Stront,' zei ik.

Ik wist wat het woord betekende. Onze afvoer was een keer verstopt en mijn pa moest het vierkante luik onder het wc-raampje openmaken en in de put kruipen en in de pijp wroeten met een klerenhanger. Ik vroeg hem waar die put voor was, en die pijpen, en hij zei Riolering toen hij het me uitlegde, voor hij brulde dat ik moest opdonderen.

'Hij wil graag dat je hem helpt,' zei mijn ma.

Ik huilde nog steeds, maar ik had het in de hand.

'Het is vies, Patrick.'

'Hij-hij staat er middenin,' zei ik.

'Hij moet wel. Om het te repareren.'

'Hij heeft tegen me geschreeuwd.'

'Het is vies werk. Smerig.'

Later liet mijn pa me de deksel op de put doen. De stank was verschrikkelijk. Hij maakte me aan het lachen. Hij deed alsof hij het in zijn broek had gedaan en dat dat die stank was.

'Ook wc-papier,' zei ik.

We stonden in de greppel. Liams laars bleef steken in de modder. Zijn voet was eruit geschoten. Sinbad zat boven op de rand van de greppel. Hij wilde er niet in.

'En haar,' zei ik.

'Haar is geen riolering,' zei Kevin.

'Welles,' zei ik. 'Daardoor raken de pijpen verstopt.'

Mijn pa had mijn ma de schuld gegeven omdat zij het langste haar had. Een dikke prop ervan was in de pijp blijven steken.

'Mijn haar valt niet uit,' zei ze.

'En het mijne wel, wou je dat ermee zeggen?'

Ze glimlachte.

De pijpen waren van beton. Ze lagen eeuwenlang in piramides aan het begin van de straat, voordat ze de greppels begonnen te graven. Ons stuk van Barrytown Road, waar de huizen waren, was recht, maar overal verderop, na de huizen, was hij kronkelig en bochtig, met heggen die zo hoog waren dat je de velden niet kon zien. De gemeente knipte de heggen niet meer omdat ze toch weggehaald zouden worden. Dus werd de straat smaller. De pijpen zouden in een rechte lijn tegen elkaar aan worden gelegd en de nieuwe straat erboven zou ook recht worden. Als de mannen naar huis waren, gingen we de pijp in, elke keer een stukje verder. Eerst tot bij de winkels, dan tot bij het huis van de McEvoys, dan tot bij ons huis, elke dag een stukje verder de straat in. De uit de grond gerukte heggen die op hun kant lagen, zagen er net zo uit als toen ze rechtop stonden; ze waren breed en vol. Mijn moeder dacht dat ze ze weer terug zouden zetten.

Door de pijp rennen was het griezeligste en meest fantastische dat ik ooit had gedaan. Ik was de eerste die het durfde, er helemaal doorheen rennen, van voor mijn huis tot aan de waterkant, na een paar meter in het pikkedonker. Het enige licht onderweg kwam door een open gat boven een betonnen verhoging die in de pijp was gemaakt; daarna werd het weer donker, stikdonker. Je ging af op het geluid van je adem en je voetstappen – je merkte het als je te veel naar de zijkant uitweek – tot het licht-puntje aan het eind groter en helderder werd, en aan de andere kant de pijp uit, joelend in het licht, handen om-hoog, gewonnen.

Je rende zo hard als je kon, nog harder dan anders, maar de anderen stonden je altijd aan de andere kant op te wachten.

Kevin kwam er niet uit.

We lachten.

'Keva – Keva – Keva – Keva.'

Liam floot ons clubdeuntje; dat kon hij het beste. Ik kreeg het niet voor elkaar. Als ik de vier vingers in mijn mond stak, was er geen ruimte meer voor mijn tong. De achterkant van mijn keel werd droog en ik moest bijna overgeven.

Kevin was nog steeds in de pijp. De kluiten aarde waar-mee we hem hadden willen bekogelen, lieten we weer val-len; Kevin was daarbinnen en het bloed gutste uit zijn lijf. Ik sprong in de greppel. Aan deze kant was de aarde hard en droog.

'Kom op!' riep ik naar de anderen.

Ik wist dat ze me niet zouden volgen; daarom had ik het gezegd. Ik zou Kevin in m'n eentje redden; geweldig was dat. Ik liep de pijp in. Ik keek achterom, als een astro-naut die in een ruimteschip stapt. Ik zwaaide niet. De an-deren begonnen in de greppel te klimmen. Ze zouden me nooit volgen, pas als het te laat was.

Ik zag Kevin meteen. Ik zag hem niet toen ik buiten stond, maar nu wel. Hij was niet ver. Hij zat. Hij stond op. Ik riep niet naar achteren dat ik hem had gevonden of zo. Dit was iets van Kevin en mij alleen. Samen liepen we dieper de pijp in zodat de anderen ons niet zouden zien. Ik was niet teleurgesteld dat Kevin niet gewond was. Dit was beter.

Ik voelde er niks voor om in het pikkedonker te gaan zitten, maar ik deed het toch, wij allebei. We zorgden wel dat we elkaar konden voelen, vlak naast elkaar. Ik kon Kevins omtrekken zien. Hij bewoog zijn hoofd. Ik zag dat hij zijn benen strekte. Machtig vond ik 't. Ik had kunnen slapen. Ik was bang om te fluisteren, om het te verpesten. We konden de anderen horen roepen, op kilometers afstand. Ik wist wat we gingen doen. We zouden wachten tot het geroep was opgehouden, dan zouden we uit de pijp te voorschijn komen voor ze het aan hun ouders of aan andere grote mensen vertelden. Ze wisten dat we niet gewond waren of zoiets; ze zouden het doen om ons narigheid te bezorgen, terwijl ze deden alsof ze ons wilden redden.

Ik wilde wat zeggen. Ik kreeg het koud. Het was donkerder hoewel mijn ogen waren gewend.

Kevin liet een scheet. We wapperden met onze handen in de lucht. Hij probeerde bij mijn mond te komen, om hem te bedekken, om te zorgen dat ik ophield met lachen. Hij lachte zelf. We stoeiden, we duwden alleen maar om de ander te beletten terug te duwen. Dadelijk zouden ze ons door krijgen; de anderen zouden ons horen lachen en de pijp in komen. Dit waren de laatste ogenblikken. Ik en Kevin.

Toen trok hij me aan mijn taas.

Iemand aan zijn taas trekken was op onze school streng verboden. De bovenmeester, meneer Finnucane, had het

James O'Keefe bij Albert Genocci zien doen toen hij uit het raam keek om te zien hoe het weer was, en of hij ons naar binnen zou roepen of buiten zou laten. Hij was geschokt, zei hij, toen hij alle klassen langs ging om het erover te hebben; hij was geschokt toen hij zag dat een jongen dat bij een andere jongen deed. Hij wist zeker dat de jongen die het had gedaan, niet de bedoeling had gehad de andere jongen echt te bezeren; hij hoopte in ieder geval dat die jongen de ander geen pijn had willen doen. Maar...

Hij liet het even bezinken.

Dit was grandioos. James O'Keefe zat dieper in de problemen dan hij ooit had gezeten, dan wie van ons dan ook ooit had gezeten. Hij liet James O'Keefe opstaan. Hij hield zijn hoofd gebogen, ook al zei meneer Finnucane steeds weer dat hij het omhoog moest houden.

'Altijd het hoofd omhoog, jongens. Jullie zijn mannen.'

Toen hij het voor de eerste keer zei, wist ik niet zeker of ik hem wel goed had verstaan: aan zijn taas trekken.

'...wat naar ik meen aan z'n taas trekken wordt genoemd.'

Zo zei hij het. Het was alsof er vlak voor me een groot gapend gat viel – vlak voor ons allemaal, dat kon ik aan de gezichten zien – toen meneer Finnucane dat zei. Wat zou hij nog meer gaan zeggen? De laatste keer dat hij ons had toegesproken, ging het over iemand die zijn grote inktfles had gejat die hij altijd buiten zijn deur had staan. En nu ging hij het over aan iemands taas trekken hebben. Van schrik vergat ik adem te halen.

'Kom op, James,' zei hij. 'Hoofd omhoog, dat zei ik toch al.'

Albert Genocci zat niet bij ons in de klas. Hij zat in de

kneuzenklas. Zijn broer, Patrick Genocci, die zat bij ons in de klas.

'Ik weet dat het speelsigheid is als je dat doet,' zei meneer Finnucane.

Henno stond achter hem. Hij had ook een kleur gekregen. Hij had pleinwacht die keer; hij had moeten zien wat er gebeurde. Er viel niet aan te ontkomen; James O'Keefe was er geweest.

'...dat het maar een grapje is. Maar het is niet leuk. Het is helemaal niet leuk. Wat ik vanmorgen zag gebeuren, kan heel ernstige gevolgen hebben.'

Jeetje; was dat alles?

'Dat deel van je lichaam is heel erg kwetsbaar.'

Dat wisten we.

'Daarmee kun je die jongen z'n leven verwoesten voor de rest van zijn... leven. Met zulke grapjes.'

Het grote gat voor ons begon zich te sluiten. Hij zou geen verkeerde of gekke dingen meer zeggen. Hij zou niet Ballen of Piemel of Testikels zeggen. Dat was een tegenvaller, maar het was een onderbreking in ons zoveelste geschiedenisproefwerk – het leven van de Fenians – en nu zou hij James O'Keefe de volle laag geven.

'Ga zitten, James.'

Ik kon mijn oren niet geloven. Trouwens, James O'Keefe en alle anderen ook niet.

'Ga zitten.'

James O'Keefe ging half zitten maar durfde niet goed. Het was een truc; dat kon niet anders.

'Laat dit niet nog eens gebeuren,' zei meneer Finnucane.

Dat was alles.

Henno zou hem wel te grazen nemen als meneer Finnucane weg was. Maar dat deed hij niet. We gingen meteen verder met het proefwerk.

Maandenlang, tot aan de grote vakantie, was de weg voor ons huis opgebroken. Pa moest de auto verderop bij de winkels parkeren. Mevrouw Kilmartin, de mevrouw uit de winkel die altijd loerde op winkeldieven, kwam bij ons aan de deur: omdat daar de auto van pa en van Kevins pa en nog drie andere auto's stonden was er geen plaats voor de leverancier om zijn bestellingen af te leveren. Mevrouw Kilmartin was woest. Dat was de eerste keer in mijn leven dat ik een echt kwade mevrouw zag. Het is verdomme geen parkeerterrein, zei ze; zij moest ook belasting betalen. Ze kneep haar ogen halfdicht. Dat kwam omdat ze nooit in het daglicht kwam; ze was altijd achter die donkere glazen deur. Ma zat met haar handen in haar haar; pa was op zijn werk – hij ging met de trein – en zij kon niet rijden. Mevrouw Kilmartin hield haar hand op.

'De sleuteltjes.'

'Die heb ik niet. Ik...'

'Jezus Christus!'

Ze sloeg het tuinhek met een klap achter zich dicht. Ze greep het vast om het dicht te kunnen slaan.

Toen ik opendeed zei ze: 'Je moeder.'

Ik dacht dat ik de pineut was. Ik werd vals beschuldigd. Ze had me iets zien kopen en ze had gedacht dat ik het pikte. Door de manier waarop ik het had opgepakt had het geleken of ik het wilde pikken.

Ik had in die winkel nog nooit iets gepikt.

Je ging pas de gevangenis in als je iets pikte dat meer

dan vijf piek waard was, per keer. Mensen van mijn en Kevins leeftijd gingen niet naar de gevangenis als ze werden gepakt. Die werden naar huis gestuurd. Je moest naar Artane als je twee keer was gepakt. Daar schoren ze je hoofd kaal.

Met het rennen door de pijp moesten we ophouden; het was te ver. Hij liep helemaal voorbij ons huis Barrytown uit. We bezetten de putten. Die staken omhoog uit de grond, als kleine gebouwtjes. Ze zouden gelijk met de weg komen als er beton omheen was gestort; dan zouden ze gewoon deel uitmaken van de straat. We pakten Aidan en duwden hem in de put. Hij moest op dat platje blijven staan en wij keilden er kluiten aarde in. Hij kon dekking zoeken want de verhoging was veel groter dan het gat. Als we de kluiten er laag in kwakten, dan schoten ze er schuin in en raakten de zijkant van de verhoging en misschien Aidan. We omsingelden hem. Als ik het was geweest, zou ik door de pijp naar de volgende put zijn gerend en dan was ik er al uit geweest voor ze in de gaten hadden wat ik deed. En dan zou ik ze hebben bekogeld en nog met stenen ook. Aidan huilde. We keken naar Liam omdat het zijn broertje was. Liam ging door met kluiten aarde in het gat mikken, wij ook.

De nieuwe weg was nu kaarsrecht van het begin tot het einde. De hoeken van Donnelly's land waren afgesneden en je kon de hele boerderij zien omdat de heggen weg waren; het was net Catherine's poppenhuis met de deur open. Je kon alle huizen in aanbouw aan de andere kant van de velden zien. De boerderij werd omsingeld. De koeien waren weg, naar de nieuwe boerderij. Grote vrachtwagens hadden ze opgehaald. De stank was om te gillen. Een van de koeien poepte toen hij de loopplank naar de vrachtwagen opliep. Donnelly gaf haar een tik met zijn stok. Oom Eddie stond achter hem. Hij had ook een stok. Als Donnelly de koe sloeg, sloeg hij haar ook. We zagen dat de koeien, allemaal opeengepakt in vrachtwagens, probeerden hun neus tussen de tralies door te steken.

Oom Eddie ging in een van de vrachtwagens naast de chauffeur zitten. Hij had zijn elleboog uit het raam gestoken. We zwaaiden naar hem en juichten toen de vrachtwagen vol koeien door het gesloopte hek van de boerderij reed en links afsloeg, de nieuwe weg op. Het was net alsof oom Eddie wegging.

Later zag ik hem naar de winkels rennen om voor ze dichtgingen een *Evening Press* voor Donnelly te kopen.

De oude spoorbrug was niet groot genoeg meer om de weg er onderdoor te laten lopen. Ze bouwden een nieuwe, van enorme betonplaten, vlak naast de oude. De weg maakte onder de brug een duik, zodat het grote verkeer, vrachtwagens en bussen, er onderdoor kon. Ze hadden het land naast de weg afgegraven zodat de weg verder omlaag kon. Andere betonplaten zorgden ervoor dat het afgegraven land niet op de weg kon vallen. Ze zeiden dat bij dat werk twee mannen waren omgekomen maar we hebben nooit iets gezien. Ze werden gedood toen er een stuk van Donnelly's veld op ze neerkwam, toen het had geregend en de grond los en modderig was. Ze waren in de modder verdronken.

Soms had ik een droom waar ik wakker van werd. Ik zat iets te eten. Het was droog en korrelig en ik kreeg het maar niet vochtig. Het deed pijn aan mijn tanden; ik kreeg mijn mond niet dicht en ik wilde om hulp roepen en dat ging niet. En ik werd wakker en mijn mond was helemaal droog, van het openstaan. Ik vroeg me af of ik had gegild; ik hoopte van niet maar ik wilde dat mijn ma binnenkwam en me vroeg of me wat scheelde en op de rand van mijn bed kwam zitten.

De oude brug hebben ze niet opgeblazen. We dachten dat ze dat zouden doen, maar ze deden het niet.

'Als ze die zouden opblazen, dan zouden ze meteen ook de nieuwe opblazen,' zei Liam.

'Niks hoor; dat zou stom zijn.'

'Mooi wel.'

'Hoe dan?'

'De explosie.'

'Ze hebben verschillende explosies voor verschillende dingen,' vertelde Ian McEvoy hem.

'Hoe weet jij dat, dikzak?'

Dat zei Kevin. Zo dik was Ian McEvoy niet eens. Hij had alleen kleine borstjes, net als bij een vrouw. Hij ging nooit meer mee zwemmen toen we die eenmaal hadden gezien.

'Dat weet ik gewoon,' zei McEvoy. 'Ze kunnen de kracht van de explosie regelen.'

Het interesseerde ons niet meer.

De oude brug was weg. Ze hadden hem gewoon gesloopt; de stenen en het puin hadden ze in vrachtwagens afgevoerd. Ik miste hem. Het was een geweldige plek om je onder te verstoppen en om te schreeuwen. Er kon maar één auto tegelijk onderdoor. Pa hield het hele stuk zijn hand op de claxon. De nieuwe brug maakte een gierend geluid als het waaide, maar verder was er niks aan.

Hij liet ons er door het raam naar kijken, meer ook niet. Bijna niemand van ons mocht bij hem naar binnen. Hij duwde de bank weg van het raam zodat we hem goed konden zien, zijn Scalextric. Alan Baxter was de enige in Barrytown die een elektrische racebaan had. Hij was protestants, een protje, en hij was ouder dan wij. Hij was net zo oud als Kevins broer. Hij zat op de middelbare school en hij speelde cricket; hij had een echte bat en beenbeschermers. Als zij, de grotere jongens, achter de winkels een wedstrijdje speelden trok hij, als hij aan slag was, voortdurend zijn trui uit en weer aan maar hij speelde niks beter dan de anderen. Als hij in het veld stond plantte hij zijn handen op zijn knieën en ging voorovergebogen staan. Hij was een flapdrol. Maar hij had Scalextric.

Hij was niet zo mooi als in de advertenties, waar hij dezelfde vorm had als een spoorwegnet – het waren twee baantjes die tegen elkaar aan lagen als een acht – en een van de wagentjes vloog al snel uit de baan. Maar het was fantastisch. Het bedieningspaneel zag er schitterend en gemakkelijk uit. De blauwe wagen was veel beter dan de rode. Terence Long had de rode; Alan Baxter de blauwe. We maakten het raam vies met onze adem en de afdrukken van onze handen. Terence Long – hij was een meter tachtig en pas veertien – moest het rode wagentje steeds weer rechtop zetten; als het een bocht maakte, bleef het steken. Een paar keer kwam het goed de bocht door. Maar het blauwe lag ver voor. Kevins broer pakte het rode wagentje op en keek eronder maar Alan Baxter zei dat hij het terug moest zetten. Zij waren de enigen in de woonkamer, Alan Baxter, Terence Long en Kevins broer. De rest van ons – wij waren allemaal een stuk jonger – moest buiten kijken. Het ergste was als het donker was. Dan voelde je je echt buitengesloten. Kevin is één keer binnen geweest, vanwege zijn broer. Maar ik niet. Ik was de oudste thuis. Ik had niemand die me naar binnen kon loodsen. Kevin mocht nergens aankomen. Hij mocht alleen kijken.

Kevins broer heeft een keer vreselijk gedonder gehad. Hij heette Martin. Hij was vijf jaar ouder dan wij en hij flikte het volgende: hij had een stuk tuinslang door het raampje van de auto van mevrouw Kilmartin gestoken en daar een plas in gedaan en hij werd gepakt omdat Terence Long het tegen zijn ma verklikte omdat hij de slang had vastgehouden en bang was dat ze hem ervan zouden beschuldigen ook te hebben geplast. De ma van Terence Long vertelde het door aan Martins ma.

'Terence Long Terence Long
Heeft een piemel als King Kong.'

Hij wilde dat Kevins broer en de anderen hem Terry of Ter noemden, maar iedereen noemde hem nog steeds Terence, vooral zijn ma.

'Terence Long Terence Long
Zonder sokken is berucht
Getverderrie wat een lucht.'

's Zomers droeg hij sandalen, van die grote, zoals priesters hebben en geen sokken. Kevins pa gaf Martin er vreselijk van langs en liet hem de bekleding van mevrouw Kilmartins auto schoonmaken waar iedereen bij stond. Hij huilde. Mevrouw Kilmartin kwam niet naar buiten. Ze stuurde Eric naar buiten met de autosleuteltjes. Hij was haar zoon en hij was zwakzinnig.

Martin rookte en hij zou van school gaan na de grote

vakantie. Hij dronk cola met aspirientjes erin en moest kotsen. Hij spijbelde altijd en dan bleef hij de hele dag aan het strand, zelfs in de winter. Hij was misdienaar geweest. Maar hij werd eruit geknikkerd omdat hij witte strepen op zijn zwarte schoenen had geschilderd. Hij – hij, Terence Long en zelfs Alan Baxter – had Sinbad een keer te pakken genomen en zijn andere brilleglas ook zwart geschilderd. Ze dwongen hem met zijn bril op helemaal tot ons huis te lopen, met een stok die ze wit hadden geschilderd. Ma deed er niets tegen; ze zong een liedje voor Sinbad terwijl hij huilde:

'Ik heb Seamus, mijn broeder verteld
ik ga heen en kom terug als een held...'

En toen hij was uitgehuild, ging ze de garage in en pakte een fles peut en begon zijn bril schoon te maken en liet hem zien hoe hij dat moest doen. Ik zei dat ik hem best wilde helpen maar dat mocht niet van hem. Pa lachte; hij kwam laat thuis en Sinbad lag al in bed, maar ik niet. Hij lachte. Ik ook. Hij zei dat Sinbad dezelfde streken zou uithalen als hij net zo oud was als Kevins broer. Toen kreeg hij de pest in omdat het bord dat het bord met zijn avondeten bedekte, bleef plakken omdat de jus was gestold. Ma stuurde me naar bed.

Martin droeg 's zomers een lange broek. Hij liep altijd met zijn handen in zijn zakken. Hij had een kam. Ik vond hem fantastisch. Kevin ook maar tegelijkertijd haatte hij hem.

Hij heeft het mevrouw Kilmartin betaald gezet. Hij heeft Eric Kilmartin een stoot voor zijn kop gegeven en Eric kon het niet verklikken omdat hij niet goed kon praten; hij kon alleen maar geluiden maken.

Martin en zijn vrienden bouwden hutten. Wij ook, van spullen die we op de bouwterreinen weghaalden – dat was een van de eerste dingen die we deden toen het zomer werd – maar die van hen waren beter, stukken beter dan die van ons. Er was een veld achter de nieuwste van ons type huizen – niet dat achter de winkels – en daar werden de meeste hutten gebouwd. Het zat vol heuvels als duinen, alleen waren ze van aarde in plaats van van zand. Vroeger had het bij een boerderij gehoord maar dat was jaren geleden. De ruïne van de boerderij stond aan de rand van het veld. De muren waren niet van steen; ze waren gemaakt van lichtbruine klei vol grind en grotere keien. Je kon ze heel gemakkelijk slopen. Ik vond een stuk van een kopje tussen de brandnetels tegen de muur. Ik nam het mee naar huis en spoelde het schoon. Ik liet het aan mijn pa zien en hij zei dat het waarschijnlijk een fortuin waard was maar hij wilde het niet van me kopen. Hij zei dat ik het op een veilig plekje moest opbergen. Er stonden bloemen op, twee helemaal en een half. Ik ben het kwijtgeraakt.

Dat veld zag eruit alsof ze begonnen waren om het klaar te maken om op te bouwen maar daarmee waren gestopt. Er was een brede greppel, breder dan een zandweg, in het midden en andere greppels die vol onkruid stonden. Sommige velden waren nog onbewerkt. Pa zei dat ze met de bouw waren opgehouden omdat ze moesten wachten tot de pijpleidingen klaar waren en ze water hadden.

Ik rende door het deel van het veld waar nog niets aan was gedaan – zomaar, ik rende maar wat – en het gras was grandioos, het kwam tot aan mijn knieën. Ik moest mijn benen hoog optillen, net als in water. Het was het soort gras waar je je aan kon snijden. Het had toppen als koren. Op een keer heb ik een hele bos mee naar huis genomen voor mijn ma, maar ze zei dat ze er geen brood van kon maken. Ik zei dat ze dat best kon maar zij zei van niet, dat ging gewoon niet, dat was jammer. Mijn voeten maakten ruisende geluiden als ik door het gras liep en toen hoorde ik een ander geluid, voor me. En het gras bewoog. Ik bleef stilstaan, en er vloog een grote vogel op uit het gras. Hij bleef laag boven de grond en vloog voor me langs. Ik voelde de slag van zijn vleugels. Het was een fazant. Ik ging terug.

Kevins broer bouwde zijn hutten in de heuvels. Ze groeven lange holen; ze leenden de schoppen van hun pa. Terence Long had zijn eigen schop; die had hij voor zijn verjaardag gekregen. Ze verdeelden het hol in segmenten, in kamers. Ze dekten het af met planken. Soms haalden ze hooi uit Donnelly's schuur. Dat was de fundering.

Als ik uit een hut was gekropen, zat mijn haar vol aarde en troep. Ik kon mijn haar rechtop laten staan.

De rest van de hut werd grotendeels van graszoden gemaakt. Waar je ook kwam in Barrytown, overal vond je wel plekken waar graszoden waren weggesneden, zelfs in voortuinen; stukjes kale grond, allemaal recht afgesneden. Kevins broer ramde de schop moeiteloos dwars door de graslaag. Ik hield van het sappig knerpende geluid waarmee het blad door het netwerk van wortels sneed. Terence Long trapte op het blad en bewoog het heen en weer, en ging erdoorheen en verplaatste de schop en deed het opnieuw. Ze stapelden de zoden als dunne stenen op elkaar en stampten ze aan. Ze vormden een stevige muur maar je kon hem gemakkelijk omver duwen. Maar als je dat deed dan was je de lul; Kevins broer kwam er altijd achter wie het had gedaan. Binnen de buitenmuren waren nog meer muren, weer kamers, planken erbovenop en een stuk plastic en nog meer graszoden als dak. Van niet al te ver leek de hut net een vierkant heuveltje. Het zag er niet uit als iets wat gebouwd was, niet tot je er vlakbij was.

Er kwamen wormen uit de graszoden.

Overal om onze hut legden we mijnen. We begroeven open verfblikken en bedekten die met gras. Als je voet door het gras in het blik zakte, gebeurde er meestal niks, behalve dat je onderuit ging. Maar als je rende, zou je je been kunnen breken. Dat was heel goed mogelijk. We begroeven er een met de verf er nog in, maar daar ging niemand in staan. We pakten een melkfles en sloegen die kapot. De grootste stukken glas zetten we rechtop in een blik, pal voor de ingang van de hut.

'Als iemand van ons zijn voet er nou in steekt?'

De mijnen waren voor de vijand bedoeld.

'Dat doen we niet,' zei Kevin. 'Wij weten toch waar hij ligt, stommerd.'

'Liam niet.'

Liam was bij zijn tante.

'Liam is geen lid van onze bende.'

Daar wist ik niks van – Liam had de vorige dag nog met ons gespeeld – maar ik zei niks.

We slepen punten aan onze stokken en staken die in de grond met de punten in de richting van waaruit de vijand ons zou besluipen. We hielden de stokken laag. Als de vijand naar ons toe kroop, zou hij een puntige stok in zijn gezicht krijgen.

Ian McEvoy rende tegen een struikeldraad aan en hij moest naar het ziekenhuis om te worden gehecht.

'Zijn voet lag er bijna af.'

Het was echt ijzerdraad, geen touw dat we meestal gebruikten. We wisten niet wie dat had gedaan. Het was gespannen tussen drie bomen in het veld achter de winkels. Daar waren geen hutten. In dat veld bouwden we geen hutten; het was te vlak. Ze hadden diefje met verlos gespeeld, Ian McEvoy en de rest, voor de winkels, en toen de deur van Kilmartin openging had Ian McEvoy gedacht dat het mevrouw Kilmartin was om tegen ze te schreeuwen dat ze daar weg moesten en hij was het veld in gevlucht en tegen het struikeldraad aan gerend. Het draad bleef een mysterie.

'Dat hebben gosers uit de Corpo-huizen geflikt.'

Er woonden zes nieuwe gezinnen in de eerste rij huizen van de Corporatie die klaar waren. Hun tuinen lagen vol halfvolle zakken hard geworden cement en kapotte stenen. Er waren kinderen bij die net zo oud waren als wij maar dat betekende niet dat we iets met hen te maken wilden hebben.

'Achterbuurtgeteisem.'

Mijn ma gaf me een klap toen ik dat zei. Ze sloeg me anders nooit, maar toen wel. Ik kreeg een knal tegen de achterkant van mijn hoofd.

'Zeg dat nooit meer.'

'Ik heb 't niet van mezelf,' zei ik haar.

'Als je het maar nooit meer zegt,' zei ze. 'Dat is iets vreselijks om te zeggen.'

Ik wist eigenlijk niet eens wat het betekende. Ik wist dat de achterbuurten in de stad waren.

De straat waaraan de zes huizen van de Corporatie lagen, kwam niet uit op andere wegen. Hij hield gewoon op
bij het eerste huis. Er was een afslag naar de nieuwe straat,
achter onze straat, net voorbij Donnelly's eerste weiland,
maar die hield na een meter of zo op. Ons sportveldje was
het stukje land tussen de twee straten. We hadden maar
één doel. Aan de andere kant legden we truien neer om
het doel aan te geven. Het was niet moeilijk om een doelpunt te maken, vooral aan de linkerkant, want daar was
een heuveltje en dan schoot je de bal met gemak ver over
de keeper heen maar het was er ook erg druk. Er waren
geen vaste teams bij drie-is-keepen; iedereen speelde voor
zichzelf. Twintig spelers betekende twintig teams. Soms
waren er meer dan twintig spelers. Maar er waren er altijd
maar een stuk of drie, vier bij die echt speelden, die echt
doelpunten wilden maken. De rest, voor het grootste deel
grut dat nog kleiner was dan Sinbad, holde maar wat achter de bal aan maar probeerde er nooit bij te komen; ze
liepen er alleen achteraan, en lachten, vooral als ze allemaal opeens moesten omdraaien en weer terug rennen.
Ellebogenwerk en de kleintjes opzij duwen was toegestaan. Als ik de bal had, dan zorgde ik er altijd voor dat er
een paar kleintjes tussen mij en de dichtstbijzijnde echte
speler stonden, Kevin of Liam of Ian McEvoy of zo. De
kleintjes renden met me mee zodat niemand bij de bal
kon komen, net als in een film die ik had gezien, waar
John Wayne ontsnapte aan de boeven door laag aan de
zijkant van zijn paard hangend midden in een op hol geslagen kudde te rijden. En toen het gevaar was geweken,
hees hij zich weer rechtop in het zadel, keek om naar waar
hij vandaan kwam, grinnikte en reed door. Het enige met

drie-is-keepen, het enige nare eraan, was dat je, als je won, als je drie doelpunten had gemaakt, in het doel moest. Ik speelde beter dan Kevin maar als ik twee doelpunten had gemaakt dan spande ik me niet meer in. Ik had gloeiend de pest aan in het doel staan. Aidan was de beste speler, verreweg de beste – hij was een fantastische dribbelaar – maar toch werd hij als laatste of één na laatste gekozen als we vijf tegen vijf speelden; niemand wilde hem. Hij was de enige die bij een echte club speelde, in het junioren-elftal van Raheny, en hij was nog niet eens negen.

'Jouw oom is de trainer.'

'Niks van waar,' zei Liam.

'Wat is-ie dan?'

'Hij is helemaal niks. Hij kijkt alleen maar.'

Aidan had een blauw voetbalshirt met een echt nummer erop genaaid; nummer 11.

'Ik ben een vleugelspeler,' zei hij.

'Nou en?'

Het was een echt dik sportshirt, een heus voetbalshirt. Hij stopte het nooit in zijn broek. Het hing tot over zijn billen.

Hij kon ook goed keepen.

Vijf-tegen-vijf partijtjes werden nooit uitgespeeld. Het team dat in het truiendoel moest schieten won altijd.

'Van Charlton naar Best... Schitterend doelpunt!'

'Dat was geen doelpunt! Hij ging over de trui, het was paal.'

'Het was binnenkant paal.'

'Ja; en hij stuitte er weer uit.'

'Ammenooitniet.'

'Ammenooitwel.'

'Dan kap ik ermee.'

'Mij best.'

Soms speelden we terwijl we ondertussen onze boter-hammen aten. Ik had al twee doelpunten gemaakt. Ik trapte een balletje dat Ian McEvoy gemakkelijk kon pakken. Hij legde zijn boterham op zijn trui en de bal stuiterde langs hem het doel in. Ik had een doelpunt gemaakt; ik had gewonnen. Nu moest ik in het doel.

'Dat deed je expres.'

Ik gaf Ian McEvoy een duw.

'Helemaal niet.'

Hij gaf mij ook een duw.

'Je wilde gewoon niet meer keepen.'

Dit keer gaf ik hem geen duw. Ik was van plan hem te schoppen.

'Hij zou er voor straf in moeten blijven,' zei ik.

'Vergeet 't maar.'

'Je moet proberen hem tegen te houden.'

'Ik ga wel in het doel.'

Dat was een jongen uit een van de huizen van de Corporatie. Hij stond achter het truiendoel.

'Ik keep,' zei ik.

Hij was jonger dan ik, en kleiner. Een veilig stuk kleiner; hij zou me nooit aan kunnen, ook al kon hij nog zo goed vechten.

Ik duwde hem van het doel weg.

'Dit is ons veld,' zei ik.

Ik gaf hem een harde douw. Hij was in z'n eentje. Hij was verbaasd. Hij ging bijna onderuit. Hij gleed uit op het natte gras.

Ik zag het aan hem: hij wist niet of hij weg moest gaan

of blijven. Hij wilde ons niet zijn rug toe draaien; hij was bang dat we hem wat zouden doen als hij dat deed. En hij kon ook niet weglopen; ik had hem een duw gegeven en dan zou hij een lafbek zijn.

'Dit is ons veld,' zei ik nog eens.

Ik gaf hem een trap.

Mijn ma waarschuwde ons voor de mangel, dat we er uit de buurt moesten blijven, dat we er niet aan moesten zitten. De rollen waren van hard massief rubber. Ik kraste een tekentje op de onderste met het broodmes. Ik vond het fijn in de keuken – de stoom en de warmte – als mijn ma de lakens door de mangel haalde, en mijn pa's overhemden. De lakens glansden van de enorme natte bellen en mijn ma stak een hoekje tussen de mangel en draaide aan de slinger en het laken rees op uit het water als een walvis die aan een harpoen was geregen. Het water stroomde langs het laken en de bellen werden geplet als het laken tussen de rollen door werd getrokken en er plat tussenuit kwam, weer als stof, zonder die glans. Nog een laken, het rubber knarste en kreunde en dan ging de rest er gemakkelijk tussendoor. Ze wilde niet dat ik haar hielp. Ik mocht alleen achter de wasmachine staan en zorgen dat het laken in de rode wasmand terechtkwam. Het laken was warm en nogal stug en hard. Aan die kant konden mijn vingers er niet tussen komen. De kleinere kleren kwamen erdoorheen en ik pakte ze en legde ze boven op de lakens. De wasmand was vol. Nu moest ze de machine leeghalen en opnieuw vullen om de luiers te doen. Wat mij het meest aantrok in de keuken was de stoom en het vocht op de muren.

We hadden er ijslolliestokjes voor nodig; het teer op de weg bobbelde. Het was de eerste keer dit jaar, daarom hadden we nog geen stokjes in voorraad. Ik en Kevin en Liam en Aidan waren van de partij; alleen wij vieren want Ian McEvoy kwam niet buiten spelen. Hij had pijn in zijn benen. Hevige aanvallen van groeistuipen, zei zijn moeder toen we bij de achterdeur aanklopten om te vragen of hij kwam. We kwamen nooit aan de voordeur, behalve als we 's avonds belletje gingen trekken. De portieken aan de kant van de weg waar ik woonde waren altijd lekker koel, vooral als het een warme dag was. De zon kwam er nooit. Ons portiek had geweldige stofnesten in de hoeken: de Dinky Toys hobbelden over het zand en sloegen soms over de kop. Er zaten drie kleine ronde gaatjes onder de deur zodat er lucht onder de vloer kon komen, waardoor de planken niet gingen rotten. Als een van onze soldaatjes in een van die gaatjes viel, was je hem voorgoed kwijt en de muizen kwamen erdoor naar binnen. De ijslolliestokjes waren om de asfaltblaren door te prikken; dat ging nergens zo goed mee. Met een ijslolliestokje kon je de blaar laten doen wat je wilde, je kon hem plat drukken, alle lucht naar één kant persen, van die dingen.

Hevige aanvallen van groeistuipen. Ian McEvoy was vastgebonden op zijn bed. Hij had een stukje leer in zijn mond om hem het schreeuwen te beletten, net als John Wayne toen er een kogel uit zijn been moest worden gehaald. Ze goten whiskey over het gat in zijn been. Ik goot whiskey over Sinbads korstje, een druppeltje maar. Hij schreeuwde al moord en brand voor ik was begonnen dus ik kwam er niet achter of het werkelijk pijn deed of niet, net zo veel pijn als John Wayne leek te hebben, of dat het de wond genas.

Kevin en ik namen de ene kant voor onze rekening, Liam en Aidan de andere. Wij hadden de kant van de winkels; daar moesten veel meer stokjes liggen. Sinbad was er ook niet bij. Hij was weer eens ziek. Als hij 's avonds nog niet beter was, zou mijn ma de dokter erbij halen. Ze dacht altijd dat wij de vakantie uitkozen om ziek te zijn. Het was paasvakantie. De hemel was blauw. Het was Goede Vrijdag.

De wegen waren van beton, alle wegen bij ons in de buurt, tenminste als ze niet opgebroken waren. De wegen waren van beton en het teer zat tussen de betonplaten. Het was hard en meestal zag je er niks van tot het zacht werd en belletjes vormde. Van boven zag het er oud en grijs uit, als de huid rond de ogen van een olifant, maar daaronder, als je je ijslolliestokje erin stak, zat nieuw teer, zwart en zacht, een beetje als een toffee die je in je mond had gehad. Je prikte in de bel en daaronder zat het schone zachte teer; de bovenkant van de bel was weg – het was een vulkaan. We gooiden er kiezelsteentjes in; die stierven gillend.

'Nee nee, alsjeblieft...! Niet doen...! Aaaaaaahaaah...'

Bijen als we die te pakken konden krijgen. We schudden de jampot heen en weer om zeker te weten dat de bij bewusteloos, bijna dood was, en keerden hem dan om voor hij bij zijn positieven kon komen. We mikten op het nieuwe teergat. We duwden hem ernaar toe met het ijslolliestokje. We drukten er een beetje op zodat hij aan het teer vastkleefde. We keken. Het was moeilijk te zeggen of hij pijn had. De bij maakte geen geluid, hij zoemde niet of zoiets. We sneden hem in tweeën en begroeven hem in het teer. Ik zorgde altijd dat er een klein stukje bovenuit stak, als afschrikwekkend voorbeeld voor de anderen. Soms wist de bij te ontsnappen. Dan was-ie niet suf genoeg als we de pot omkeerden. Dan vloog hij weg voor hij de grond echt raakte. Dat gaf niet. We probeerden hem niet tegen te houden. Bijen konden je doodmaken; dat wilden ze niet, alleen als ze niet anders konden. Niet zoals wespen. Wespen pakten je met opzet. Een goser in Raheny slikte per ongeluk een bij in en die stak hem in zijn keel en hij stierf. Hij stikte. Hij rende met zijn mond open en de bij vloog erin. Toen hij zijn mond opendeed om zijn laatste woorden te zeggen, vloog de bij eruit. Zo wisten ze het. We stopten bloemen en bladeren in de potjes om te zorgen dat de bijen zich op hun gemak voelden. We hadden niets tegen ze. Ze maakten honing.

Ik had zeven stokjes verzameld en Kevin had er zes. Liam en Aidan waren ons ver vooruit omdat er aan hun kant geen winkels waren en wij wilden niet dat ze naar onze kant van de straat overstaken. We zouden ze in elkaar slaan als ze dat probeerden. Prikkeldraad. Degene die het minste aantal stokjes vond, moest een stukje teer opeten. Dat zou Aidan worden. We zouden het hem ook laten doorslikken. We zouden hem een schoon stukje geven. Ik vond nog een stokje, een heel schone. Kevin rende op het volgende af en ik zag er een en rende erop af en graaide het voor zijn neus weg en hij pakte er twee terwijl ik er een pakte. Het was een echte wedstrijd geworden. Vervolgens werd het knokken. Maar op een leuke manier. Ik bukte me om er een uit de goot op te rapen – we waren de winkels voorbij – en Kevin gaf me een zet. Ik ging onderuit maar ik had het stokje; ik lachte. Al lag ik op straat.

'Kap daarmee.'

Hij ging op een stokje af; nu was het mijn beurt. Ik duwde niet al te hard. Ik liet hem eerst het stokje pakken. We zagen er allebei een en renden erop af. Ik was sneller, hij haakte me pootje. Dat had ik niet verwacht. Ik ging op mijn bek. Er was geen redden aan, ik had te veel vaart. Mijn knieën, mijn handpalmen, mijn kin. Het vel was er-af. Mijn knokkels waar ik de stokjes had vastgehouden. Ik had ze nog steeds vast. Ik ging overeind zitten. Er stak vuil in het rood van mijn handpalmen. Bloedplekjes werden groter. Werden druppels.

Ik stak de stokjes in mijn zak. Ik begon de pijn te voelen.

Er is een keer een oorwurm mijn mond in gevlogen. Ik mepte ernaar, hij was vlak voor me – toen weg. Ik proefde wat, dat was alles. Ik slikte. Hij zat achter in mijn keel, te ver om op te hoesten. Ik kreeg tranen in mijn ogen maar ik huilde niet. Het was op het schoolplein. Maar die verschrikkelijke smaak was er nog. Net benzine. Ik ging naar de wc en hield mijn mond onder de kraan, ik dronk eeuwen lang. Ik wilde die smaak kwijt en ik wilde de oorwurm verdrinken. Hij was in mijn keelgat geschoten. Recht omlaag.

Ik vertelde het niemand.

'Er was 's een jongen en die ging op vakantie naar Afri-ka.'

'Niemand gaat op vakantie naar Afrika.'

'Kop dicht.'

Toen hij in Afrika was nam hij 's middags een salade en toen hij terug was van vakantie, begon hij pijn te krijgen in zijn buik en ze brachten hem naar Jervis Street omdat hij het uitschreeuwde van de pijn – ze brachten hem er in een taxi naar toe – en de dokter kon niet zeggen wat hem scheelde en die vent kon niks zeggen omdat hij van de pijn niet kon ophouden met schreeuwen, dus opereerden ze hem en ze vonden hagedissen in hem, in zijn maag, wel twintig; ze hadden een nestje gemaakt. Ze waren zijn maag aan het oppeuzelen.

'Toch eet jij braaf je sla op,' zei mijn ma.

'Hij ging dood,' vertelde ik haar. 'Die jongen.'

'Eet op; toe maar. Hij is gewassen.'

'Dat was die sla van hem ook.'

'Iemand heeft je wat op je mouw gespeld,' zei ze. 'Je moet niet naar die flauwekul luisteren.'

Ik hoopte dat ik dood zou gaan. Ik hoopte dat ik het nog net zou redden tot mijn pa thuiskwam, dan zou ik hem vertellen wat er was gebeurd en dan zou ik dood-gaan.

De hagedissen zaten in een pot in Jervis Street, in een ijskast, zodat iedereen die voor dokter leerde ernaar kon kijken. Ze zaten met z'n allen in één pot. Op sterk water om ze vers te houden.

Er zaten teervlekken op mijn broek, op mijn knieën.

'Niet weer, hè.'

Dat zou mijn ma zeggen. Dat zei ze altijd.

En ze zei het.

'Ach, Patrick, toch niet weer, hè; in Jezusnaam.'

Ik moest hem uittrekken van haar. Ze stond erop dat ik hem in de keuken uittrok. Ik mocht niet naar boven. Ze wees op mijn benen en knipte met haar vingers. Ik trok hem uit.

'Eerst je schoenen,' zei ze. 'Wacht even.'

Ze keek of er soms teer onder de zool zat.

'Daar zit niks,' zei ik haar. 'Ik heb al gekeken.'

Ik moest mijn andere voet optillen. Mijn broek hing op mijn knieën. Ze sloeg tegen de zijkant van mijn been en deed haar hand dicht en weer open. Ik legde mijn voet erin. Ze bekeek de zool.

'Zie je nou wel,' zei ik.

Ze liet mijn been los. Ze zei nooit wat als ze de pest in had. Ze knipte met haar vingers en wees.

Confucius heeft ooit gezegd: wie naar bed gaat met een jeukend poepertje, wordt wakker met een stinkende vinger.

Hij hield zijn hand met stijve vingers vlak voor haar neus en klapte hem open en dicht, als een snavel.

'Zanik zanik zanik.'

Ze keek om zich heen en toen naar hem.

'Paddy,' zei ze.

'Ik ben nauwelijks binnen.'

'Paddy...'

Ik wist wat Paddy betekende, wat ze bedoelde als ze op die toon Paddy zei. Sinbad wist het ook. En Catherine ook, dat zag je aan de manier waarop ze naar mijn ma keek en dan, soms, naar mijn pa.

Hij stond stil. Hij zuchtte twee keer diep. Hij ging zitten. Hij keek ons aan, alsof hij even moest nadenken wie wij ook weer waren, toen echt. 'Hoe ging 't op school?'

Sinbad lachte, en maakte zichzelf nog wat meer aan het lachen.

Ik wist waarom.

'Prima,' zei Sinbad.

Ik wist waarom Sinbad had gelachen maar hij begreep er nog niks van. Hij dacht dat het voorbij was. Pa die ging zitten en vroeg hoe het op school was geweest, dat betekende dat de ruzie voorbij was.

Daar zou hij nog wel achter komen.

'Wat was er dan zo prima aan?' vroeg pa.

Dat was een rotvraag. Die stelde hij om Sinbad erin te laten lopen, alsof hij ook iets met de ruzie te maken had.

'Het was gewoon prima,' zei ik.

'Nou?' vroeg pa aan Sinbad.

'Een jongen is misselijk geworden in zijn klas,' zei ik.

Sinbad keek mij aan.

'Oh, ja?' zei pa.

'Ja,' zei ik.

Pa keek Sinbad aan.

Sinbad hield op met naar mij kijken.

'Ja,' zei hij.

Pa's toon veranderde. Het was gelukt. Een voet van zijn over elkaar geslagen benen danste op en neer. Daaraan kon je het zien. Ik had gewonnen. Ik had Sinbad gered.

'Welke jongen?'

Ik had pa verslagen. Fluitje van een cent.

'Fergus Sweeney,' zei ik.

Sinbad keek weer naar mij. Fergus Sweeney zat niet bij hem in de klas.

Pa was dol op dit soort verhalen.

'Arme Fergus,' zei pa. 'Hoe misselijk was hij?'

Sinbad was er klaar voor.

'Het kwam uit zijn mond,' zei hij.

'Je meent 't?' zei pa. 'Gossiepietje.'

Hij dacht dat hij slim was, dat hij ons in de maling nam: wij namen hem in de maling.

'Klonten,' zei Sinbad.

'Klonten,' zei pa.

'Gele stukjes,' zei ik.

'Helemaal over zijn schrift,' zei pa.

'Ja,' zei Sinbad.

'Helemaal over zijn boek,' zei pa.

'Ja,' zei Sinbad.

'En dat van de jongen naast hem,' zei ik.

'Ja,' zei Sinbad.

We zaten in een kring. Kevin was de enige die erbuiten stond. We hadden een vuurtje gestookt. We moesten in het vuur kijken. Het was nog niet donker. We moesten elkaars hand vasthouden. Dat betekende dat we ons voorover naar het vuur moesten buigen. Het brandde in mijn ogen. Het was verboden erin te wrijven. Dit was de derde keer dat we het deden.

Ik was aan de beurt.

'Behekst.'

'Behekst!' riepen we met z'n allen; bloedserieus.

'Behekst behekst behekst!'

Dit stuk hadden we er de tweede keer bij verzonnen, het zingen. Het klonk beter, ordelijker dan wat we daarvoor deden, toen we alleen maar schreeuwden en Indianenkreten slaakten. Vooral als het nog niet eens donker was.

Liam zat naast me, aan mijn linkerkant. De grond was vochtig. Kevin gaf Liam met zijn stok een tikje op zijn schouder. Het was Liams beurt.

'Pergola.'

'Pergola!'

'Pergola Pergola Pergola!'

We waren op het veldje achter de winkels, vlak bij de weg. We hadden niet zoveel plekken meer om te spelen. Ons territorium werd kleiner. In het verhaal dat Henno ons die middag had voorgelezen, een stom detectiveverhaal, was een zekere mevrouw Dentaas bij de pergola bezig de rozen te snoeien. Toen was ze opeens dood en ging het verhaal over hoe ze ontdekten wie haar had vermoord. Maar dat kon ons niks schelen. We zaten alleen te wachten tot Henno weer Taas zou zeggen. Dat gebeurde niet, maar Pergola kwam er om de twee zinnen in voor. Niemand van ons wist wat Pergola was.

'Ploert.'

'Ploert!'

'Ploert ploert ploert!'

'Onbenul.'

'Onbenul!'

'Onbenul onbenul onbenul!'

Ik kon nooit raden wat het volgende woord zou zijn. Ik probeerde het altijd; ik keek naar alle gezichten in de klas als er een nieuw woord of een goed woord werd gezegd. Liam en Kevin en Ian waren net zo, die deden hetzelfde als ik, die spaarden ook woorden.

Ik was weer aan de beurt.

'Substantie.'

'Substantie!'

'Substantie substantie substantie!'

Dat deel hadden we achter de rug. Ik barstte van de pijn in mijn ogen. De wind blies alles mijn kant op, de rook en ook de as van vorige week. Maar later was dat wel prettig; ik vond het leuk om droge korreltjes uit mijn haar te plukken.

Toen waren de namen aan de beurt. Het echte ritueel. Kevin liep achter ons rond. We mochten niet kijken. Ik kon alleen afgaan op zijn stem en zijn voetstappen in het gras als hij van de ring van aarde om het vuur stapte. Ik hoorde vlakbij iets zoeven. Dat was de pook. Behoorlijk eng was het, dat je niet wist wat er ging gebeuren. Die opwinding was fantastisch als je er later aan terugdacht.

'Ik ben Zentoga,' zei Kevin.

Zoef.

Achter me.

'Ik ben Zentoga, de hogepriester van de grote god, *Ciúnas.*'[1]

Zoef.

Nu aan de andere kant. Ik moest mijn ogen dichthouden. Ik hoopte dat ik de eerste zou zijn maar ik was toch blij dat Kevin aan de andere kant stond.

'Ciúnas de Grote geeft al zijn onderdanen namen! Het woord is vlees geworden.'

Zoef.

'Auauau!'

Hij had Aidan geraakt, midden op zijn rug.

'Klootzak!' zei Aidan.

'Vanaf heden zult gij Klootzak heten,' zei Kevin. 'Ciúnas de Machtige heeft gesproken.'

'Klootzak!' riepen wij.

We waren op veilige afstand van de winkels.

1 Stilte.

'Het woord is vlees geworden!'

Zoef.

Vlakbij.

Ian McEvoy.

'Tieten!'

Naast me; ik voelde de pijn die van hem naar mij uit-straalde.

'Vanaf heden zult gij Tieten heten. Ciúnas de Machtige heeft gesproken.'

'Tieten!'

Het moest een vies woord zijn. Dat was verplicht. Als het niet vies genoeg was, kreeg je nog een mep met de pook.

'Het woord is vlees geworden!'

'Tepels!'

Daarna was ik aan de beurt. Ik zat diep voorovergebo-gen. Mijn handen waren nat van het zweet en glipten steeds weer uit die van Liam en Ian McEvoy. Een van ons huilde. Meer dan een.

Ik hoorde zijn stem achter me.

'Het woord is vlees geworden!'

'Auauau!'

Liam.

Nog een keer. Zoef. De tweede dreun klonk erger; hij klonk gemeen en schrikaanjagend.

'Dat was geen woord,' zei Liam, happend naar adem.

Kevin had hem een tweede mep verkocht omdat hij de eerste keer geen vies woord had gezegd. Door zijn pijn en woede trilde Liams stem.

'De discipelen van Ciúnas voelen geen pijn,' zei Kevin.

Liam huilde.

'De discipelen van Ciúnas *huilen* niet!' zei Kevin.

Hij wilde hem nog een klap geven. Ik voelde het, ik voelde dat hij uithaalde met de pook. Maar Liam liet mijn hand los. Hij stond op.

'Dat kan me niks schelen,' zei hij. 'Het is een stom spel.'

Toch wilde Kevin hem nog een mep geven. Maar Liam kwam te dichtbij. Ik keek. We keken allemaal. Ik wreef over mijn gezicht. Het voelde strak en schraal aan.

'De banvloek over u en de uwen,' zei Kevin tegen Liam, maar hij liet hem passeren.

Smiffy O'Rourke was de vorige week weggelopen nadat Kevin hem vijf keer op zijn rug had geslagen omdat het woord Kolere niet vies genoeg was en Smiffy O'Rourke niets ergers wilde zeggen. Mevrouw O'Rourke was ervoor naar de politie gegaan – dat zei Kevin tenminste – maar ze had geen bewijzen, alleen Smiffy's rug. Die keer lachten we, toen we Smiffy zagen wegrennen alsof hij kogels ontweek, omdat hij vanwege zijn rug niet rechtop meer kon lopen. Maar nu lachte niemand. Liam liep naar het gat in de nieuwe afrastering. Het begon donker te worden. Liam liep met gebogen hoofd. We hoorden hem snotteren. Ik wilde met hem mee.

'Ciúnas de Machtige heeft je moeder gedood!'

Kevin had allebei zijn armen omhooggestoken. Ik keek Aidan aan; ze was ook zijn moeder. Hij bleef zitten waar hij zat. Hij staarde in het vuur. Ik keek. Hij bleef zo zitten. Nu zou ik me ook laten bestraffen, om dezelfde reden als Aidan bleef. Het was fijn om in de kring te zitten, beter dan waar Liam naar toe ging.

Ik was de volgende. Er waren nog twee anderen die geen beurt hadden gehad, maar ik was de volgende. Ik wist het: Kevin zou het op mij afreageren. We gaven elkaar weer een hand. Nu Liam weg was, was de kring nog kleiner. Als ik opeens een ruk zou geven, zou er iemand in het vuur donderen. We schoven op onze billen dichterbij.

Hij deed er eeuwen over. Ik hoorde hem aan de andere kant. Het was nu donker. Ik kon de wind horen. Ik moest mijn ogen weer dichtdoen. Mijn benen gloeiden, ik zat te dicht bij het vuur. Hij was weg; ik hoorde hem niet meer. Hij was nergens te bekennen.

'Het woord is vlees geworden!'

Mijn rug werd opengescheurd. De botten barstten uit elkaar.

'Kut!'

'Vanaf heden zult gij Kut heten.'

Het was voorbij.

'Ciúnas de Machtige heeft gesproken!'

Ik had het 'm geflikt.

'Kut!'

Het beste woord. Het klonk niet zo luid als de bedoeling was. Ze waren bang. Ze dempten hun stem. Maar ik niet. Ik had ervoor betaald. Hij had me precies op een van de knobbels van mijn ruggegraat geraakt. Ik kon niet rechtop zitten. Ik kon me nog niet ontspannen. Maar het was voorbij. Ik deed mijn ogen open.

'Het woord is vlees geworden!'

Ik genoot toen ik iemand anders van pijn hoorde kreunen.

Kut was het beste woord. Het gevaarlijkste woord. Dat durfde je niet eens te fluisteren.

'Boerelul!'

Kut was altijd te luid, het was eruit voor je er erg in had, het klapte in de lucht boven je uiteen en zakte langzaam over je hoofd. Het was doodstil, alleen Kut zweefde omlaag. Een paar seconden hield je je hart vast van angst dat Henno op zou kijken en Kut op je hoofd zou zien neerdalen. Dat waren opwindende seconden – als hij niet opkeek. Het was het woord dat je nergens kon zeggen. Het kwam er alleen uit als je het eruit perste. Je voelde je betrapt en in je kraag gegrepen zodra je het zei. Als het ontsnapte, was het net een gespannen lach, een geluidloze ademstoot gevolgd door het soort gelach dat alleen verboden dingen teweegbrachten, een inwendige tinteling die in een fantastische pijn veranderde en tegen je mond bonkte om eruit te mogen. Het was een kwelling. We waren er heel zuinig mee.

'Het woord is vlees geworden!'

Zoef.

Het verboden woord. Ik had het uitgeschreeuwd.

'Vanaf heden zult u Piemel heten.'

Dat was de laatste.

'Ciúnas de Machtige heeft gesproken!'

'Piemel!'

Het was gebeurd, we mochten opstaan en weggaan van het vuur; tot de volgende week. Ik strekte mijn rug. Het was de moeite waard geweest. Ik was de ware held, niet Liam.

'Ciúnas de Machtige zal jullie volgende week vrijdag allemaal een nieuwe naam geven,' zei Kevin.

Maar niemand luisterde nog echt. Hij was weer gewoon Kevin. Ik had honger. Vrijdag, vis dus. De bedoeling was dat we elkaar de hele week bij die namen noemden, maar we onthielden nooit wie Boerelul was en wie Klootzak. Maar ik was Kut. Dat zouden ze niet gauw vergeten.

Er kwam geen volgende vrijdag. We hadden er allemaal schoon genoeg van om door Kevin met een pook op onze rug te worden geramd. Hem mochten we nooit slaan. Hij moest en zou elke week weer de hogepriester zijn. Dat had Ciúnas zo bepaald, zei hij. We zouden het langer hebben volgehouden als we allemaal weleens die pook hadden mogen vasthouden, waarschijnlijk voor eeuwig. Maar dat mocht niet van Kevin en het was zijn pook. Ik noemde hem nog wel Zentoga toen de anderen daarmee waren opgehouden maar zelfs ik was blij toen het de volgende vrijdag niet doorging. Kevin was de enige die kwam opdagen en ik ging erheen en deed alsof ik speciaal voor hem kwam. We gingen naar de waterkant. We gooiden stenen naar de zee.

Ik rende de tuin in. Het huis was te klein. Ik kon niet stil blijven staan. Ik rende twee rondjes; ik moet er flink vaart achter hebben gezet want ik was op tijd terug in de woonkamer om de herhaling te zien. Ik kon niet gaan zitten.

George Best...

George Best...

George Best had net een doelpunt gemaakt in de finale van de Europa Cup. Ik zag hoe hij wegrende, terug naar de middenstip; hij grijnsde maar hij leek niet echt verbaasd.

Mijn pa sloeg zijn arm om mijn schouders. Hij was opgestaan om dat te doen.

'Schitterend,' zei hij.

Hij was ook supporter van United, maar niet zo'n grote als ik.

'Verdomd schitterend.'

Pat Crerand, Frank McLintock en George Best hingen in de lucht. De bal raakte bijna de bovenkant van Frank McLintocks hoofd maar het was moeilijk te zeggen wie hem had gekopt. Waarschijnlijk George Best want zijn pony vloog opzij alsof hij net een draai met zijn hoofd had gegeven om de bal te raken en de bal zag eruit alsof hij van hem weg kaatste, niet naar hem toe. Het leek alsof Frank McLintock glimlachte en Pat Crerand trok een gezicht alsof hij griende maar George Best zag er precies goed uit, alsof hij de bal had gekopt en keek hoe hij in de richting van het net vloog. Hij was klaar om te landen.

Er stonden honderden foto's in het boek maar deze, de eerste, bekeek ik steeds weer. Crerand en McLintock zagen eruit alsof zij in de lucht sprongen, maar George Best leek stil te staan, behalve dan zijn haar. Zijn benen waren gestrekt, iets uit elkaar, zoals op de plaats rust in het leger. Het was net alsof ze een foto van George Best hadden uitgeknipt en die hadden geplakt op een andere foto van McLintock en Crerand en de duizenden kleine koppies en zwarte jassen op de tribune achter hen. Er was geen inspanning op zijn gezicht. Zijn mond stond een klein beetje open. Zijn vuisten waren gebald maar niet verkrampt. Zijn nek zag er ontspannen uit, niet zoals die van Frank McLintock; het leek wel of er stukken kabel onder zijn huid groeiden.

En er was nog iets wat ik net had ontdekt. Er stond een Voorwoord op bladzijde elf, naast de bladzijde met de foto van George Best. Ik las het, en toen het laatste stukje, de laatste regel, nog een keer.

'Toen men mij het manuscript voor dit boek de eerste maal liet zien, was ik bijzonder ingenomen met de manier waarop de feitelijke gegevens en statistieken waren geïntegreerd in het algemene verhaal...'

Ik begreep eigenlijk niet wat dat betekende maar dat gaf niks.

'...Het boek vormt beslist de gelukkigste combinatie tussen educatie en leesplezier die ik ooit heb gezien. U zult het met genoegen lezen.'

En onder dat alles stond de handtekening van George Best.

George Best had mijn boek gesigneerd.

Mijn pa had niks gezegd over de handtekening. Hij had het me gewoon gegeven en Hartelijk Gefeliciteerd gezegd en me gekust. Hij heeft het me zelf laten ontdekken.

George Best.

Niet Georgie. Ik noemde hem nooit Georgie. Ik had gloeiend de pest in als mensen hem Georgie noemden.

George Best.

Op de foto hing zijn shirt uit zijn broek. De andere twee hadden hun shirt in hun broek. Niemand die ik kende stopte zijn shirt in zijn broek, zelfs niet degenen die zeiden dat George Best waardeloos was; ze droegen allemaal hun shirt uit hun broek.

Ik ging met het boek naar mijn pa om hem te laten weten dat ik de handtekening had gevonden en hem grandioos vond, verreweg het beste cadeau dat ik ooit voor mijn verjaardag had gekregen. Het heette *Een Geïllustreerde Geschiedenis van het Voetbal*. Het was gigantisch, veel dikker dan een jaarboek, en hartstikke zwaar. Het was meer een boek voor volwassenen. Er stonden plaatjes in, maar ook veel tekst; kleine lettertjes. Ik zou alles gaan lezen.

'Ik heb 'm gevonden,' vertelde ik hem.

Ik had mijn vinger in het boek, op de plek waar George Bests handtekening stond.

Mijn pa zat in zijn stoel.

'Zo zo?' zei hij. 'Da's knap werk. Wat?'

'Wat?'

'Wat heb je gevonden?'

'De handtekening,' vertelde ik hem.

Hij maakte een dolletje.

'Laat eens zien,' zei hij.

Ik legde het boek op zijn schoot en sloeg het open.

'Daar.'

Mijn pa wreef met zijn vinger over de handtekening.

George Best had een ontzettend goed handschrift. Het helde over naar rechts; het had lange uithalen en de openingen waren smal. Er stond een kaarsrechte streep onder de naam die de G en de B verbond en helemaal doorliep naar de T en dan nog een klein stukje verder. Hij eindigde met een krul, als een tekening van een schot dat langs een muurtje zeilt.

'Was hij in de winkel?' vroeg ik mijn pa.

'Wie?'

'George Best,' zei ik.

Van de spanning kreeg ik de kriebels in mijn buik maar hij gaf te snel antwoord om die de kans te geven op te spelen.

'Ja,' zei hij.

'Echt?'

'Ja.'

'Was hij daar echt?'

'Dat zei ik toch?'

Dat was voldoende om me te overtuigen. Hij werd niet

kwaad toen hij het zei; hij zei het heel bedaard zoals hij al het andere had gezegd, en hij keek me recht in mijn ogen.

'Hoe zag hij eruit?'

Het was geen strikvraag. Dat wist hij.

'Precies zoals je zou verwachten,' zei hij.

'In zijn voetbalkleren?'

Dat was precies wat ik zou hebben verwacht. Ik zou niet weten hoe George Best zich anders zou moeten kleden. Ik had ooit eens een kleurenfoto van hem gezien in het groene shirt van Noord-Ierland, niet in zijn gebruikelijke rode, en daar was ik van geschrokken.

'Nee,' zei pa. 'Hij... een trainingspak.'

'Wat zei hij?'

'Gewoon...'

'Waarom heb je hem niet gevraagd om mijn naam erin te zetten?'

Ik wees op de naam van George Best.

'Een opdracht.'

'Hij had 't heel druk,' zei mijn pa.

'Stond er een enorme rij?'

'Een enorme.'

Dat was goed; zo hoorde het ook.

'Was hij alleen voor die ene dag in de winkel?' vroeg ik.

'Inderdaad,' zei mijn pa. 'Hij moest terug naar Manchester.'

'Voor de training,' zei ik hem.

'Inderdaad.'

Een jaar later kwam ik erachter dat het helemaal geen echte handtekening van George Best was; het was gewoon een gedrukte en mijn pa was een leugenaar.

De voorkamer was verboden terrein. Het was de pronkkamer. Verder had niemand een pronkkamer hoewel alle huizen hetzelfde waren gebouwd, tenminste alle huizen vóór die van de Corporatie. Onze pronkkamer was bij Kevins pa en ma de woonkamer, en bij Ian McEvoy was het de televisiekamer. Bij ons was het de pronkkamer omdat mijn ma dat zei.

'Wat betekent dat?' vroeg ik haar.

Ik wist al eeuwenlang wat de pronkkamer was maar vandaag vond ik die naam voor het eerst raar. We waren buiten. Zodra er een stukje blauw in de lucht was, deed mijn ma de achterdeur open en sjouwde de hele huisraad naar buiten. Ze dacht na over het antwoord maar met een vriendelijke uitdrukking op haar gezicht. De kleintjes sliepen. Sinbad was gras in een pot aan het stoppen.

'De mooie kamer,' zei ze.

'Betekent Pronk Mooi?'

'Ja,' zei ze. 'Alleen als er Kamer achter staat.'

Daar kon ik inkomen; dat begreep ik.

'Waarom noemen we het dan niet gewoon de Mooie Kamer?' vroeg ik. 'De mensen denken misschien wel dat we daarin zitten te pronken of zoiets.'

'Nee, hoor.'

'Zou best kunnen,' zei ik.

Ik zei het niet zomaar om wat te zeggen te hebben, zoals ik soms weleens wat zei.

'Vooral als ze stom zijn,' zei ik.

'Dan zouden ze wel heel stom moeten zijn.'

'Het stikt van de stomme mensen,' vertelde ik haar. 'Bij ons op school hebben we een hele klas vol stommelingen.'

'Dat mag je niet zeggen,' zei ze.

'Voor elk jaar een klas,' zei ik.

'Dat is niet aardig,' zei ze. 'Hou erover op.'

'Waarom niet gewoon de Mooie Kamer?' vroeg ik.

'Dat klinkt niet goed,' zei ze.

Dat was onzin: het klonk precies goed. We mochten die kamer nooit in omdat hij mooi moest blijven.

'Waarom niet?' vroeg ik.

'Dat klinkt zo gewoontjes,' zei ze.

Ze glimlachte.

'Het... ach, ik weet niet precies... Pronkkamer klinkt beter dan Mooie Kamer. Aardiger. Bijzonderder.'

'Zijn bijzondere namen leuk?'

'Ja.'

'Waarom heet ik dan Patrick?'

Ze lachte even. Ze glimlachte naar me, ik denk om me duidelijk te maken dat ze me niet uitlachte.

'Omdat jouw pappie Patrick heet,' zei ze.

Dat vond ik fijn, dat ik naar mijn pa was genoemd.

'Er zitten vijf Patricks bij ons in de klas,' zei ik.

'Oh ja?'

'Patrick Clarke. Dat ben ik. Patrick O'Neill. Patrick Redmond. Patrick Genocci. Patrick Flynn.'

'Dat zijn er een heleboel,' zei ze. 'Het is een leuke naam. Heel deftig.'

'Drie ervan worden Paddy genoemd,' vertelde ik haar. 'Eentje Pat en de ander Patrick.'

'Oh ja?' zei ze. 'En hoe noemen ze jou?'

Ik was even stil.

'Paddy,' zei ik.

Dat vond ze niet erg. Thuis was ik Patrick.

'Wie wordt Patrick genoemd?' vroeg ze.

'Patrick Genocci.'

'Zijn opa komt uit Italië,' zei ze.

'Weet ik,' zei ik. 'Maar hij is er nog nooit geweest, Patrick Genocci.'

'Dat komt nog wel.'

'Als hij groot is,' zei ik. 'Ik ga naar Afrika.'

'Echt waar? Waarom?'

'Gewoon,' zei ik. 'Ik heb mijn redenen.'

'Om zwarte baby'tjes te bekeren?'

'Nee.'

Zwarte baby'tjes konden me niks schelen; ik zou eigenlijk medelijden met ze moeten hebben omdat ze heidenen waren en omdat ze honger leden, maar het kon me niks schelen. Ze maakten me bang, ik moest er niet aan denken, al die baby'tjes, miljoenen baby'tjes, met uitpuilende buikjes en grote-mensenogen.

'Waarom dan?' vroeg ze.

'Om de dieren te zien,' zei ik.

'Dat lijkt me leuk,' zei ze.

'Niet om te blijven,' zei ik.

Ik wilde niet dat ze mijn bed verkocht.

'Wat voor dieren?' vroeg ze.

'Alle dieren.'

'Welke vooral?'

'Zebra's en apen.'

'Zou jij later dierenarts willen worden?'

'Nee.'

'Waarom niet?'

'Omdat er geen zebra's en apen in Ierland zijn.'

'Waarom ben je zo dol op zebra's?'

'Gewoon, zomaar.'

174

'Het zijn leuke dieren.'

'Ja.'

'We gaan gauw weer eens naar de dierentuin; lijkt je dat geen goed idee?'

'Nee.'

Phoenix Park was fantastisch – met het hertenkamp; ik wilde er graag nog eens heen. Met de bus, waaruit je over de muur in het park kon kijken, als je bovenin zat. Bij mijn Heilige Communie zijn we ernaar toe geweest, toen we mijn tantes en ooms achter de rug hadden; de hele ochtend met de bus; dat was voordat mijn pa de auto had. Maar de dierentuin niet, daar wilde ik niet heen.

'Waarom niet?' vroeg mijn ma.

'Het stinkt er,' zei ik.

Het was niet alleen de stank. Het was meer dan de stank; het was waar de stank vandaan kwam, de stank van dieren en de plukken vacht in het hek. Toen had ik het leuk gevonden. De kinderboerderij... de konijnen... de winkel; ik had massa's geld... ik moest er snoep voor kopen voor Sinbad, pepermuntjes. Maar ik herinnerde me de stank en van de dieren kon ik me weinig herinneren. Wallaby's, kleine kangoeroes die niet sprongen. Apevingers die in het hek grepen.

Ik zou het mijn ma uitleggen, dat wilde ik; ik zou het in ieder geval proberen. Zij herinnerde zich de stank; dat zag ik aan haar glimlach en aan de manier waarop ze voorkwam dat ik er te veel over in zou zitten want ik had het niet voor de grap gezegd. Ik was van plan het haar uit te leggen.

Toen kwam Sinbad en verpestte het.

'Waar worden vissticks van gemaakt?'

'Van vis.'

'Wat voor soort vis?'

'Allerlei soorten.'

'Kabeljauw,' zei mijn ma. 'Witvis.'

'Waarom maken ze...'

'Geen vragen meer tot je klaar bent.'

Dat was mijn pa.

'Als je hele bord leeg is,' zei hij. 'Dan kom je maar op met je vragen.'

Er waren zevenentwintig honden in Barrytown, onze buurt, en bij vijftien was de staart gecoupeerd.

'Afgecoupeerd.'

'Niet met Af. Gecoupeerd, zonder meer.'

Hun staart werd gecoupeerd om te voorkomen dat ze omvielen. Als ze kwispelden met hun staart konden ze hun evenwicht niet goed bewaren en dan vielen ze om, dus daarom waren bij de meeste de staart afgeknipt.

'Alleen als 't nog puppies zijn.'

'Ja.'

Ze vielen alleen om als ze puppies waren.

'Waarom wachten ze dan niet?' vroeg Sinbad.

'Mafkees,' zei ik, hoewel ik niet begreep wat hij bedoel-de.

'Wie?' vroeg Liam aan Sinbad.

'De dierenarts,' zei Sinbad.

'Waarop?'

'Ze vallen alleen om als ze puppies zijn,' zei Sinbad. 'Waarom knippen ze alleen daarom hun staart af? Ze zijn maar een poosje puppies.'

'Puppies,' zei ik. 'Moet je hem horen. Het zijn pups, hoor.'

Toch had hij geen ongelijk. Niemand van ons begreep het. Liam haalde zijn schouders op.

'Dat doen ze nou eenmaal.'

'Het zal wel goed voor ze zijn. Dierenartsen zijn een soort dokters.'

De McEvoys hadden een Jack Russell. Hij heette Benson.

'Wat een stomme naam voor een hond.'

Ian McEvoy zei dat-ie van hem was, maar eigenlijk was-ie van zijn ma. Benson was ouder dan Ian McEvoy.

'Die met lange poten couperen ze niet,' zei ik.

Benson had nauwelijks poten. Zijn buik raakte het gras. Je kon hem gemakkelijk vangen. Het enige probleem was dat je moest wachten tot mevrouw McEvoy boodschappen was gaan doen.

'Ze is dol op 'm,' vertelde Ian McEvoy ons. 'Ze geeft meer om hem dan om mij.'

Hij was sterker dan hij eruitzag. Ik voelde zijn spieren toen hij probeerde te ontsnappen. We wilden alleen maar naar zijn staart kijken. Ik hield zijn achterkant vast. Hij probeerde met zijn bek bij mijn hand te komen.

Kevin gaf hem een schop.

'Pas op.'

Ian McEvoy was benauwd; dat zijn ma ons zou betrappen. Hij was zo benauwd dat hij Kevin wegduwde.

Kevin protesteerde niet.

Het enige wat we wilden was zijn staart bekijken, verder niks. Hij stak omhoog in de lucht. Het was het deel van Benson dat er het gezondst uitzag. Honden werden geacht te kwispelen als ze blij waren maar Benson was bepaald niet blij en zijn staart ging als een gek tekeer.

Wij mochten geen hond hebben van mijn pa. Hij had zijn redenen, zei hij. Mijn ma was het met hem eens.

Kevin pakte Benson waar ik hem had vastgehouden en ik pakte zijn staart om hem stil te houden. De staart was een bot, een behaard bot, er zat geen vlees aan. Ik sloot mijn vuist en de staart was weg. We lachten. Benson kefte, alsof hij meelachte. Ik kromde alleen mijn duim en mijn wijsvinger zodat we de punt van zijn staart konden zien. Ik paste wel op dat mijn drie andere vingers zijn kont niet aanraakten. Dat was niet eenvoudig, zoals ik hem vast had, maar ik zorgde ervoor dat ze niet tegen zijn gat aankwamen.

Ma liet ons altijd onze handen wassen voor we 's avonds aan tafel gingen. Alleen 's avonds, nooit voor het ontbijt of voor de thee. Soms nam ik niet de moeite; dan ging ik naar boven, draaide de kraan open en weer dicht, en ging weer naar beneden.

Ik duwde het haar opzij. Het was wit en borstelig. Benson probeerde met alle geweld weg te komen. Dat kon hij vergeten. Hij raakte in paniek omdat ik zijn staart aanraakte; dat konden we aan hem voelen. Toen konden we de punt van zijn staart zien. Hij zag er niet uit alsof hij was afgeknipt – het haar sprong steeds weer terug – hij zag er normaal uit, zoals hij eruit hoorde te zien. Daar konden we verder niks mee.

We waren teleurgesteld.

'Niks aan te zien.'

'Druk er 's op met je vinger.'

We wilden hem nog niet laten gaan. We hadden meer

verwacht, littekens of rood vel of zoiets; bot.

Ian McEvoy zat nu echt in de rats. Hij dacht dat we Benson iets zouden doen omdat zijn staart niet de moeite van het bekijken waard was geweest.

'Mijn ma komt eraan; ik geloof dat ze eraan komt.'

'Niks hoor.'

'Schijtluis.'

Nu zouden we zeker iets doen.

'Een.'

'Twee.'

'Drie!'

We trokken onze handen terug en, net toen Benson dacht dat hij vrij was, schopten we hem, ik en Kevin; doffe dreunen, één trap elk, bijna gelijktijdig, aan allebei de kanten. Benson strompelde toen hij wegvluchtte. Ik dacht dat hij om zou kukelen; ik schrok me dood, de angst greep me bij mijn keel. Er zou bloed uit zijn mond komen, hij zou zuchten en zijn laatste adem uitblazen. Maar hij bleef op de been en herstelde zich en rende om het huis heen naar de voorkant.

'Waarom mogen wij er geen?' vroeg ik mijn pa.

'Geef jij 'm dan te eten?' vroeg hij.

'Ja,' zei ik.

'Betaal jij zijn eten?'

'Ja.'

'Waarmee?'

'Met geld.'

'Wiens geld?'

'Mijn geld,' zei ik. 'Mijn zakgeld,' zei ik voor hij iets terug kon zeggen.

'En het mijne ook,' zei Sinbad.

Ik wilde Sinbads geld wel aannemen maar het zou toch mijn hond blijven. Ik kreeg zondags een kwartje en Sinbad kreeg vijftien cent. Na onze verjaardagen zouden we meer krijgen.

'Oké,' zei mijn pa.

Ik had hem door: hij bedoelde niet Oké dan mogen jullie een hond; hij bedoelde Oké dan pak ik jullie wel op een andere manier.

'Ze kosten niks,' zei ik hem. 'Je hoeft alleen maar naar het honden- en kattenasiel en dan zoek je er eentje uit en die geven ze je.'

'De viezigheid,' zei hij.

'We zorgen dat-ie zijn poten veegt,' zei ik.

'Niet dat soort viezigheid.'

'We zullen 'm wassen; dat doe ik wel.'

'Z'n grote boodschappen,' zei mijn pa.

Hij keek ons aan. Hij had ons klem.

'We gaan met hem wandelen en dan kan-ie...'

'Stop,' zei mijn pa.

Hij zei het niet op een boze toon; hij zei het gewoon.

'Luister,' zei hij. 'Wij kunnen geen hond nemen...'

Wij.

'...en ik zal jullie zeggen waarom en dan is 't afgelopen en wil ik niet dat jullie je moeder nog verder aan haar kop zeuren. Omdat Catherine astma heeft.'

Hij wachtte even.

'Het hondehaar,' zei hij. 'Daar kan ze niet tegen.'

Ik kende Catherine nauwelijks; ik wist eigenlijk niks van haar. Ze was mijn zusje, maar ze was nog maar een baby, ietsje groter. Ik zei nooit wat tegen haar. Je had niks aan haar; ze sliep veel. Ze had enorme dikke wangen. Ze liep rond om ons te laten zien wat er in haar potje zat; dat vond ze prachtig.

'Kijk!'

Ze liep achter me aan.

'Pat'ick! Kijk!'

Ze had astma. Ik wist niet wat astma was, alleen dat zij het had en dat het lawaaiig was en mijn ma zich er zorgen over maakte. Catherine was er twee keer voor naar het ziekenhuis geweest, maar nog nooit in een ziekenwagen. Ik begreep niet wat hondehaar met astma te maken had. Hij gebruikte het gewoon als smoes om geen hond te nemen, mijn pa; hij wilde er gewoon geen. Hij zei dat over Catherine's astma alleen maar omdat hij wist dat we er niks tegenin konden brengen. We hadden nog nooit tegen onze ma geklaagd over Catherine's astma.

Sinbad zei wat. Ik kon hem wel vermoorden.

'Dan nemen we een hond zonder haar.'

Mijn pa schoot in de lach. Hij vond het een reuzenmop. Hij woelde door ons haar – Sinbad glimlachte – en daarmee was het bekeken. Die hond konden we op onze buik schrijven.

De kapucijners lagen in de jus en zogen hem naar binnen. Ik at ze één voor één. Ik was er dol op. Ik genoot van hun harde velletjes en de binnenkant die zacht en smeuïg en waterig was.

Je kocht ze verpakt in een netje, met een grote witte pil erbij. Ze moesten in water weken, zaterdagavond al. Dat deed ik, ik liet ze in de kom water glijden. Van mijn ma mocht ik niet aan de pil likken.

'Niet doen, schat.'

'Waarvoor is die?' vroeg ik.

'Om ze vers te houden,' zei ze. 'En om ze zacht te maken.'

Zondag boontjes.

Mijn pa vroeg wat.

'Waar was Mozes toen het licht uitging?'

Ik gaf antwoord.

'Onder het bed om lucifers te zoeken.'

'Bravo,' zei hij.

Ik begreep het niet maar ik moest erom lachen.

Sinbad en ik klopten op de deur van hun slaapkamer. Ik klopte.

'Wat is 'r?'

'Is 't al ochtend?'

'Nog te vroeg om op te staan.'

Dat betekende dat we terug moesten naar onze kamer.

Het was 's zomers moeilijk te zeggen als je wakker werd en de zon was al op.

Ons territorium werd steeds kleiner. De veldjes waren stukjes grond tussen de verschillende huizen en overgebleven stukjes waar de wegen niet goed op elkaar aansloten. Het werden stortplaatsen voor al het afval, stukken hout en stenen en hard geworden zakken cement en melkflessen. Ze waren goed om op speurtocht te gaan maar slecht om overheen te rennen.

Ik hoorde de krak, voelde hem door mijn voet en ik wist dat het pijn zou doen voor ik het voelde. Ik had de tijd en de macht om te bepalen waar ik zou vallen. Ik viel op een schoon stuk gras en rolde door. Mijn kreet van pijn was niet mis. Maar de pijn was echt en werd erger. Ik was tegen een steigerklem aangelopen die onder het gras verborgen lag. Het gejammer verbaasde me. Mijn voet was nat. Mijn schoen zat vol bloed. Het was net water, romiger. Het was warm en koud tegelijk. Mijn sok was drijfnat.

Ze stonden allemaal om me heen. Liam had de steigerklem gevonden. Hij hield hem voor mijn neus. Aan de manier waarop hij hem vasthield kon ik zien dat-ie zwaar was. Het was een groot en indrukwekkend ding. Er moest een massa bloed zijn.

'Wat is 't?' vroeg Sinbad.

'Een steigerklem.'

'Stomme klootzak.'

Ik wilde mijn schoen uittrekken. Ik had de hak vast en kreunde. Ze keken. Ik trok langzaam, heel langzaam. Ik dacht erover om Kevin te vragen hem uit te trekken, zoals in een film. Maar dat zou pijn hebben gedaan. Het voelde niet zo nat meer aan, alleen warm. En het deed zeer. Nog steeds. Genoeg om mank te lopen. Ik trok mijn voet eruit. Geen bloed. De sok was aan de achterkant, bij mijn hiel, omlaaggeschoven. Ik trok hem uit, vol verwachting. Ze keken. Ik kreunde nog eens en trok de sok weg. Hun monden gingen open en ze slaakten kreten van afschuw.

Het was grandioos. De nagel van mijn grote teen hing eraf. Het zag er verschrikkelijk uit. Het was een echte wond. Het deed pijn. Ik tilde de nagel een stukje op. Ze keken allemaal. Ik haalde diep adem.

'Auauau...!'

Ik probeerde de nagel terug op zijn plaats te duwen,

maar dat deed echt pijn. Die sok trok ik niet meer aan. Ze hadden het allemaal gezien. Nu wilde ik naar huis.

Liam droeg mijn schoen. De hele weg naar huis steunde ik op Kevin. Sinbad rende vooruit.

'Ze stopt je voet in de Dettol,' zei Aidan.

'Hou jij je kop dicht,' zei ik.

Er was geen boerderij meer over. Ons sportveldje was weg, eerst in tweeën gehakt voor pijpleidingen en toen bebouwd met acht huizen. Het veldje achter de winkels was nog steeds van ons en daar gingen we nu vaker naar toe. Dat bij de huizen van de Corporatie, aan die kant, was niet meer van ons. Dat was van een andere stam, sterker dan wij, al wilde niemand van ons dat toegeven. Ons territorium werd ons afgepakt maar we vochten terug. We speelden Indiaantje, geen cowboytje.

'Ge-ro-nimo!'

We bouwden een wigwam op het veld achter de winkels. Liam en Aidans pa vergiste zich en noemde het een iglo. Hij kwam het veld op om te kijken wat we aan het bouwen waren. Hij had net boodschappen gedaan.

'Dat is een pracht van een iglo, jongens,' zei hij.

'Het is een wigwam,' zei ik.

'Het is een tipi,' zei Kevin.

Liam en Aidan zeiden niks. Ze wilden dat hun pa wegging.

'O ja, da's waar ook,' zei meneer O'Connell.

Hij had zijn boodschappen in een netje. Hij haalde er een bruine zak uit. Ik wist wat erin zat.

'Willen jullie een koekje, jongens?'

We gingen in de rij staan. Liam en Aidan mochten vooraan. Het was hun pa.

'Heb je dat handtasje gezien?' vroeg Kevin toen meneer O'Connell weg was.

'Dat was geen handtasje,' zei Aidan.

'Mooi wel,' zei Kevin.

Niemand viel hem bij.

Er waren velden achter de huizen van de Corporatie, maar die waren nu te ver weg. Voorbij de Corporatie-huizen. Dat was een andere wereld.

Op de laatste dag voor de grote vakantie hadden we op school de windrichtingen gehad.

'Welke kant wijs ik op... NU.'

'Naar het oosten.'

'Eentje tegelijk. JIJ.'

'Naar het oosten, meester.'

'En nu nog eens om te zien of je dat niet alleen maar zegt omdat meneer Bradshaw voor zijn beurt praatte. NU.'

'Naar het westen, meester.'

De huizen van de Corporatie lagen in het westen. De zee was in het oosten. Raheny in het zuiden. Het noorden, dat trok ons aan.

'Het laatste terra incognita,' zei mijn pa.

Allereerst waren daar meer nieuwe huizen. Er woonde niemand in omdat ze allemaal waren ondergelopen voor ze af waren. Voorbij de huizen lag het land met de hobbels, dat ene waar ze met afgraven waren begonnen en toen waren opgehouden en dat met onkruid bedekt was, waar we onze hutten bouwden. En voorbij de heuvels was Bayside.

Bayside was nog niet af maar daar gingen we toch niet heen voor de bouwterreinen. Het was de vorm die het had. Het was waanzinnig. De straten waren krom. De garages stonden op de verkeerde plek. Die waren straten ver weg van de huizen. Over een pad, naar een binnenplaats, een fort van garages. Het sloeg nergens op. We gingen erheen om te verdwalen.

'Het is een labyrint.'

'Labyrint!'

'Labyrint labyrint labyrint!'

We stormden erdoorheen op onze fiets. Fietsen waren belangrijk geworden, onze paarden. We galoppeerden over de binnenplaatsen tussen de garages en bereikten de andere kant. Ik bond een touw aan het stuur en steeds als ik afstapte maakte ik mijn fiets vast aan een paal. We parkeerden onze fietsen in bermen zodat ze konden grazen. Het touw kwam een keer tussen de spaken van het voorwiel; ik sloeg over de kop, helemaal over het stuur heen. Ik lag op de grond voor ik wist wat er gebeurde. De fiets lag boven op me. Ik was alleen. Ik had me niet bezeerd. Ik had niet eens een snee. We stormden op de garages af...

'Woe woehoe woehoe woehoe woehoe woehoe woehoe!'

...en de garages hielden onze kreten vast en maakten ze groter en volwassener. We ontsnapten langs de andere kant, reden de straat op en keerden om voor een tweede aanval.

We namen lapjes mee van huis en maakten hoofdbanden. De mijne was er een met ruitjes, met een veer van een zeemeeuw. We trokken onze trui en blouse en hemd uit. James O'Keefe trok zijn broek uit en reed in zijn onderbroek door Bayside. Zijn huid bleef aan het zadel kleven toen hij afstapte, van het zweet; je kon horen dat de huid aan het plastic plakte. We gooiden zijn broek op het dak van een garage, en zijn blouse en zijn hemd ook. Zijn trui gooiden we over een schutting.

Je kon gemakkelijk op de daken van de garages komen. We gingen op onze zadels staan en klommen op de daken en veroverden de forten.

'Woe woehoe woehoe woehoe woehoe woehoe woehoe!'

Uit een bovenraam keek een mevrouw en ze trok een kwaad gezicht en gebaarde met haar handen dat we eraf moesten. De eerste keer deden we dat. We stapten op onze fiets en maakten dat we wegkwamen uit Bayside. Ze zou de politie bellen; haar man was een smeris; zij was een heks. Ik stapte rechtstreeks van het dak op mijn fiets zonder de grond te raken. Ik zette me af tegen de muur. Even wiebelde ik maar toen was ik ervandoor. Ik reed een rondje om de garages om te zien of de anderen op tijd hadden kunnen ontsnappen.

Ik had de fiets voor Kerstmis gekregen, twee Kerstmissen geleden. Ik werd wakker. Dat dacht ik tenminste. De deur van onze kamer ging dicht. De fiets stond tegen het voeteneinde van mijn bed. Ik snapte het niet. Ik was bang. De deur viel in het slot. Ik bleef in bed. Ik hoorde geen voetstappen in de gang. Het duurde maanden voor ik probeerde erop te rijden. We hadden toen geen fiets nodig. Door de velden en de bouwterreinen kon je beter lopen. Ik vond er niks aan. Ik wist niet wie hem me had gegeven. Hij hoorde helemaal niet in mijn kamer te staan. Het was een Raleigh, goudkleurig. Hij was precies groot genoeg voor mij, en dat beviel me ook al niet. Ik wilde een grote-mensenfiets, met een recht stuur en remmen die gelijk met de handvatten in mijn hand pasten, zoals die van

Kevin. Mijn remmen staken onder de handvatten uit. Ik moest ernaar grijpen. Als ik het stuur en de rem tegelijk vasthield, dan stond de fiets stil; ik kreeg het niet voor elkaar. Het enige wat ik leuk vond was een sticker van Manchester United die ik toen ik die ochtend weer wakker werd in mijn schoen vond. Ik plakte hem op de stang onder het zadel.

Toen hadden we geen fietsen nodig. We liepen; we renden. We sloegen op de vlucht. Dat was het leukste, het wegrennen. We scholden bewakers uit, we bekogelden ramen met stenen, we trokken belletje – en renden weg. Barrytown was van ons, helemaal van ons. Het was eindeloos groot. Het was een heel land.

Bayside was om in te fietsen.

Ik kon niet fietsen. Ik kon mijn been over het zadel en een voet op de trapper krijgen en afzetten maar meer ook niet. Ik kwam niet verder; ik kon niet overeind blijven. Ik wist niet hoe. Ik deed niks verkeerd. Ik nam een aanloop, stapte op en ging onderuit. Ik was bang. Ik wist dat ik ging vallen voor ik begon. Ik gaf het op. Ik zette de fiets in de schuur. Mijn pa werd kwaad. Kon me niks schelen.

'Die fiets heb je van de kerstman gehad,' zei hij. 'Het minste wat je kunt doen is op dat kreng leren rijden.'

Ik zei niks.

'Er is geen kunst aan,' zei hij. 'Het is net zo gemakkelijk als lopen.'

Ik kon lopen.

Ik vroeg hem of hij het me wilde leren.

'Dat zal tijd worden,' zei hij.

Ik stapte op de fiets; hij hield de achterkant van het zadel vast en ik trapte. Naar de ene kant van de tuin. Naar de andere kant van de tuin. Hij dacht dat ik het leuk vond; ik vond het een doffe ellende. Ik wist het: als hij losliet, zou ik vallen.

'Trap door trap door trap door.'

Ik viel voorover. Ik stapte van de fiets. Ik viel niet echt. Ik zette mijn linkervoet op de grond. Daardoor kreeg hij nog meer de pest in.

'Je probeert 't niet eens.'

Hij trok de fiets uit mijn handen.

'Huppetee; stap op.'

Dat kon ik niet. Hij had de fiets vast. Dat begreep hij ook nog wel. Hij gaf hem terug. Hij hield de achterkant vast. Hij zei niks. Ik trapte. We gingen de tuin door. Ik ging harder. Ik bleef overeind; hij had me nog steeds vast. Ik keek achterom. Hij was er niet. Ik viel. Maar ik had het 'm geflikt; ik had een stukje los gereden. Het zou me lukken. Nu kon ik het zonder hem af. Ik wou dat-ie wegging.

Hij was trouwens al weg. Terug het huis in.

'Je redt 't verder wel,' zei hij.

Hij was gewoon lui.

Ik bleef in het zadel. Ik keerde aan het einde van de tuin in plaats van af te stappen en de fiets om te draaien en weer op te stappen. Ik bleef erop. Driemaal de tuin rond. Bijna de heg in. Ik bleef overeind.

Wij waren de baas over Bayside. We bivakkeerden op de daken van de garages. We stookten een fikkie. We konden alle kanten uit kijken. We waren op elke aanval voorbereid. Er waren wel jongens in Bayside maar de meesten waren kleiner en flapdrollen. Die van onze leeftijd waren ook flapdrollen. We pakten een van de kleinere; we gijzelden hem. We dwongen hem op het zadel te gaan staan en op het dak te klimmen. We omsingelden hem. We hielden hem boven de dakrand. We schopten hem. Ik probeerde hem pootje te haken.

'Als wij worden aangevallen, ga jij eraan,' zei Kevin tegen hem.

We hielden hem tien minuten vast. We lieten hem van het dak af springen. Hij kwam goed terecht. Er ging nooit iets mis. Niemand kwam achter ons aan.

In Bayside kon je ontzettend goed belletje trekken. 's Avonds. Er waren geen muren of heggen, geen echte tuinen. Een rij bellen achter elkaar. Fluitje van een cent. Aan het eind van elke rij was een pad of een laantje. Ontsnappen was een koud kunstje. Het geinigste was om te keren en het nog eens te doen. Ons record was zeventien. Zeventien keer drukten we op de vijf bellen naast elkaar zonder te worden gepakt. Een van de huizen had geen bel, dus klopte ik op het raam. We waren bekaf tegen de tijd dat we ermee ophielden. We maakten er een estafette van. Ik eerst, dan Kevin, Liam, Aidan, en dan ik weer. Het spannendste was als we omdraaiden om het nog eens te doen en je niet wist of er iemand in een deuropening je stond op te wachten.

'Misschien is iedereen weg.'

'Mooi niet,' zei Kevin. 'Zij zijn allemaal thuis.'

'Hoe weet je dat?'

'Ze zijn thuis,' zei ik. 'Ik heb ze gezien.'

Het begon koud te worden. Ik trok mijn blouse en mijn trui weer aan.

'Is 't al ochtend?'

'Nog te vroeg om op te staan.'

Ik kon goed wachten tot het korstje droog genoeg was. Ik gaf het alle tijd. Ik wachtte tot ik zeker wist dat het klaar was, dat het niet meer aan mijn knie plakte. Het liet keurig netjes los en er zat geen bloed onder, alleen een rood plekje; dat was de kniereparatie. Korsten werden gemaakt door dingen in je bloed die corpusculi heetten. Er zaten vijfendertig miljard corpusculi in je bloed. Die maakten de korstjes om te voorkomen dat je doodbloedde.

Dat was hetzelfde met plakkerige ogen. Ik liet ze plakkerig tot het spul hard was. 's Ochtends had je dat soms. Het oog waarmee ik op het kussen had gelegen, was dan kleverig. Mijn ma zei dat dat van de tocht kwam. Ik ging op mijn rug liggen. Ik concentreerde me op het oog; ik hield het dicht. Slaapogen noemde mijn moeder het. Toen ik ze haar voor 't eerst liet zien, maakte ze ze schoon met een washandje, ze plakten allebei. Daarna vertelde ik het haar niet meer. Ik hield het voor me. Ik wachtte. Als mijn ma naar boven riep dat we moesten opschieten voor het ontbijt, dan stond ik op en kleedde me aan. Ik controleerde het oog. Ik trok aan de oogleden alsof ik ze wilde opendoen. Ze zaten lekker aan elkaar geplakt en waren droog. Ik kleedde me verder aan. Ik ging op het bed zitten en raakte voorzichtig het oog aan, aan de buitenkant en in de hoeken. Eerst de buitenste hoek, ik schepte het korreltje op met de punt van mijn vinger en keek. Er zat nooit zoveel op de vinger als ik dacht dat er zou zitten, het was maar een heel klein propje. Ze sprongen open en ik kon de lucht tegen mijn oogbal voelen. Dan wreef ik in het oog en het was weer gewoon. Er was niks te zien als ik in de badkamerspiegel keek. Gewoon twee dezelfde ogen.

Sinbad had veel minder in de gaten dan ik. Ze moesten tegen elkaar gillen en schreeuwen en tijdenlang geen woord wisselen voor hij doorhad dat er wat aan de hand was. Als het stil was dan was alles in orde; zo dacht hij erover. Hij wilde me niet geloven, zelfs als ik hem er met zijn neus op drukte.

Ik stond er alleen voor, de enige die het wist. Ik wist het beter dan zij het zelf wisten. Zij zaten er middenin: ik kon alleen toekijken. Ik lette beter op dan zij, want zij zeiden steeds weer dezelfde dingen.

'Dat doe ik niet.'

'Dat doe je wel.'

'Dat doe ik niet.'

'Jij doet 't echt, weet je.'

Ik wachtte tot een van tweeën wat anders zou zeggen, dat wilde ik; zo gingen ze nog een tijdje door en dan hielden ze er een poosje mee op. Hun ruzies waren net een treintje dat steeds in de bocht bleef steken en dan moest je je bukken en het een duwtje geven of het weer op de rails zetten. Maar nu kon ik alleen maar luisteren en hopen. Ik bad niet; er bestonden geen gebeden voor dit soort dingen. Het Onze Vader was niet geschikt, of Weesgegroetjes. Maar ik schommelde net zo heen en weer als ik soms deed als ik zat te bidden. Naar achteren en naar voren, op het ritme van het gebed. Het tafelgebed was het snelst, waarschijnlijk omdat we vlak voor het middageten, na de bel, allemaal barstten van de honger.

Ik zat te schommelen.

'Hou op hou op hou op hou op...'

Op de trap. Op de stoep voor de achterdeur. In bed. Als ik naast mijn pa zat. Aan tafel in de keuken.

'Ik haat ze als ze zo zijn.'

'Ze zijn net zoals vorige zondag.'

Alleen pa kreeg 's zondagsmorgens gebakken eieren. Wij kregen, naast wat we altijd kregen, elk een worstje en bloedworst als we wilden. Minstens een uur voor de mis.

'Je moet wel door eten,' waarschuwde ma me, 'anders kun je geen communie doen.'

Ik keek op de klok. Het was negen minuten voor half-twaalf en we gingen naar de mis van halfeen. Ik sneed mijn worstje in negen partjes.

'Ik heb je al zo vaak gezegd dat ik ze niet lekker vind als ze zo snotterig zijn.'

'Vorige week waren ze ook snotterig.'

'Zo vind ik ze niet te vreten; dit ga ik niet...'

Ik begon te schommelen.

'Moet je naar de wc?'

'Nee.'

'Wât heb je dan?'

'Niks.'

'Nou, zit dan niet te wiebelen als een malloot. Eet liever door.'

Verder zei hij niks. Hij at alles op, ook het snotterige ei. Ik vond het lekker als ze snotterig waren. Met ongeveer een halve boterham schepte hij zijn hele bord schoon. Mij lukte dat nooit. Het ei schoof voor het brood uit over mijn bord als ik het deed. Hij veegde zijn bord schoon. Hij zei geen woord. Hij wist dat ik keek; hij had me zien schommelen en hij wist waarom.

Hij zei dat de thee lekker was.

Om halftwaalf zat hij nog te kauwen. Ik keek naar de wijzer tot hij voorbij de zes was; ik keek naar hem. Ik hoorde de klik van achter de klok. Pas zesendertig seconden daarna slikte hij.

Ik zei er niks van. Als hij communie deed, dan zou ik wel zien wat er gebeurde. Ik wist ervan en God wist ervan.

Ik vond het heerlijk om de afstemknop van de radio heel snel rond te draaien. Ik zette hem aan en legde hem op zijn rug op de keukentafel. Ik mocht hem nooit mee de keuken uit nemen. Ik pakte de knop en draaide hem zo ver door als mijn pols toeliet, zo snel als ik kon. Ik genoot van het schelle geruis en dan de stem en weer het geruis, anders, en een stem, misschien een vrouw; ik stopte niet om daarachter te komen. Rond en terug, rond en terug, muziek en gepiep, stemmen, niks. Tussen de strepen van de plastic voorkant, waar het geluid uit kwam, zat vuil, net als het vuil onder je nagels, en ook tussen de gouden letters BUSH die in de benedenhoek waren geplakt. Mijn ma luisterde naar *The Kennedys of Castleross*. In de vakantie bleef ik bij haar in de keuken als hij aan stond, maar ik luisterde er niet naar. Ik zat op een stoel en wachtte tot het programma was afgelopen en keek hoe zij luisterde.

Ik maakte de doos Persil open en strooide er wat van in zee. Eigenlijk gebeurde er niks; het maakte alleen stippeltjes op het water en verdween. Ik deed het nog een keer. Ik wist niet wat ik er anders mee zou kunnen doen.

'Geef 's hier,' zei Kevin.

Ik gaf het hem.

Hij greep Edward Swanwick. Wij grepen hem ook toen we zagen wat hij deed. Edward Swanwick was geen echte vriend van ons. Hij hing er maar wat bij. Ik had nog nooit gevraagd of hij met me kwam spelen. Ik was nog nooit bij hem in de keuken geweest. Met Allerheiligen, als we bij hem aan de deur kwamen, gaven ze ons nooit snoep of geld, altijd fruit. En mevrouw Swanwick stond erop dat we het opaten.

'Wat bedoelde ze?'

'Het gaat haar niks aan wat wij ermee doen,' zei Liam.

We gooiden Edward Swanwick op de grond en probeerden zijn mond open te duwen. Dat ging gemakkelijk; daar waren trucjes voor. Het probleem was hem open te houden. Kevin begon de Persil in zijn gezicht te strooien. Liam hield Edward Swanwick bij zijn oren vast zodat hij zijn hoofd niet kon wegdraaien; ik hield zijn neus dicht en kneep in zijn tepel. Er kwam wat Persil in zijn mond. Edward Swanwick kokhalsde en wrong zich in alle bochten om ons van zich af te schudden. Het zat ook in zijn ogen. De doos was leeg. Kevin stak hem onder Edward Swanwicks trui en we lieten hem opstaan. Hij zei niks. Dat kon hij niet; als hij niet deed alsof hij het leuk had gevonden, lag hij eruit, uit onze bende. Hij gaf over; een beetje maar, voornamelijk Persil.

Dat soort dingen pikten we, meestal tenminste. Snoep was lastig, aan de toonbank, dat was een hele toer vanwege het glas en de mevrouwen. Ze bewaakten het snoepgoed omdat ze dachten dat niemand het de moeite waard vond om die andere dingen te pikken. Ze snapten het niet. Ze snapten niet dat pikken niks te maken had met wat we wilden hebben; het ging om de uitdaging, het angstgevoel, het niet gepakt worden.

Het waren altijd mevrouwen. Er waren een stuk of zes winkels tussen Raheny en Baldoyle die we plunderden. Er waren nog geen supermarkten, alleen kruideniers en winkels die van alles verkochten. Op een keer, toen we gingen wandelen, vroeg ma om de *Evening Press*, vier Choco-Princen, een pakje Lyons Green Label en een muizeval en de mevrouw toverde het allemaal moeiteloos te voorschijn. Ik was een beetje zenuwachtig: ik had daar een paar dagen eerder een pak patentbloem gepikt en ik was bang dat ze me zou herkennen. Ik paste op de kinderwagen toen mijn ma met haar over het weer en de nieuwe huizen praatte.

We pikten alleen wat als het mooi weer was. In Barrytown pikten we nooit wat. Dat zou stom zijn geweest. Daar had je mevrouw Kilmartin met haar deur van donker glas, maar dat was niet het enige; alle mensen in de winkels waren bevriend met onze ouders. Ze waren allemaal in dezelfde tijd getrouwd en in Barrytown komen wonen. Het waren allemaal pioniers zei mijn pa. Ik wist niet wat hij bedoelde maar hij vond het leuk om te zeggen; hij vond het enig om naar de winkels te gaan en een babbeltje te maken met de eigenaars, behalve mevrouw Kilmartin. Hij vertelde me dat meneer Kilmartin was opgesloten op zolder.

'Hij kletst maar wat, hoor,' zei mijn ma. 'Hij zit bij de Britse marine.'

'Op een schip?'

'Ik denk 't.'

'Overal liever dan thuis,' zei mijn pa.

Hij had net de wiebelende keukenstoel gerepareerd, dus hij was nogal ingenomen met zichzelf; dat zag je aan de manier waarop hij erop ging zitten en omlaag naar de poten keek en probeerde of hij nog wiebelde.

'Dat is weer piekfijn voor mekaar,' zei hij. 'Of niet soms?'

'Uit de kunst,' zei mijn ma.

De kruidenier in Barrytown was een man, een aardige, meneer Fitzpatrick. Hij gaf je meer gebroken koekjes dan waar je recht op had. Hij was reusachtig groot. Hij torende boven je uit. Ik wist nog dat hij over me heen stapte toen ik klein was. Van meneer Fitz zouden we nooit wat pikken. Hij zou in de gaten hebben wat we van plan waren, en iedereen vond hem aardig. Onze ouders zouden ons hebben vermoord. Mevrouw Fitz zat op een stoel bij de voordeur als het lekker weer was, als een reclamebord voor de winkel. Ze zag er heel mooi uit. Ze hadden een dochter, Naomi; ze zat op de middelbare school. Ze was net zo mooi als haar moeder. Zaterdags na schooltijd hielp zij in de winkel; ze vulde de kartonnen dozen, de weekendbestellingen voor alle huizen in Barrytown. Kevins broer bracht de boodschappen rond op een ontzettend grote zwarte fiets met een mand voorop. Daar kreeg hij vier gulden voor. Hij zei dat Naomi flesjes Fanta kon openmaken met haar pruim. Ik kon hem wel vermoorden toen hij dat zei. Ik wilde Naomi beschermen.

De grootste doos pakken. Het was Kevins idee. Het was eindeloos. Degene die iets in de grootste doos de winkel uit kreeg, had gewonnen. Er moest wat in de doos zitten; dat was een van de eerste regels, nadat Liam een keer de winkel uit was gekomen met een lege doos, een gigantische, waar dozen cornflakes in hadden gezeten. Het kon niet in elke winkel. Je moest voorzichtig zijn. De meeste winkels hadden hun eigen specialiteiten, hoewel de mevrouwen achter de toonbank dat niet wisten. Die ene in

Raheny was ontzettend goed om tijdschriften te pikken; de strips lagen op de toonbank, te dicht onder de neus van de drie oude mevrouwen die de toonbank bewaakten. Maar de tijdschriften waren veel gemakkelijker. De mevrouwen waren sufkonten: ze dachten dat wij geen belangstelling hadden voor damesbladen en handwerkbladen; daarom hadden ze die in een rek naast de deur gezet, omdat dat leuk stond in de etalage. En daar kwam bij dat ze grote mensen lieten voorgaan, altijd. Ik wachtte mijn kans af. Ik zat buiten mijn schoenveter vast te maken. Er ging een mevrouw naar binnen; de drie oude mevrouwen schoten op haar af om haar te helpen en ik dook naar binnen en pakte vijf *Womens Weekly's*. Ik nam ze mee naar het steegje naast de nieuwe bibliotheek en we scheurden ze in stukken. Eén keer heb ik een *Football Monthly* uit het rek bij het raam gepikt. Ik geloofde mijn ogen niet toen ik het zag. Ze hadden zeker geen plaats meer op de toonbank. Even dacht ik dat ze hem in het rek hadden gezet om ons in de val te lokken. Ik dacht erover na; ik keek om me heen. Ik pakte hem. Er was ook een winkel die heel geschikt was om koekjes te pikken. Die was in Baldoyle. De blikken met koekjes – de losse – stonden op een richel langs de toonbank, er vlak onder. Je kon je zakken volstoppen terwijl de mevrouw je haverstroballen telde. In een van die dozen zaten frou-frou's, de enige met melkchocola erin. We gingen voor die doos in de rij staan om onze beurt af te wachten. Ze dacht dat we dat uit beleefdheid deden. Het was donker in de winkel; de kruimels heeft ze vast nooit gezien.

Voor dozen gingen we naar Tootsie.

'Een half pond gomballen, Tootsie; alleen rode.'

Tootsie paste op die grote winkel van Sinkel vlak bij de plek waar we altijd zwommen. De etalages waren wespenkerkhoven; die droogden uit en barstten open in de zon. We gooiden er nog een stel bij. We verzamelden ze, en bij-en, in potten, en keken hoe ze doodgingen en door elkaar krioelden en gingen dan naar Tootsie en stortten de hele zooi in de etalage als Tootsie niet keek. We zouden het zelfs hebben gedaan als ze wel had gekeken; ze keek je aan en zag niks; het duurde eeuwen voor er iets tot haar doordrong. Tootsie was niet de bazin van de winkel. Ze beheerde hem voor iemand anders. Ze deed alles als in een vertraagde film, echt alles. Soms kwam er zelfs een herhaling; dan pakte ze, hééééééél langzaam, iets nog een keer op om het prijsje te controleren. Wat alles kostte schreef ze, heel netjes, op een papieren zak; ze gebruikte een liniaal om de streep onder de bedragen te zetten. Dan telde ze ze op, maar dan stopte ze en begon weer helemaal overnieuw, alsof ze langs een ladder met wankele sporten omlaag klom. Als ze daarmee bezig was, konden we met van alles de winkel uitlopen. We hebben haar trapje gepikt, dat ze gebruikte om bij de bovenste planken te komen. Ik pakte de ene kant en Kevin de andere. De mevrouw die Tootsie aan het helpen was, kwam niet bij ons uit de buurt. We kenden haar niet. We deden alsof we Tootsie een handje hielpen en hielden ons gezicht in de plooi. Het trapje gooiden we in zee. Het gaf een flinke klap maar de plons viel tegen. We gingen erop staan als het bijna vloed was en deden net alsof we over het water liepen. Je kon Tootsie om de gekste dingen vragen.

'Verkoop je ook auto's, Tootsie?'

'Nee.'

Ze moest er eerst over nadenken.

'Waarom niet?'

Ze keek ons alleen maar aan.

'Verkoop je neushoorns, Tootsie?'

'Nee.'

Je kon Tootsie's vingerafdrukken in de room op de gebakjes op het blad op de ijskast achter de toonbank zien. De room was geel, de afdrukken waren hard en blijvend. De ijskast was klein en dik, voor ijslollies en blokken roomijs. Ik sloop achter de toonbank en trok de stekker uit het stopcontact.

Er was een bakkerij in Raheny die werd bewaakt door twee mevrouwen. Nergens rook het zo lekker. Het was geen broodlucht; het was geen opdringerige geur, als stoom die je omringde. Hij was vriendelijker, hij hoorde bij de lucht, niet warm en verstikkend en overweldigend. Die geur gaf me een lekker gevoel. De gebakjes lagen op schappen in een toonbank die helemaal van glas was, geen stapels, maar een paar van elke soort op schalen die een halve meter van elkaar stonden; kleine gebakjes, niet van die grote joekels waar de room uitbarstte. De gebakjes hadden allerlei kleuren, mooie felle kleuren; koekjes die te mooi waren om koekjes te worden genoemd. Zoals gebakjes in een sprookje; je zou er dingen mee kunnen bouwen. Ik wist niet waar ze werden gebakken. Er was een deur achter in de winkel maar die deden de mevrouwen altijd dicht als ze erin of eruit gingen. Nooit samen; er zat er altijd een achter de toonbank te breien. Ze breiden allebei. Misschien hielden ze wel een wedstrijd. Ze breiden heel snel. Daar konden we niet naar binnen om rond te neuzen; we konden niet doen alsof we iets zochten. Er was alleen die toonbank, en de schappen eronder. We keken door het raam naar binnen. Af en toe had ik weleens genoeg geld voor een gebakje. Ze smaakten niet zo lekker als ze eruitzagen. En ik moest delen. Je moest het gebakje zo vasthouden dat het grootste deel achter je vingers zat, zodat de anderen maar een klein hapje konden nemen.

We werden gesnapt.

Mijn ma zag ons en zij vertelde het door aan pa. Ze maakte een wandeling met de meisjes en ze zag ons een stapel *Woman's Way's* pikken. Ik zag haar voor ik de steeg in rende. Ik deed alsof ik haar niet had gezien. Een paar seconden leek het alsof mijn benen van lood waren; mijn maag voelde leeg en vol aan; ik kon wel janken. Wat deed zij in Raheny? Ze ging anders nooit naar Raheny. Het was kilometers lopen van Barrytown. Ik moest poepen, ik kon het geen seconde langer ophouden. De anderen hielden de wacht. Ik vertelde hun van mijn ma. Zij waren ook de pineut. Ik veegde mijn billen af met Sinbads zakdoek. Hij wilde naar ma toe rennen; hij huilde. Kevin deed prikkeldraad bij hem. Hij keek mij aan om te zien of het oké was. Maar Sinbad huilde al; hij leek de pijn niet op te merken, dus hield Kevin ermee op. We keken naar mijn drol. Het leek net zo'n fopdrol van plastic, een prachtexemplaar. Niemand lachte me uit toen ze hem zagen.

De steeg die we in waren gevlucht liep dood, de enige manier om eruit te komen was terug te gaan. Ik haatte mijn ma. Ze zou ons om de hoek staan op te wachten. Ze zou me een pak rammel geven, en Sinbads portie op de koop toe, waar iedereen bij stond.

Kevin had het gedaan. Ik had alleen maar toegekeken.

Het was te proberen.

Maar daarmee was ik niet uit de problemen.

Ian McEvoy liep als eerste de steeg uit. Ik kon aan zijn gezicht zien dat mijn ma er niet was. We juichten en renden de steeg uit. Ze had ons niet gezien.

Ze had ons wel gezien.

Ze had ons niet gezien. Als ze ons had gezien was ze achter ons aan gekomen en had ons gedwongen de *Woman's Way's* terug te brengen en onze excuses aan te bieden aan de mevrouwen. Ze was veel te ver weg geweest om ons te herkennen. Ze had niet gezien wat we hadden gedaan, ze had alleen maar zien wegrennen. We waren niet weggerend, we hadden gewoon gerend; we hielden een wedstrijd. We hadden betaald voor die *Woman's Way's*; het waren oude nummers en de mevrouwen hadden gezegd dat we ze mochten meenemen, ze hadden het ons gevraagd. Ze was te ver weg geweest. Ik leek op twee van mijn neefjes. Ik trok mijn trui uit. Die zou ik verstoppen en alleen in mijn blouse naar huis gaan. Ik kon het niet zijn geweest als het een jongen was in net zo'n blauwe trui als de mijne, want ik had hem niet aan. Ze had naar Cathy in de kinderwagen gekeken. Ze was bezig geweest.

Ze had ons gezien.

Ze vertelde het mijn pa en ik kreeg de volle laag. Hij gaf me geen kans het te ontkennen. Dat was eigenlijk maar goed ook. Ik zou hebben gezegd dat ik het niet had gedaan en dan zou ik me nog meer ellende op mijn hals hebben gehaald. Hij gaf me ervan langs met zijn riem. Hij droeg nooit een riem. Die had hij speciaal hiervoor. Tegen de achterkant van mijn benen. Tegen de rug van mijn hand waarmee ik mijn benen probeerde te beschermen. De arm die hij vasthield, deed nog dagen pijn. In een kringetje door de woonkamer. Ik probeerde de zwaai zo ver mogelijk voor te blijven zodat het niet zoveel pijn zou doen. Ik had het tegengestelde moeten doen, achteruit naar de riem toe, dan had hij minder ruimte gehad om uit te halen. Iedereen in huis huilde, niet alleen ik. Het gierende geluid van de riem; hij probeerde me een stevige knal te verkopen. Hij deed maar wat, hij speelde een spelletje met me, dat deed hij. Toen hield hij op. Ik bleef doorgaan en probeerde me nog steeds los te rukken; ik wist niet of hij er echt mee was opgehouden. Hij liet mijn arm los en toen voelde ik de pijn daar. Aan de bovenkant waar hij aan mijn schouder vastzat, daar deed het behoorlijk pijn. Ik begon onbedaarlijk te snikken. Dat wilde ik niet; dat vond ik niet leuk meer. Ik hield mijn adem in. Het was voorbij. Het was voorbij. Er zou niks meer gebeuren. Het was de moeite waard geweest.

Hij zweette.

'En nu naar je kamer. Schiet op.'

Hij klonk niet zo streng als hij had gewild.

Ik keek naar mijn ma. Ze was bleek. Ze stond op haar lippen te bijten. Haar verdiende loon.

Sinbad was al boven. Hij had maar een paar tikken gehad; het was allemaal mijn schuld geweest. Hij lag op zijn buik op zijn bed. Hij huilde. Toen hij zag dat ik het was, bedaarde hij.

'Moet je kijken.'

Ik liet hem de achterkant van mijn benen zien.

'Laat me de jouwe 's zien.'

Hij had niet half zoveel striemen. Ik zei niks. Hij kon het zelf zien; een deel ervan had hij moeten krijgen. Aan zijn gezicht kon ik zien dat hij dat dacht, en dat was voor mij voldoende.

'Hij is een grote klootzak,' zei ik. 'Vind je niet?'

'Ja.'

'Hij is een grote klootzak,' zei ik nog een keer.

'Hij is een grote klootzak,' zei Sinbad.

We doken onder onze dekens en hadden de grootste lol. Ik hield van het donker onder de dekens. Je kon er gemakkelijk aan ontsnappen als je dat wilde. En het was lekker zoals de dekens op me drukten; ik voelde het in mijn hoofd. Het was warm. Er viel licht naar binnen. Iemand had de deken opgetild. Het was Sinbad. Hij klom bij me in bed.

Onze luxaflex had verschillende kleuren. Op een dag – het regende – drong het tot me door dat er systeem in zat. De onderste strip was geel, de volgende lichtblauw, dan rose, dan rood. En dan weer geel. De bovenste was blauw. De lijst aan de bovenkant was wit. Het touwtje ook. Ik lag op de grond met mijn voeten naar het raam en telde de strippen, steeds sneller.

Massa's huizen in Barrytown hadden luxaflex, maar voor zover ik wist waren wij de enigen die ze zowel aan de voor- als aan de achterkant hadden. Ik en Kevin gingen alle huizen af en er waren zeventien luxaflexen aan de voorkant die scheef hingen. Er waren vierenvijftig huizen in Barrytown, afgezien van de nieuwe van de Corporatie en de andere die net af waren en waar nog niemand in woonde. We gingen ze nog een keer langs; elf van de zeventien hingen aan de linkerkant hoger. Aan de rechterkant kwamen ze tot op de vensterbank maar links waren ze ongeveer vijf strippen hoger blijven steken. De Kelly's spanden de kroon met tien strippen. We zagen mevrouw

204

Kelly in de voorkamer zitten niksen. Die bij O'Connell hingen niet alleen scheef, maar waren ook nog gedeukt; niet die voor het raam van meneer O'Connells slaapkamer – die waren prima, en dicht – maar die van de voorkamer, de kamer waar wij in speelden. Er waren maar twintig huizen die geen luxaflex hadden.

'Waardeloos.'

Bij Kevin thuis hadden ze ook van die gekleurde.

'Veelkleurige zijn de beste.'

'Zo is 't.'

Mijn ma liet het bad vollopen met water als ze ze waste. Ze heeft het maar één keer gedaan. Ik wilde haar helpen maar daar was geen ruimte voor; ik wilde controleren of ze ze wel weer in de goede volgorde vastmaakte. Ze trok het touwtje uit alle gaatjes in de strippen en legde elke strip in het bad, één voor één. Toen ze de kleintjes te eten gaf, vergeleek ik een pas gewassen gele met een vuile gele; ik legde ze naast elkaar. Ze hadden nu een andere kleur. Ik ging met mijn vinger over het vuil; het nieuwe geel zat eronder.

Ik vroeg haar of ze er van elke kleur eentje niet wilde wassen.

'Doe je 't?' vroeg ik nog eens.

'Waarom?'

Ze nam altijd de tijd om te luisteren; ze wilde altijd alles precies weten.

'Gewoon...'

Ik kon het niet uitleggen; het was een soort geheim.

'Om het verschil te kunnen zien.'

'Maar ze zijn te vies om aan te pakken, schat.'

Toen ik naar bed ging, wist ik dat ik nooit meer op de

grond zou gaan liggen om omhoog te kijken naar de kleuren. Ze kwam binnen om het licht uit te doen. Ze legde haar hand op mijn voorhoofd en mijn haar. Haar hand rook naar water en het vuil achter de koelkast. Ik trok mijn hoofd onder haar hand vandaan; ik ging in de hoek liggen.

'Is dat om de luxaflex?'

'Nee.'

'Wat is er dan?'

'Ik heb 't warm.'

'Zal ik er een deken afhalen?'

'Nee.'

Ze deed er eeuwen over om me in te stoppen; ik wilde dat ze wegging maar eigenlijk ook weer niet.

Sinbad lag te slapen. Hij had een keer met zijn hoofd tussen de spijlen van zijn kinderbedje klem gezeten en hij had de hele nacht gehuild tot het licht werd en ik hem zag. Dat was jaren geleden. Nu sliep hij in een echt bed. Mijn oom Raymond had het gebracht, op het dak van zijn auto. De matras was nat omdat het was beginnen te regenen toen hij halverwege zijn huis en het onze was. Wij, ik en Sinbad, zeiden dat dat kwam omdat al onze neefjes in hun bed piesten. Pas twee dagen later, toen de matras droog was, kwamen we erachter dat het Sinbads bed was. Toen reed oom Frank weg met Sinbads kinderbedje op het dak van zijn auto.

'Ze waren vies, Patrick,' zei ze. 'Als dingen vies zijn, moet je ze schoonmaken. Vooral met kleintjes in huis. Begrijp je?'

Als ik Ja zei, betekende dat meer dan dat ik het begreep. Ik hield mijn mond, net zoals Sinbad altijd deed.

'Patrick?'

Ik zei niks.

'Kun je tegen kietelen?'

Ik probeerde uit alle macht mijn lachen in te houden.

Aidan was de verslaggever. Dat kon-ie als de beste. Voor de wedstrijd begon, moesten we hem onze namen opgeven. We speelden op straat. Ons veldje was er niet meer. De hekjes aan weerskanten waren de goals. We waren met z'n achten, precies goed, vier tegen vier. Degene die de bal had als er een auto aankwam, mocht ingooien als de auto voorbij was. Als je durfde te schieten en de bestuurder drukte op zijn claxon voor je had geschoten, werd het doelpunt afgekeurd, als het een doelpunt was. Je mocht de stoeprand niet gebruiken om de bal af te houden. Alle schoten hoger dan de paaltjes van het hek waren over.

Ik moest knokken om George Best te zijn.

Kevin was geen supporter van Manchester United. Hij was voor Leeds. Vroeger was hij ook voor United maar toen was hij vanwege zijn broer van club veranderd; zijn broer was een Leeds-supporter.

Het was Kevins beurt om te kiezen.

'Eddie Gray,' zei hij.

Niemand anders wilde Eddie Gray zijn. Ian McEvoy was ook voor Leeds maar hij was altijd Johnny Giles. Kevin was een keer ziek en toen wilde Ian McEvoy Eddie Gray zijn.

'Waarom niet Johnny Giles?'

'Zomaar...'

Ik had hem tuk.

Vier van ons waren voor Manchester United. We wilden allemaal George Best zijn. Sinbad lieten we altijd Nobby Stiles zijn en daarom was hij niet meer voor United en werd supporter van Liverpool, hoewel hij eigenlijk voor niemand was. Er was een tijdje dat ik ook bijna naar Leeds was overgestapt, maar dat kon ik niet maken. Ze zouden hebben gezegd dat ik dat alleen deed omdat Kevin het deed, maar het was eigenlijk meer om George Best.

We deden het als volgt: Kevin pakte vier ijslolliestokjes en brak er een in tweeën en elke United-supporter pakte een stokje en wie het gebroken stokje trok mocht als eerste kiezen.

Aidan pakte het korte stokje. 'Bobby Charlton,' zei hij.

Hij koos Bobby Charlton omdat hij wist wat hem te wachten stond als hij George Best koos. Dan kreeg hij met mij te doen. Er was geen scheidsrechter. Alles mocht, zelfs iemand van je eigen team onderuithalen. Ik kon Aidan aan. Hij kon goed vechten maar hij hield er niet van. Hij liet je altijd opstaan voor je je echt had overgegeven; dan kon je hem terugpakken.

Kevin gooide een van de grote stokjes weg. Toen koos ik het korte stokje.

'George Best.'

Liam was Denis Law. Als hij het kleine stokje had getrokken, was hij George Best geweest. Dan had ik me gedeisd gehouden. Hij was anders. Ik had nog nooit met hem gevochten. Maar toch; hij zou hebben gewonnen. Niet dat hij zoveel groter was. Maar toch had hij iets. Dat was niet altijd zo geweest. Vroeger was hij een onderdeurtje. Hij was nog steeds niet zo groot. Zijn ogen. Ze stonden dof. Als de broertjes samen waren, naast elkaar stonden, dan was het gemakkelijk om ze te zien zoals wij ze zagen:

klein, koddig, sjofel, aardig. Ze waren onze vrienden omdat we de pest aan ze hadden; het was goed dat ze erbij waren. Ik was schoner dan zij, knapper dan zij. Ik was beter dan zij. Als je ze alleen had, was het andere koek. Aidan werd kleiner, een soort onaf kind. Liam werd gevaarlijk. Samen leken ze precies hetzelfde. Maar als je alleen met ze was, dan leken ze totaal niet op elkaar. Dat kwam bijna nooit voor. Ze waren geen tweeling. Liam was ouder dan Aidan. Ze waren allebei voor United.

'Een armoedig zootje,' zei Ian McEvoy toen ze er niet bij waren.

'Het spel kan beginnen,' zei Aidan.

Ik, Aidan, Ian McEvoy en Sinbad tegen Kevin, Liam, Edward Swanwick en James O'Keefe. Wij kregen twee doelpunten voorsprong omdat wij Sinbad hadden. Hij was veel kleiner dan wie dan ook. Teams waar Sinbad in zat wonnen meestal. We dachten allemaal dat dat kwam door die automatische voorsprong van twee doelpunten maar daar lag het niet aan. (Bij één wedstrijd was de eindstand drieënzeventig-zevenenzestig.) Het kwam omdat Sinbad goed kon spelen. Maar dat wist niemand van ons; hij was een sulletje; we zaten met hem opgescheept omdat hij mijn kleine broertje was. Hij kon fantastisch dribbelen. Dat wist ik niet tot meneer O'Keefe, de pa van James O'Keefe, me dat vertelde.

'Hij heeft het volmaakte postuur voor een voetballer,' zei meneer O'Keefe.

Ik keek naar Sinbad. Hij was mijn kleine broertje, meer niet. Ik had de pest aan hem. Hij veegde nooit zijn neus af. Hij was een huilebalk. Hij plaste in zijn bed. Hij hoefde zijn bord niet leeg te eten als hij niet wilde. Hij moest een bril dragen met een zwart glas. Hij rende achter de bal aan. Niemand anders deed dat. Ze wachtten allemaal tot hij hun kant op kwam. Hij passeerde ze allemaal, met gemak. Hij was fantastisch. Hij was niet egoïstisch zoals de meeste jongens die konden dribbelen. Het was maf om hem zo bezig te zien. Het was eindeloos en ik kon hem wel wat doen. Je kon nou eenmaal niet trots zijn op je kleine broertje.

Voor we begonnen stonden we twee-nul voor.

'De aanvoerders geven elkaar een hand.'

Ik gaf Kevin een hand. We knepen heel hard. Wij waren Noord-Ierland. Kevin was Schotland. Bobby Charlton speelde voor Noord-Ierland omdat hij daar op vakantie was.

'Schotland heeft de aftrap.'

Bij die wedstrijden ging het snel. Het was heel anders dan op gras spelen. De straat was niet breed. We stonden boven op elkaar. De hekken waren dicht. De klap van de bal tegen het hek was een goal. Ongeveer de helft van de goals werd door de keepers gemaakt. We probeerden de regels te veranderen maar daar waren de keepers tegen; ze wilden niet keepen als ze geen doelpunten mochten maken. De belabberdste spelers moesten in het doel maar we hadden ze toch nodig. Op een keer trapte James O'Keefe, de slechtste speler van allemaal, uit. Hij scoorde een doelpunt maar de bal stuitte terug van het hek en over de straat terug zijn eigen doel in. Met één schot had hij een punt gescoord en in eigen doel geschoten.

'Warempel,' zei de verslaggever. 'Een uitzonderlijke prestatie.'

Schotland nam de aftrap.

'Denis Law speelt over naar Eddie Gray...'

Ik kreeg mijn voet ertussen; de bal raakte het hek.

'Goal!'

'Warempel,' zei de verslaggever. 'Een doelpunt van Best. Een-nul voor Noord-Ierland.'

'Hé!' herinnerde ik hem. 'Sinbads goals.'

'Drie-nul voor Noord-Ierland. Wat een verrassend begin van de wedstrijd. Wat kan Schotland hier nog tegenover stellen?'

Schotland maakte drie doelpunten.

Je werd er draaierig van. De bal knalde over de straat en weer terug. Een salvo van schoten. Als je hem tegen je been kreeg, deed het pijn.

'Een wedstrijd zo spannend als deze kan ik me niet heugen,' zei de verslaggever. 'Warempel.'

Hij had net een doelpunt gemaakt.

Na een tijdje deden we het rustiger aan. Als we dat niet deden, was het niet vol te houden. Dat zou gekkenwerk zijn. Je kreeg zere voeten van dat schoppen tegen een lekke bal.

'Zeventien-zestien voor Noord-Ierland.'

'Het staat zeventien-zeventien!'

'Nietwaar. Ik heb de tel bijgehouden.'

'Wat staat 't?' vroeg Kevin aan Edward Swanwick.

'Zeventien-zeventien.'

'Zie je nou wel,' zei Kevin.

'Hij zit in jouw team,' zei ik. 'Dat zegt-ie alleen omdat jij 't zei.'

'Hij zit in jouw team,' zei hij.

Hij wees op de verslaggever.

'Het wordt hoog tijd dat de scheidsrechter ingrijpt.'

'Hou je kop, jij.'

'Ik moet praten. Dat is mijn werk.'

'Hou je kop; je vader is een zuipschuit.'

Dat was ook vaste prik.

'Goed dan,' zei ik. 'Zeventien-zeventien. Wij winnen toch wel.'

'Dat zullen we nog wel 's zien.'

Kevin sprak zijn team toe.

'Kom op, jongens. Ertegenaan!'

Liam en Aidan zeiden nooit wat terug als we dingen over hun pa zeiden.

Er werd wat rustiger gespeeld. Aidan gaf een tijdje geen verslag meer. Het begon donker te worden. Tegen etenstijd was de wedstrijd afgelopen. Als James O'Keefe te laat aan tafel kwam, dan gaf zijn ma zijn eten aan de kat. Dat had ze een keer geschreeuwd toen hij zich achter een heg had verstopt toen ze riep dat hij binnen moest komen.

'James O'Keefe! Ik geef je vissticks aan de kat!'

Hij ging naar binnen. Later zei hij dat hij zich had verstopt omdat hij dacht dat ze gehakt met rapen aten, en geen vissticks. Maar hij loog altijd. Hij was de grootste leugenaar in Barrytown.

Zevenentwintig-drieëntwintig; we waren weer aan de winnende hand.

'Warempel,' zei Aidan. 'Roger Hunt maakt het de Schotse verdediging knap lastig.'

Roger Hunt was Sinbad. Ze konden niet tegen hem op. Dat kwam omdat hij klein was en de bal goed achter zich kon verbergen. Kevin was goed in slidings, maar we speelden op straat dus Sinbad kon niks gebeuren. Het was veel gemakkelijker een overtreding te maken tegen iemand die even groot was als jij. En bij Sinbad was het ook nog zo dat hij de doelpunten niet zelf maakte. Hij speelde de bal door naar iemand die vrij voor het doel stond – meestal naar mij – en in plaats van Sinbad ging ik met de eer strijken, omdat ik de doelpunten maakte. Van al onze goals had ik er eenentwintig gemaakt. Zeven driekanten.

'Waarom noemen ze dat driekanten?'

'Omdat je zo'n hoed krijgt als je drie goals maakt.'

Als je in het Ierse elftal speelde, kreeg je een pet. Het was net een schoolpet of een welpenpet, met een insigne erop. Engelse petten hadden een dingetje bovenop, zoals het koord om de ochtendjas van mijn pa. Als je er zo eentje te pakken kreeg, zou je hem nooit opzetten. Die hoorde je in zo'n kastje met glazen deuren te leggen en dan konden mensen ernaar kijken als ze bij je op bezoek waren, en naar je medailles. Als ik ziek was, mocht ik de ochtendjas van mijn pa aan.

Meneer O'Keefe verzon Barrytown United. Ik vond meneer O'Keefe aardig. Zijn voornaam was Tommy en wij mochten hem zo noemen. In het begin was dat raar. James O'Keefe sprak hem niet met Tommy aan en wij allemaal ook niet als mevrouw O'Keefe in de buurt was, maar dat was niet omdat Tommy ons dat had verboden. We deden het gewoon niet. James O'Keefe wist niet hoe zijn moeder van haar voornaam heette.

'Agnes.'

Zo heette die van Ian McEvoy.

'Gertie,' zei Liam.

Zo heette de ma van hem en Aidan.

'Staat dat op haar graf?'

'Ja.'

Toen was James O'Keefe aan de beurt.

'Ik weet 't niet.'

Ik geloofde hem eerst niet, maar later wel. Ik dacht dat hij het niet wilde zeggen omdat het een naam was waar we om zouden lachen, maar we lachten om alle namen, behalve Gertie. We martelden hem, prikkeldraad aan beide armen tegelijk, en hij wist nog steeds niet wat zijn ma's voornaam was.

'Dan zorg je maar dat je erachter komt,' zei Kevin, toen we hem loslieten omdat hij een hoestbui kreeg.

'Hoe?'

'Dat moet jij weten,' zei Kevin. 'Dat is jouw zaak.'

James O'Keefe keek paniekerig.

'Vraag 't haar,' zei ik.

'Je moet hem geen tips geven,' zei Kevin. 'Als je maar zorgt dat je het na het avondeten weet,' zei hij tegen James O'Keefe.

Maar toen waren wij het al lang weer vergeten.

Mevrouw O'Keefe kon er best mee door.

'George Best geeft Alan Gilzean een elleboogje in zijn gezicht.'

'Ik heb hem niet aangeraakt,' zei ik.

Ik trapte de bal weg om het spel te onderbreken.

'Ik heb hem niet aangeraakt. Hij liep tegen me op.'

Het was Edward Swanwick maar. Hij hield zijn neus vast zodat we niet zouden zien dat hij niet bloedde. Hij had tranen in zijn ogen.

'Hij huilt,' zei Ian McEvoy. 'Moet je hem zien.'

Ik zou het niet hebben gedaan als het een van de anderen was geweest. Dat wisten ze, het kon ze niks schelen;

het was Edward Swanwick maar.

'Ik moet zeggen,' zei de verslaggever, 'die Alan Gilzean maakt wel een heel drama van zo'n onbenullig tikje.'

Het rare was dat Aidan anders nooit zo was – zo geestig – als hij gewoon zichzelf was, als hij geen verslaggever was. Tweeënveertig-achtendertig voor Noord-Ierland. Kevins nek begon rood te worden; hij ging verliezen. Het was grandioos. Het was al bijna donker. Mevrouw O'Keefe was het eindsignaal. Dat kon elk moment klinken.

'Barrytown United.'

'Barrytown Rovers.'

We waren namen aan het verzinnen.

'Barrytown Celtic.'

'Barrytown United is de mooiste.'

Dat zei ik. Het moest en zou United worden. We zaten in de achtertuin van de O'Keefes. Meneer O'Keefe zat op een steen. Hij rookte een sigaret.

'Barrytown Forest,' zei Liam.

Meneer O'Keefe lachte maar hij was de enige.

'United.'

'Nooit van z'n leven!'

'Laten we stemmen,' zei Ian McEvoy.

Meneer O'Keefe wreef in zijn handen.

'Dat lijkt me inderdaad de beste oplossing,' zei hij.

'Het wordt United.'

'Dat had je gedroomd!'

'Shhhh,' zei meneer O'Keefe. 'Even rustig. Mooi, oké; wie voor Barrytown Forest is steekt zijn hand op.'

Liam stak zijn hand een klein beetje omhoog en liet hem toen weer zakken. Niemand. We juichten.

'Barrytown Rovers?'

Niemand.

'Barrytown... United.'

De jongens die voor Manchester United en voor Leeds United waren, staken allemaal allebei hun handen omhoog. Niemand uitgezonderd, behalve Sinbad.

'Barrytown United wint,' zei meneer O'Keefe. 'Met een ruime meerderheid van stemmen. Welke naam had jij gewild?' vroeg hij aan Sinbad.

'Liverpool,' zei Sinbad.

Het was zo grandioos om in een team te spelen dat United heette, dat we niet eens de moeite namen om Sinbad te pakken voor die opmerking.

'Joe-naai-ted!

Joe-naai-ted!'

Ik hield mijn armen recht voor me uit tot ze pijn deden en draaide rond. Ik voelde de lucht tegen mijn armen die probeerden te voorkomen dat ze te snel gingen, alsof je ze door het water trok. Ik hield vol. Ogen open, kleine stapjes in een kringetje; mijn hielen stampten in het gras, maakten het drassig; heel snel – het huis, de keuken, de heg, de achterkant, de andere heg, de appelboom, het huis, de keuken, de heg, de achterkant – en nog liet ik mijn voeten niet stoppen. Ik waarschuwde mezelf nooit. Ik liet het gewoon gebeuren – de andere heg, de appelboom, het huis, de keuken – stop – op de grond, op mijn rug, zwetend, hijgend, alles nog draaiend. De lucht – steeds maar rond – bijna wilde ik overgeven. Nat van het zweet, koud en warm. Kokhalzen. Ik moest daar blijven liggen tot het over was. Almaar rond; het ging beter als ik mijn ogen openhield, als ik probeerde mijn ogen op iets te richten en dat op te laten houden met draaien. Snot, zweet, steeds maar weer, almaar weer rond. Ik wist niet waarom ik het deed; het was verschrikkelijk; misschien was dat de reden. Voor het zover was, was het leuk, het rondtollen. Het stoppen was het vervelende, en wat daarna kwam. Maar daar viel niet aan te ontkomen; ik kon niet eeuwig blijven rondtollen. Het bijkomen. Tegen de grond geplakt. Ik voelde de aarde draaien. De zwaartekracht drukte me omlaag, hield me vast, mijn schouders; pijn aan mijn schenen. De aarde was rond en Ierland zat tegen de zijkant geplakt; dat dacht ik als ik rondtolde: dat ik van de wereld afviel. Het ergste was als er niks in de lucht was, niks waaraan je je kon vastklampen, blauw, blauw en nog eens blauw.

Ik heb maar één keer overgegeven.

Het was gevaarlijk om meteen als je je avondeten op had dingen te doen. Als je ging zwemmen kon je verdrinken. Ik ging er tot mijn navel in om te zien wat er gebeurde – verder ging ik niet – alleen om het uit te proberen. Er gebeurde niks. Het water was hetzelfde; de stroming niet sterker. Maar dat zei niet veel. Een beetje in het water staan was niet hetzelfde als zwemmen. Je zwom pas echt als je voeten minstens vijf seconden de bodem niet meer raakten. Dat was zwemmen; dan verdronk je als je net je buik vol had. Je buik was te vol en te zwaar. Je armen en benen konden je niet omhooghouden. Je kreeg water binnen. Dat kwam in je longen. Het duurde eeuwen voor je dood was. Ronddraaien was hetzelfde, alleen ging je niet dood, tenzij je op je rug lag als je moest overgeven en je niet op je zij ging liggen omdat je was flauwgevallen of zoiets, of je hoofd had gestoten en je bewusteloos was met je mond vol kots. Dan stikte je, tenzij iemand je op tijd zag en je redde; dan draaiden ze je om en bonkten op je rug om ruimte te maken in je keel om lucht door te laten. Je snakte naar adem en hoestte; dan deden ze voor alle zekerheid mond-op-mondbeademing. Dan drukten ze hun lippen op jouw lippen en jouw lippen zaten onder het braaksel. Misschien kotsten ze dan zelf over jou heen. Het zou een man kunnen zijn, een man die me zoende; of een vrouw.

Zoenen was stom. Dat je je ma een zoen gaf voor je naar school ging was nog tot daar aan toe, maar iemand zoenen omdat je haar aardig vond – omdat je haar mooi vond – dat was hartstikke stom. Het sloeg nergens op. De man boven op de vrouw als ze op de grond lagen of in een bed.

'Bed. Zeg het voort.'

We glipten de slaapkamer van Kevins ma en pa binnen en keken naar hun bed. We lachten. Kevin drukte me op het bed en wilde me niet laten gaan; hij hield de knop aan de andere kant vast.

Toen ik moest overgeven van het ronddraaien viel ik niet flauw of zoiets. Ik wist gewoon dat ik moest overgeven toen ik op het gras lag na te zijn uitgeteld – het gras was warm en stug – dus probeerde ik op te staan maar ik zakte door een knie en toen gaf ik over; geen echt braaksel, voedsel van boven op de stapel in mijn buik. Mijn ma zei dat je je eten goed moest kauwen voordat je het doorslikte. Dat deed ik nooit; dat was zonde van je tijd en vervelend. Soms deed mijn keel zeer als ik iets groots had doorgeslikt; ik wist dat het pijn zou doen maar het was te laat om het tegen te houden, het was al te ver naar binnen, ik kon er niks tegen doen. Gekookte aardappelen, grote stukken spek met vet eraan, kool, dat kwam eruit. Kwarktaart, aardbeien. Melk. Ik kon precies zien wat het allemaal was. Ik voelde me beter, sterker. Ik stond op. Het was in de achtertuin. Het tolde een beetje in mijn hoofd – huis, keuken – maar toen was het over. Ik keek naar mijn kleren. En naar mijn benen. Ze waren niet geraakt. Mijn schoenen waren ook schoon. Alles lag op de grond. Als hutspot op een bord. Moest ik het opruimen? Het lag niet op een vloer of een pad. Maar het lag in de tuin, niet in een veld of in de tuin van iemand die we niet kenden. Ik wist het niet goed. Ik liep naar de keukendeur. Ik draaide me om en keek. Ik kwam er niet achter of ik het van daaruit zag liggen of niet. Ik keek die kant op omdat ik wist dat het daar lag. Ik liep om het huis heen naar de voortuin en frunnikte een beetje aan de bloemen. Toen liep ik weer dezelfde weg terug en kwam bij de keuken en keek en ik zag er eigenlijk niks van. Ik liet het liggen. Elke dag keek ik ernaar. Het werd steeds harder en donkerder. Ik gooide het spek in de tuin die aan onze achtertuin grensde, die van de Corrigans. Ik liet het over de schutting vallen zodat ze niks door de lucht zagen vliegen als ze naar buiten stonden te kijken. Ik wachtte of ik geschreeuw hoorde. Niks. Ik waste mijn handen. De rest van het braaksel verdween. Het was slijmerig en zag er echt uit als het had geregend. Toen was het weg. Dat duurde ongeveer twee weken.

'Is 't nog te vroeg in de ochtend om op te staan?'
    'Ja.'

'Ga terug jullie bed in, jongens.'

De tafel was nog niet afgeruimd. De borden van het eten van de vorige avond stonden er nog. Ma zette mijn kom cornflakes boven op een vies bord.

Dat vond ik maar niks. 's Ochtends hoorde de tafel schoon te zijn. Met niks erop behalve het peper-en-zout-stel in het midden en de fles ketchup met niet te veel uit-gedroogde ketchup rond de dop – dat kon ik niet uitstaan – en de tafelmatjes, met een lepel op dat van mij en Sin-bad. Zo was het altijd geweest.

Onder het eten zorgde ik dat geen enkel deel van mijn lichaam de tafel raakte. Ik pakte Sinbads lepel en legde de mijne ervoor in de plaats. Hij zat op de wc. Hij zou wel weer naast de pot plassen. Dat deed hij altijd. Hij was bang dat de bril op hem zou vallen. Hij was maar van plastic en heel licht, maar toch was hij er bang voor. Ik was veel groter dan hij, dus ik hoefde alleen het deksel op te tillen om in de pot te kunnen plassen. Ik plaste er nooit veel naast en ik veegde het altijd af. Altijd. Wc's waren bronnen van ziektes. Als er ooit een rat in je huis kwam, dan zou hij meteen de wc opzoeken.

Ma was druk in de weer.

Het was stom, om niet 's avonds af te wassen. Dan was het eten nog zacht en ging het er gemakkelijk af; het liet los in het water. Maar nu zou ze er flink op moeten boe-nen. Ze zou flink de handen uit de mouwen moeten ste-ken. Bloed, zweet en tranen. Daar zou ze een kluif aan hebben. Haar verdiende loon. Dan had ze het de vorige avond maar moeten doen; dat was het juiste moment om af te wassen.

De ochtend was het begin van een nieuwe dag; alles hoorde schoon en opgeruimd te zijn. Vroeger moest ik op een stoel gaan staan als ik bij de gootsteen wilde spelen; ik herinner me dat ik de stoel voor me uit schoof en het lawaai dat dat maakte, alsof hij zich probeerde te verzetten. Nu had ik de stoel niet meer nodig. Ik hoefde me niet eens erg uit te rekken om bij de kranen te kunnen. Als de gootsteen te vol was, werd mijn trui nat als ik me eroverheen boog. Bij truien wist je nooit meteen of je nat was, pas als je echt doorweekt was. Ik speelde bijna nooit meer aan de gootsteen. Stom was het. De buren konden je door hun raam zien en je kon overdag de gordijnen niet dicht doen. Dinsdags, donderdags en zaterdags was het mijn beurt om af te wassen. Ik had mijn ma laten zien dat ik bij de kranen kon en dat was ervan gekomen; ze zei dat ik op die drie dagen dan mooi kon afwassen. Af en toe hoefde ik het niet te doen van haar, soms zonder dat ik het vroeg. Ik waste af. Sinbad droogde af, maar hij bakte er niks van. Wat een slome. Het kostte jaren voor hij zelfs maar een bord kon vasthouden als hij tegelijk een theedoek in zijn hand hield. Hij vertrouwde zijn handen niet met die doek ertussen. Het enige wat hij leuk vond waren de kopjes, want die waren gemakkelijk vast te houden. Hij legde de theedoek over zijn vuist en zette het kopje ondersteboven op zijn vuist en draaide het kopje dan rond op zijn vuist. Ik zorgde wel dat hij geen schuimbel op de bodem liet zitten. Schuimbellen waren niet om te drinken; ze smaakten naar vergif.

Hij wilde me niet laten kijken.

'Laat zien.'

'Nee.'

'Laat zien.'

'Nee.'

'Ik pak je, hoor.'

'Dit is mijn werk.'

'Ik ben de baas.'

'Wie zegt dat?'

'Ma.'

'Ik wil niet.'

'Dat zal ik tegen haar zeggen. Ik ben de oudste.'

Hij hield het kopje omhoog om mij erin te laten kijken.

'Oké,' zei ik. 'Goedgekeurd.'

Hij bond altijd in als ik hem zei dat ik de oudste was. Hij zorgde dat het kopje plat op de tafel stond voor hij het losliet en als hij het losliet sprong hij weg, zodat hij niet de schuld zou krijgen als het zou vallen. Als ik iets mocht doen en hij niet, dan hoefden ma en pa hem er alleen maar aan te herinneren dat ik ouder was dan hij en dan hield hij op met zeuren. Soms kreeg hij ook weleens kleinere kerstcadeaus en minder zakgeld op zondag maar daar zat hij niet mee.

'Ik ben blij dat ik jou niet ben,' zei ik tegen hem.

'Ik ben blij dat ik jou niet ben,' zei hij terug.

Ik geloofde hem niet.

Hij hield een kopje voor me omhoog, uit zichzelf.

'Schuimbellen,' zei ik.

'Waar?'

'Daar.'

En ik spatte ze in zijn ogen. Ma kwam de keuken in toen ze hem hoorde.

'Ik wilde het niet in zijn ogen spatten,' zei ik haar. 'Hij had ze dicht moeten doen.'

Ze zorgde dat hij ophield met huilen; daar was ze ontzettend goed in. In een paar seconden was 't jantje-huilt, jantje-lacht.

Het was donderdagochtend. Woensdagavond hoefden wij nooit af te wassen. Zij had het moeten doen. Ik vroeg het haar.

'Waarom heb je niet afgewassen?'

Er gebeurde iets toen ik het vroeg; het zat in mijn stem, een verschil tussen het begin en het eind. De reden – opeens wist ik het. De reden waarom ze niet had afgewassen. Ik was een keer in een lift geweest – twee keer – omhoog, en toen weer omlaag. Dit was net alsof ik omlaagging. Bijna had ik mijn zin niet afgemaakt: ik wist het antwoord. Onder het spreken kwam het bij me op. De reden.

Ze gaf antwoord.

'Ik ben er niet aan toe gekomen.'

Ze loog niet maar dat was niet het goede antwoord.

'Het spijt me,' zei ze.

Ze glimlachte naar me. Maar het was geen echte glimlach, geen blije.

Ze hadden weer ruzie gehad.

'Daar zul je een hele kluif aan hebben,' zei ik.

Een van hun stille.

Ze lachte.

Waarbij ze fluisterend schreeuwden en tierden.

Ze lachte naar me.

En zij was altijd de eerste die begon te huilen en hij bleef maar op haar inhakken met zijn gebaren en zijn woorden.

'Dat weet ik,' zei ze.

De eerste keer was het niet zo gegaan. Zij had gehuild

en ze waren opgehouden. Na die ruzie was alles koek en
ei.

'Je zult de armen flink uit de mouwen moeten steken.'

Ze lachte weer.

'Wat ben jij toch een kletsmajoor, Patrick,' zei ze.

Leuk was dat. We hoefden niet te huichelen, of net te
doen alsof we niks hoorden. Sinbad kon helemaal niet
doen alsof. Hij kon niet luisteren zonder te kijken. Alsof
alles televisie was. Ik moest met hem de kamer uit.

'Wat is er aan de hand?'

'Ze hebben ruzie.'

'Nietes.'

'Wel waar.'

'Waarom?'

'Zomaar.'

En als het voorbij was, dan zei Sinbad altijd dat er niks
was gebeurd; hij was het alweer vergeten.

'Bloed, zweet en tranen,' zei ik tegen haar.

Ze lachte weer, maar niet zo goed als daarvoor.

De eerste ruzie was voorbij. Mijn pa had gewonnen
want mijn ma had gehuild; door hem. Het was voorbij; alles was weer net als vroeger, maar beter. De ruzie was
voorbij, geen ruzies meer. Ik stapelde de borden op elkaar
en legde alle vorken en messen op het bovenste bord, allemaal met hun punten dezelfde kant op. Nu kwam er geen
einde meer aan de ruzies. Soms was het een tijdje rustig,
soms een lange tijd, maar daar geloofde ik niet meer in.
Dat waren maar pauzes. Ik duwde de borden langzaam
naar de rand toe totdat het schuin omhooglopende deel
van het onderste bord uitstak over de rand van de tafel. Ik
vroeg me af of mijn hersens sterk genoeg waren om mijn

armen ze verder te laten duwen.

'Ze zouden ze in de kneuzenklas moeten zetten.'

Kevin had gelijk. We haatten ze. Het was september, de eerste schooldag na de vakantie, en twee van de jongens van de Corporatie-huizen waren bij ons in de klas geplaatst. Charles Leavy en Seán Whelan heetten ze. Henno schreef hun namen in het klasseboek.

'Moet je tegen hem zeggen,' zei ik.

Ik fluisterde het.

'Wat?' vroeg Kevin.

'Dat er plaats voor ze is in de kneuzenklas.'

'Oké.'

Kevin stak zijn vinger op. Ik geloofde mijn ogen niet. Ik had maar een geintje gemaakt; we waren er gloeiend bij als Kevin dat zou zeggen. Ik probeerde Kevins arm te grijpen zonder geluid te maken.

Henno zat over het klasseboek gebogen en schreef heel langzaam. Kevin knipte met zijn vingers.

'*Sea?*'[1] zei Henno.

Hij keek niet op.

Kevin begon te praten.

'*An bhfuil cead agam dul go dtí an leithreas?*'[2]

'*Níl*,'[3] zei Henno.

'Gefopt,' fluisterde Kevin.

We hadden Henno voor het tweede jaar, de vierde klas. Ik was tien. De meeste anderen waren tien. Ian McEvoy was pas negen maar hij was bijna tien en hij was de grootste van de klas. Charles Leavy was twee maanden jonger

1 Ja?   2 Mag ik even naar de wc?   3 Nee.

dan ik; ze moesten zeggen hoe oud ze waren en Henno schreef dat op in zijn boek. Seán Whelan was bijna precies even oud als ik. Hij moest stoppen toen hij Henno zijn geboortedatum zei; hij wist de dag en de maand maar hij moest nadenken voor hij het jaar zei. Ik zag het aan hem.

'Stommerik.'

Hij moest naast David Geraghty gaan zitten. Hij struikelde bijna over David Geraghty's krukken. We lachten.

'Wat is er zo lollig?' vroeg Henno, maar hij was druk bezig; het kon hem niet schelen.

Seán Whelan wist dat hij werd uitgelachen. Hij keek gekwetst maar probeerde mee te doen, maar hij begreep er niks van.

'Zie je dat, hij lacht zichzelf uit!'

Toen was Charles Leavy aan de beurt. Henno moest voor hem ook een plaatsje vinden.

Henno stond op.

'Zo.'

Twee jongens hadden een bank voor zich alleen. Liam was er een van. Niemand was naast hem gaan zitten toen hij de plek achteraan bij het raam, de beste bank, inpikte. Hij keek opgetogen; hij had verwacht dat ik of Kevin op hem zouden zijn afgestormd. Hij zat alleen en Fluke Cassidy ook.

'Zo, meneer Leavy. Eens even kijken waar we jou kunnen parkeren.'

Fluke probeerde naar Liams bank te sluipen.

'Blijf op je plaats, meneer Cassidy.'

Daarna wisten we zeker dat hij Charles Leavy naast Fluke zou zetten.

'Daar.' Henno wees op Liams bank.

We lachten. Henno wist waarom.

'Stil-te.'

Het was om te gillen. Liam kon wel inpakken; Kevin en ik zouden niet eens meer met hem willen praten. Ik had dikke pret. Waarom weet ik niet. Ik vond Liam aardig. Maar toch leek het belangrijk. Als je iemands beste vriend wilde zijn – Kevins – dan moest je, met z'n tweeën, de pest hebben aan een heleboel mensen. Dan werd je betere vrienden. En nu zat Liam naast Charles Leavy. Alleen ik en Kevin waren nog over, verder niemand.

David Geraghty was die jongen met kinderverlamming. Daarom zat er niemand naast hem. Je moest hem helpen met zijn schooltas en er hing een geur van medicijnen om hem heen. Ik moest een keer een week naast hem zitten toen ik met spelling een hoog cijfer had gehaald en David Geraghty een laag. Het was grandioos. Ik had helemaal op de rand van de bank gezeten, bijna ernaast, met één bil buiten boord. Toen was David Geraghty beginnen te praten. En hij zwamde aan een stuk door. De hele dag, door de zijkant van zijn mond, want de andere kant was verlamd. Je kon het nauwelijks verstaan maar het was geen gefluister. Henno kon het horen, dat wist ik zeker, maar hij zei er nooit wat van, waarschijnlijk omdat David Geraghty op krukken moest lopen en verreweg de beste van de klas was.

'Je kunt de haartjes in zijn neus zien, je kunt ze tellen. Vijf in het ene gat en zeven in het andere.'

Elke dag hetzelfde liedje. Toen ik door kreeg dat David Geraghty nooit ergens voor op zijn donder kreeg en ik ook niet omdat ik naast hem zat, ging ik midden op mijn stoel zitten en begon er plezier in te krijgen.

'Hij heeft zeventien haren op z'n kont. Door drie gedeeld is dat vijf, rest twee. Zijn vrouw kamt ze voor hem.
Gach maidin.'[1]

De hele dag door.

Ik mocht een keer zijn krukken proberen. Mijn armen
beefden. Ik kon ze niet lang recht houden. Het waren niet
van die metalen krukken die je kreeg als je je been had gebroken. Het waren van die ouderwetse, van hout en leer,
zoals die van die jongen op de collectebus voor de arme
poliopatiëntjes; je kon ze niet bijstellen. Davids armen
waren zo sterk als benen. Soms hoopte ik dat ik nog eens
naast David Geraghty zou worden gezet, maar ik was altijd blij als het niet gebeurde.

Seán Whelan droeg een bril. Die zat in een zwarte koker die hij boven aan de lessenaar legde, boven de gleuf
voor de potloden en de pennen. Elke keer als Henno in de
buurt van het schoolbord kwam, pakte Seán Whelan de
koker en als Henno iets op het bord schreef, haalde hij de
bril eruit en zette hem op. Elke keer als Henno ophield,
zette hij hem af en als Henno weer begon, zette hij hem
weer op. Een poosje keek ik niet naar Henno maar alleen
naar Seán Whelan. Ik kon zien waar Henno was door naar
Seán Whelans hand te kijken. Hij kroop naar de koker toe,
stopte en schoof terug naar zijn zij; weer omhoog naar de
koker, hem oppakken, openmaken en de bril opzetten. Hij
zette hem af en deed zijn handen weer langs zijn zij. Ik
wachtte tot hij weer in beweging kwam. Henno hield op
met praten. Ik bleef naar Seán Whelan kijken en wachtte

---

1 Elke ochtend.

op een teken. Seán Whelan bleef strak naar het achterhoofd van Thomas Bradshaw kijken. Hij keek even snel naar mij. En op dat moment sloeg Henno me, een harde klap achter op mijn hoofd. Seán Whelan had de grootste lol, ik zag hem nog net voor ik wegdook en mijn ogen dichtkneep in afwachting van de volgende klap.

'Wakker worden, meneer Clarke!'

De klas lachte en hield ermee op.

Henno had zijn open hand gestrekt gehouden; hij was zo hard als een plank. Dat zou ik Seán Whelan betaald zetten. Het was zijn schuld. Ik zou zijn brillekoker pakken en daar wat mee doen, en met de bril. Hij had bruin krulhaar. Het groeide recht omhoog maar iemand, waarschijnlijk zijn ma, had geprobeerd het opzij te kammen. Het was net alsof hij een halve bergtop op zijn hoofd had. Hem zou ik gemakkelijk aan kunnen. Hij zou niet terugslaan. Hij zou ervan lusten. Hij zag er niet gevaarlijk uit.

Zoals Charles Leavy.

Charles droeg plastic sandalen, blauwe. We vonden ze belachelijk maar we pasten wel op. De eerste dag had hij helemaal niks bij zich toen hij op school kwam. Toen Henno hem vroeg waarom niet zei hij niks, hij keek alleen naar zijn mouwen op de lessenaar. Hij kromp niet in elkaar. Een van zijn ellebogen was bijna helemaal doorgesleten. Je kon zijn blouse er gemakkelijk doorheen zien. Zijn haar was heel kort, overal op zijn hoofd. Af en toe stak hij zijn nek uit en gooide zijn hoofd met een ruk opzij, alsof hij een bal kopte maar niet de moeite nam ernaar te kijken. Hij keek, en ik keek de andere kant op. Ik kreeg een kleur, van angst.

'Ierse boeken. *Leabhair Gaeilge.*[1] Bladzijde. Welke bladzijde had je gedacht, meneer Grimes?'

'Bladzijde één, meester.'

'Juist.'

'*A h-aon,*[2] meester.'

'Dank je, meneer Grimes. *Sambo san Afraic.*[3] Daar zit hij in zijn kano.'

We gniffelden; om de manier waarop hij Kano had gezegd. Het plaatje onder de titel van het verhaal was zwart en rood op het wit van de bladzijde, een zwarte jongen met bloot bovenlijf in een rode kano onder zwarte bomen, het oerwoud. Ik keek naar de ene kant. Liam deelde zijn boek met Charles Leavy. Hij drukte zijn hand op het midden van het boek zodat het open bleef liggen. Charles Leavy wachtte tot Liam klaar was, en boog zich toen voorover om het te lezen. Naar de andere kant: Seán Whelan had zijn eigen boek, gekaft met behangpapier. Als hij las, had hij zijn bril niet op.

In de kleine pauze, die van elf uur, gaf ik, toen we in de rij stonden om weer naar binnen te gaan, Seán Whelan een duw.

'Kijk uit, joh.'

Seán Whelan zei niks en deed niks. Hij keek alsof hij zich vast had voorgenomen me niet aan te kijken, en dat vond ik prima. Ik drong voor om naast Kevin te komen.

'Ik ga Whelan in elkaar slaan,' zei ik tegen Kevin.

'Zal best,' zei Kevin.

Ik was verbaasd, geschokt bijna.

'Echt,' zei ik. 'Zonder dollen. Hij duwde me.'

---

1 Ierse boeken.   2 Een   3 Sambo in Afrika.

Nu moest ik hem wel in elkaar slaan. Ik keek om naar Seán Whelan. Hij kon op een bepaalde manier langs je heen kijken, recht vooruit maar om een hoekje.

Hij was er geweest.

De vechtpartij kwam totaal onverwacht. Ik wilde wachten op een geschikte aanleiding maar Kevin duwde me tegen Seán Whelan aan – dat gebeurde buiten het hek, aan de overkant van de straat in het veld dat werd omgespit – en Seán Whelan gaf me een por met zijn elleboog of zijn elleboog was daar toevallig en ik begon hem te stompen en hij stompte terug en dat had ik ook niet verwacht. Ik zwaaide afwerend met mijn vuisten; ik had geen tijd om me voor te bereiden, om eraan te denken dat ik hem goed moest raken en nu was het te laat. Seán Whelans hoofd raakte mijn kin; mijn tanden klapten op elkaar. Ik deed een stap achteruit, buiten het bereik van Whelans vuisten, en schopte. Ik haalde uit met mijn linkervoet en schopte nog een keer. Seán Whelan probeerde mijn voet vast te houden om me op de grond te gooien. Ik wist mijn voet los te rukken en bleef overeind. Seán Whelan ging achteruit, de jongens achter hem lieten hem gaan, omdat ik hem nog een schop wilde geven. Ik sprong op hem af en schopte. Een voltreffer. Een harde knal tegen zijn knie. Hij sloeg achterover alsof zijn benen onder hem waren uitgeslagen. Hij kreunde. Ik had hem: ik ging winnen. Nou zou ik hem bij zijn haar pakken en een knietje geven in zijn gezicht. Dat had ik nog nooit gedaan. Bijna had ik het een keer bij Sinbad gedaan, maar hem aan zijn haar omlaagtrekken was genoeg geweest; hij had het uitgeschreeuwd en ik kon mijn been niet hard omhoogkrijgen; ik kon het optillen maar niet om hem een ram te verkopen. Maar Seán Whelan was Sinbad niet. Ik greep een pluk van zijn stomme haar...

Van de pijn kon ik geen woord uitbrengen, even stond ik te wankelen op mijn benen.

Ik had een flinke trap gekregen, vlak onder mijn linkerheup en tegen de toppen van twee vingers. Seán Whelan lag voor me op de grond. Het duurde even voor ik...

Charles Leavy had me geschopt.

Dit was niet leuk meer. Dit was menens. Ik wilde naar de wc. Mijn vingers tintelden alsof ze waren opgezwollen van de kou. Seán Whelan stond inmiddels tussen de anderen, alsof hij erbij hoorde. Ik probeerde te doen alsof ik hem nog steeds te lijf wilde.

Op dezelfde plek. Charles Leavy gaf me nog een schop.

Niemand kwam tussenbeide. Niemand zei wat. Niemand stak een poot uit. Ze wisten het. Ze zouden een vechtpartij te zien krijgen zoals ze die nog nooit hadden gezien. Bloed, tanden, gescheurde kleren. Botbreuken. Op leven en dood.

Ik kon me niet langer groothouden. Ik wou dat ik Seán Whelan niet had geschopt. Ik kon Charles Leavy niet terugschoppen. Ik kon geen kant op. Ik moest opgeven; dat was de enige manier.

Hij schopte me.

'Hé daar! Kap daarmee!'

Het was een van de werklui. Hij zat op een muur. Die was hij aan het bouwen. Sommige jongens renden weg toen ze hem hoorden en bleven stilstaan om te zien wat er zou gebeuren.

'Schoppen mag niet', zei de werkman. 'Dat is geen manier van vechten.'

Hij had een enorme pens. Ik herinnerde het me weer: we hadden dingen naar hem geroepen en hij had ons in het begin van de zomer achternagezeten. 'Schoppen mag niet,' zei hij nog eens.

Kevin stond verder van hem vandaan dan ik.

'Bemoei je met je eigen zaken, vetzak.'

We gingen ervandoor. Het was grandioos. Ik huilde bijna. Ik hoorde mijn boeken en schriften in mijn school- tas bonken, een geluid als van een galopperend paard. Ik was ontkomen. De pijn van het lachen was fantastisch. Toen we bij de nieuwe weg kwamen, bleven we staan.

Niemand had partij voor me gekozen toen Charles Leavy bezig was me lens te schoppen; ik had even tijd no- dig om daaraan te wennen, om er een reden voor te ver- zinnen. Om het te begrijpen. De stilte, het wachten. Ze stonden allemaal te kijken. Kevin stond naast Seán Whe- lan. Ook te kijken.

Er stond een reusachtige bruine koffer onder het bed van onze ouders. Hij leek van leer maar maakte een geluid als- of hij van hout was. Er zaten barstjes in. Als ik er hard over wreef, kreeg ik een bruine vlek op mijn hand. Er zat niks in. Sinbad stapte erin. Hij ging liggen alsof het zijn bed was. Ik deed het deksel dicht.

'Hoe vind je 't?'

'Leuk.'

Ik pakte aan een kant het veerslot en klapte het dicht; het gaf een luide klik. Ik wachtte of Sinbad iets zou doen. Het andere slot klapte ik ook dicht.

'En hoe vind je 't nu?'

'Nog steeds leuk.'

Ik ging weg. Ik stampte met mijn voeten op de grond, boem boem op het zeil, en ik kwam bij de deur en zwaaide hem open zodat hij zwiepte en sloeg hem dicht met nog net geen klap. Mijn pa sprong uit zijn vel als we met deuren sloegen. Ik wachtte. Ik wilde Sinbad horen trappelen, huilen, met zijn vingers langs de binnenkant van het deksel schrapen. Dan zou ik hem eruit laten.

Ik wachtte.

Terwijl ik de trap afliep zong ik een liedje.

'SON YOU ARE A BACHELOR BOY...
AND THAT'S THE WAY TO STAY-EE-AY.'

Ik sloop weer naar boven; de treden die kraakten sloeg ik over. Ik kroop naar de deur. Het was grandioos. Maar opeens stond ik overeind en was de deur door; ik was me rot geschrokken.

'Sinbad?'

Ik drukte het lipje omlaag om het slot open te maken. Het schoot uit en ik bezeerde mijn hand.

'Francis.'

Het andere wilde niet omlaag, dat ding met die veer. Ik trok een hoek van het deksel omhoog maar dat lukte maar een klein stukje; ik kon niks zien. Ik kon er krap twee vingers tussen krijgen maar ik voelde niks en ik schaafde mijn huid. Ik hield mijn vingers daar zodat er lucht in kon, maar toen voelde ik dat erin werd gebeten, dat dacht ik tenminste.

Ik hoorde iemand jammeren. Dat was ik.

Ik deed de deur achter me dicht zodat niks me achterna kon komen. De hele trap af moest ik me aan de leuning vasthouden. Het was donker in de gang. Mijn pa was in de woonkamer maar de televisie stond niet aan.

Ik vertelde het hem.

Hij stond alleen op; hij zei niks. Ik had hem niet verteld dat ik hem op slot had gedaan, alleen dat ik hem niet open kon krijgen. Toen hij in de gang was, wachtte hij op me.

'Laat zien,' zei hij.

Hij liep achter me aan de trap op. Hij kon veel harder de trap oplopen dan ik maar dat deed hij niet. Sinbad mankeerde vast niks.

'Gaat 't goed, daarbinnen, Francis?'

'Misschien slaapt-ie,' zei ik.

Mijn pa drukte en het slot klikte open. Hij tilde het deksel op en Sinbad lag er nog in, klaarwakker; zijn ogen waren open. Hij draaide zich op zijn buik, drukte zich omhoog, stond op en stapte eruit. Hij zei niks. Hij stond daar maar. Hij keek ons niet aan of zo.

Pa vond zichzelf een hele piet omdat hij in dezelfde kamer kon zitten als waar de televisie stond zonder er ooit naar te kijken. Hij keek alleen naar het Journaal, verder niet. Hij las de krant of een boek of hij zat te soezen. Ik keek hoe de gloeipunt van zijn sigaret steeds dichter bij zijn vingers kwam, maar hij werd altijd op tijd wakker. Hij had zijn eigen stoel. Wij moesten eruit als hij van zijn werk thuiskwam. Ik en Sinbad en ma met de kleintjes op haar schoot pasten er allemaal in. Op een dag regende het, het water viel met bakken uit de hemel; toen zaten we met z'n allen eeuwen in die stoel, alleen om naar de regen te luisteren. Het werd donkerder in de kamer. Mijn ma rook lekker, naar eten en zeep.

Toen ik Sinbad riep, wilde Sinbad geen antwoord geven. Ik en Kevin namen hem te grazen en haakten hem van beide kanten pootje omdat hij niet deed wat we zeiden. Hij huilde maar hij maakte geen geluid. Pas toen ik hem aan-keek, zag ik dat hij huilde.

'Sinbad.'

Hij deed zijn ogen dicht.

'Sinbad.'

Ik moest hem geen Sinbad meer noemen. Hij leek nu niet meer op Sinbad de Zeeman; zijn wangen waren plat-ter. Ik was nog steeds een stuk groter dan hij maar het ver-schil was niet meer zo groot. Als het op vechten aankwam, was ik hem de baas maar de snelheid waarmee hij groeide maakte me bang. Hij liet zich door mij aftuigen en liep dan gewoon weg.

Hij wilde niet meer dat het nachtlampje aan was. Als mijn ma het aandeed voor ze het grote licht uitdeed, stond hij op en deed het uit. Dat lampje was voor hem ge-weest. Hij had het uitgekozen. Het was een konijn dat rood werd als het bolletje erin brandde. Nu was het stik-donker in de kamer. Ik had het nachtlampje weer aan wil-len doen maar dat kon ik niet maken; het was van Sinbad. Ik had het nooit nodig gehad. Ik had gezegd dat ik het stom vond. Ik had me erover beklaagd en gezegd dat ik niet kon slapen als het aan was. Een week lang deed mijn ma het aan en deed Sinbad het uit. Hij deed het licht uit en nou moest ik in het pikkedonker liggen.

Pa had Sinbad te pakken. Hij hield hem aan zijn arm vast en torende ver boven hem uit. Hij had hem nog niet gesla-gen. Sinbad stond met gebogen hoofd. Hij duwde en trok niet om weg te komen.

'Godallemachtig,' zei mijn pa.

Sinbad had suiker in meneer Hanley's benzinetank ge-daan.

'Waarom doe je die dingen? Waarom doe je ze?'

Sinbad gaf hem antwoord.

'De duivel brengt me in verzoeking.'

Ik zag dat pa's vingers zich ontspanden en Sinbads arm loslieten. Hij hield Sinbads hoofd omhoog.

'Huil nou maar niet meer; toe. Dat is nergens voor nodig.'

Ik begon te zingen.

'I'LL TELL MY MA WHEN I GO HOME...
THE BOYS WON'T LEAVE THE GIRLS ALONE.'

Pa zong mee. Hij tilde Sinbad op en slingerde hem rond. Daarna mocht ik.

De eerste keer dat ik het hoorde, herkende ik het maar ik wist niet wat het was. Ik had het geluid vaker gehoord. Het kwam uit de keuken. Ik zelf was in de gang. Ik lag op mijn buik. Ik knalde een Rolls-Royce tegen de plint aan. Er was een stukje verf af en elke keer werd het een beetje groter. Het gaf een hartstikke mooie dreun. Mijn ma en pa zaten te praten.

Toen hoorde ik de klap. Het gesprek hield op. Ik griste de Rolls-Royce weg van de plint. De deur zwaaide open. Ma kwam de keuken uit. Bij de trap maakte ze snel een bocht zodat ik niet voor haar uit de weg hoefde te gaan en ging naar boven. Hoe hoger ze kwam, hoe harder ze liep.

Nu wist ik wat dat geluid was geweest. Ik wist wat die klap was geweest, en de slaapkamerdeur ging dicht.

Pa was alleen in de keuken. Hij kwam er niet uit. Deirdre lag in de wieg te huilen; ze was wakker geworden. De achterdeur ging open en weer dicht. Ik hoorde pa's voetstappen op het pad. Ik hoorde hem om het huis heen naar de voorkant lopen. Ik zag zijn gestalte door het emailglas van de voordeur. Voor hij bij het hek was, viel de gestalte uiteen in gekleurde vlekken en de kleuren verdwenen. Ik kon niet zien welke kant hij was opgegaan. Ik bleef waar ik was. Ma zou weer naar beneden komen. Deirdre huilde.

Hij had haar geslagen. In haar gezicht; pets. Ik probeerde het me voor te stellen. Ik begreep er niks van; hij had haar geslagen. Ze was de keuken uitgelopen, direct naar hun slaapkamer boven.

In haar gezicht.

Ik hield mijn ogen en oren open. Ik bleef binnen. Ik bewaakte haar.

Er gebeurde niks.

Ik wist niet wat ik moest doen. Als ik erbij was zou hij het niet nog eens doen, zo simpel was dat. Ik bleef wakker. Ik luisterde. Ik ging naar de badkamer en goot koud water over mijn pyjama. Om wakker te blijven. Om het niet te behaaglijk en te warm te gaan vinden waardoor ik zou indommelen. Ik liet de deur op een kier staan. Ik luisterde. Er gebeurde niks. Ik deed eeuwen over mijn huiswerk om langer op te kunnen blijven. Ik schreef bladzijden over uit mijn taalboek en deed alsof ik dat moest doen. Ik leerde de spelling van woorden die ik niet had opgekregen. Ik liet me door haar overhoren, nooit door hem.

'S.u.b.j.e.c.t.i.e.f.'

'Goed zo. Substantie?'

'S.u.b.s.t.a.n.t.i.e.'

'Goed zo. Prima gedaan. Heb je nog meer huiswerk?'

'Ja.'

'Wat dan? Laat eens zien.'

'Schrijfoefeningen.'

Ze keek naar de bladzijden in het boek die ik haar liet zien, twee bladzijden zonder plaatjes, en naar de bladzijden die ik al af had.

'Waarom moet je dat allemaal doen?'

'Voor m'n handschrift.'

'O, mooi.'

Ik deed het aan de keukentafel en toen ze de woonkamer in ging, liep ik achter haar aan. Toen ze de meisjes naar bed bracht zat hij bij mij in de kamer, dus dat kon geen kwaad. Ik vond het overschrijven leuk; ik deed het met plezier.

Hij glimlachte naar me.

Ik hield van hem. Hij was mijn pa. Ik begreep er niks van. Zij was mijn ma.

Ik ging de keuken in. Ik was alleen. Alle geluiden kwamen van boven. Ik gaf een klap op de tafel. Niet te hard. Ik deed het nog eens. Het was hetzelfde soort geluid. Maar het klonk doffer, hol. Misschien klonk het van buiten de keuken anders. Vanuit de gang, waar ik was geweest. Misschien was dat het, misschien had hij op de tafel geslagen. Uit woede. Dan was er niks aan de hand. Ik deed het nog eens. Ik was er nog steeds niet uit. Het was een aanlokkelijke gedachte. Ik sloeg met de zijkant van mijn hand. Zij was de keuken uitgekomen en direct naar hun slaapkamer gegaan. Ze had niks gezegd. Ze had me haar gezicht niet laten zien. Op weg naar boven ging ze harder lopen. Maar niet omdat hij op de tafel had geslagen. Ik deed het nog een keer. Ik probeerde boos te worden en het dan te doen.

Misschien omdat hij boos was geworden. Misschien was ze daarom langs mij de trap opgelopen, en had ze haar gezicht niet laten zien. Misschien.

Ik wist het niet.

Ik ging terug naar de woonkamer. Hij wilde mijn spelling overhoren. Van mij mocht-ie. Ik maakte één fout, expres. Ik weet niet waarom ik dat deed. Ik deed het gewoon, zonder speciale reden; ik liet de t weg in Subjectief.

Ik hield mijn oren en ogen open. Ik maakte mijn huiswerk.

Ik kwam vrijdag tussen de middag thuis.

'Ik zit in de beste bank.'

Het was waar. Ik had de hele week geen fout gemaakt. Al mijn sommen waren goed. Ik had de tafel van twaalf binnen de dertig seconden opgezegd. Mijn handschrift was

'Aanmerkelijk vooruitgegaan.'

Ik had mijn tas ingepakt en was naar voren gekomen en naar de beste bank in het lokaal gelopen. Henno had mij een hand gegeven.

'Ik ben benieuwd hoe lang je het daar volhoudt,' zei hij. 'Knap gedaan, meneer Clarke.'

Ik zat naast David Geraghty.

'Hoi-hoi.'

'Ik zit in de beste bank,' zei ik later tegen mijn pa.

'O ja, werkelijk?' zei hij. 'Dat is geweldig.'

Hij gaf me een hand.

'Laat nog 's horen. Subjectief?'

'S.u.b.j.e.c.t.i.e.f.'

'Goed zo.'

Het gras was nat hoewel het niet had geregend. De dag was te kort om het te drogen. De school was uit; het zou gauw donker worden. Er was een nieuwe greppel. Hij was ontzettend groot, ontzettend diep. De bodem was modderachtig, niet klonterig; alles was nat.

'Drijfzand.'

'Niks hoor.'

'Waarom niet?'

'Het is gewoon modder.'

Aidan stond erin.

Liam en Aidan hoefden soms niet naar school. Dan mochten ze thuisblijven van hun pa als ze braaf waren geweest. We zagen de nieuwe witte stokken boven het gras uitsteken. We wisten dat het bakens waren en we liepen erheen om te zien wat ze afbakenden, en Aidan was in de greppel. En hij kon er niet uit. Hij had niets om zich aan vast te houden.

'Hij zinkt.'

Ik keek.

Een van zijn laarzen was weggezakt in de smurrie, tot aan zijn knie. Ik keek naar dat been; ik telde tot twintig. Het zakte niet dieper weg. Liam was weggegaan om een ladder of een touw te halen. Ik hoopte dat het een touw zou zijn.

'Hoe is hij erin gekomen?'

Dat was een stomme vraag. Het was ons allemaal weleens overkomen. Erin was nooit een probleem. Dat was een koud kunstje, altijd. Je dacht er alleen nooit aan hoe je er weer uit moest komen.

Ik keek nog eens naar Aidans been. Zijn knie zat nu ook onder de modder. Hij zonk. Hij probeerde zich aan de zijkant vast te houden, hij probeerde overeind te blijven, hij probeerde niet te huilen. Daarvoor had hij al gehuild; dat kon je aan zijn gezicht zien. Ik dacht erover om hem met steentjes te bekogelen maar dat hoefde niet.

We zaten op onze schooltassen.

'Kun je verdrinken in modder?' vroeg Ian McEvoy.

'Ja.'

'Nee.'

'Zeg dat nog 's,' fluisterde ik. 'Zodat hij het kan horen.'

Ian McEvoy dacht erover na.

'Kun je verdrinken in modder?'

'Soms.'

'Als je laarzen zijn volgelopen en je kunt er niet uitkomen.'

We deden alsof we niet wisten dat Aidan daar naar ons luisterde. Hij probeerde een been op te tillen en zijn laars aan te houden. We hoorden het zuigende geluid. Kevin maakte het met zijn mond. We deden het allemaal. Aidan gleed uit maar hij viel niet om.

Toen begon ik ongerust te worden. Misschien kon hij echt verdrinken. En wij zouden ernaar staan kijken; we moesten wel. Plotseling voelde het gras heel nat aan. Het zou net zo zijn als in mijn droom, de droom die ik zo nu en dan had, als mijn mond vol met aarde zat, droge zomeraarde; ik kon het niet nat maken en doorslikken. Ik kon mijn mond niet dicht krijgen. Het perste zich in mijn mond, steeds dieper. Mijn kaken deden hartstikke pijn van het gevecht en ik wist dat ik het verloor en dat mijn mond steeds voller zou worden en ik kon niet slikken. Ik kon niet schreeuwen, ik kon niet ademhalen. Liam kwam terug met een ladder en zijn vader en zij redden hem.

Liams pa ging een hartig woordje wisselen met de werklui maar hij wilde niet dat we met hem meegingen.

Keith Simpson was niet in de greppel verdronken. Hij was in een vijver verdronken. De vijver was wel zes of zeven velden verderop, waar ze nog niet eens waren begonnen met bouwen. Het was een prima plek om kikkervisjes te vangen en als er ijs was. Het water was niet diep maar het was slijmerig. Je zou er nooit je blote voet in steken. Het ijs kraakte als je erop ging staan. Het was te klein voor een meer.

Keith Simpson werd erin gevonden. Hij werd gewoon gevonden. Niemand wist hoe hij erin terecht was gekomen.

Mijn ma huilde. Ze kende Keith Simpson niet. Ik ook niet. Hij woonde in een van de huizen van de Corporatie. Ik wist hoe hij eruit had gezien. Klein met sproeten. Ze snotterde en ik wist dat ze huilde. Heel Barrytown was er stil van, alsof het nieuws zich had verspreid zonder dat iemand het had doorverteld. Hij was er met zijn hoofd naar voren ingegleden en zijn jas en trui en zijn broek waren zo nat en zwaar geworden dat hij niet boven kon komen; dat zeiden ze. Het water was in zijn kleren getrokken. Ik zag het voor me. Ik deed mijn sok in de gootsteen en hing hem in het water. Het water kroop door de sok omhoog. De helft van het water trok in de sok.

Ik keek naar het huis. Ik wist welk huis het was. Het was een hoekhuis. Op een keer zag ik een man – het moet Keith Simpsons vader zijn geweest – die bezig was een antenne op het dak te zetten. De gordijnen waren dicht. Ik liep ernaar toe. Ik raakte het hek aan.

Pa sloeg zijn armen om ma heen toen hij thuiskwam.

Op de begrafenis ging hij naar Keith Simpsons ma en pa en gaf ze een hand. Ik zag hem. Ik was er met school; iedereen van school was er, in onze zondagse kleren. Henno liet elk van ons de eerste helft van het Weesgegroetje zeggen en de rest viel in bij de tweede helft, en dat ging zo door tot we naar de kerk werden gebracht. Ma bleef zitten. Er was een enorme rij om handen te schudden, langs het zijpad tot aan de achterkant van de kerk, voorbij de kruiswegstaties. De doodkist was wit. Tijdens het offertorium vielen er een paar missalen op de grond. Dat gaf een geweldige klap. Het enige geluid dat je verder hoorde was iemand die vooraan zat te snikken en het geruis van de gesteven kleren van de pastoor en toen het belletje van de misdienaar. En nog meer gesnik.

We mochten niet mee naar het kerkhof.

'Jullie mogen wel een andere keer komen om voor hem te bidden,' zei juffrouw Watkins. 'Aanstaande zondag. Dat is beter.'

Ze had gehuild.

'Ze willen gewoon niet dat we de kist de grond in zien gaan,' zei Kevin.

De rest van de dag hadden we vrij. We zaten op plat geslagen kartonnen dozen in het veld achter de winkels om te voorkomen dat onze kleren vuil werden en we van onze ma's op onze kop zouden krijgen. Er was maar plek voor drie op de doos en we waren met z'n vijven. Aidan moest staan en Ian McEvoy ging naar huis.

'Hij was mijn neefje,' vertelde ik ze.

'Wie?' vroeg Kevin.

Ze wisten wat ik zou gaan zeggen.

'Keith Simpson,' zei ik.

Ik dacht aan mijn huilende moeder. Hij moest op z'n minst een neefje zijn geweest. Ik geloofde het zelf.

'Hari-kari.'

'Het is hari-kiri,' zei ik.

'Wat betekent dat?' vroeg Ian McEvoy.

'Weet je dat niet eens?' zei Kevin. 'Stommeling.'

'Dat is de manier waarop de Jappen zelfmoord plegen,' vertelde ik Ian McEvoy.

'Waarom?' vroeg Aidan.

'Waarom wat?'

'Waarom plegen ze zelfmoord?'

'Om massa's redenen.'

Het was een stomme vraag. Dat deed er niet toe.

'Omdat ze in de oorlog hebben verloren,' zei Kevin.

'Nog steeds?' vroeg Aidan. 'De oorlog was jaren geleden.'

'Mijn oom was in de oorlog,' zei Ian McEvoy.

'Nee, dat was-ie niet; dat verzin je.'

'Welles.'

'Nietes.'

Kevin pakte zijn arm en draaide hem op zijn rug. Ian McEvoy verzette zich niet.

'Hij was niet in de oorlog,' zei Kevin. 'Of wou jij volhouden van wel?'

'Nee,' zei Ian McEvoy.

Hij gaf het meteen toe.

'Waarom zei je dan dat-ie dat wel was?'

Dat was niet eerlijk; hij had Ian McEvoy los moeten laten toen hij Nee had gezegd.

'Nou, waarom zei je dat?'

Hij trok Ian McEvoys vuist verder langs zijn rug omhoog. Ian McEvoy moest zich vooroverbuigen. Hij gaf geen antwoord; hij kon waarschijnlijk niks verzinnen, niks waardoor Kevin hem zou loslaten.

'Laat 'm met rust,' zei Liam.

Hij zei het alsof hij antwoord gaf op school en wist dat het fout was. Toch had hij het gezegd. Hij stond daar. Hij had het gezegd. Ik hoopte dat Kevin hem zou pakken, omdat hij het had gezegd en niet ik en als Kevin hem pakte, bleef ik buiten schot. Kevin trok Ian McEvoys arm nog wat verder omhoog tot hij helemaal voorovergebogen zat – Ian McEvoy gilde het uit – en toen liet Kevin hem los. Ian McEvoy ging rechtop zitten en deed alsof ze maar een dolletje hadden gemaakt. Ik wachtte af. Liam ook. Er gebeurde niks. Kevin deed niks. Aidan ging door met zijn vragen.

'Moeten ze zelfmoord plegen?'

'Nee,' zei ik.

'Waarom doen ze 't dan?'

'Ze doen 't alleen als ze het echt moeten,' zei ik. 'Of als ze het zelf willen,' zei ik, voor alle zekerheid.

'Wanneer moeten ze het echt?' vroeg Sinbad.

Eigenlijk had ik hem moeten zeggen dat hij zijn kop moest houden en hem misschien een pets moeten verkopen, maar daar had ik geen zin in. Hij had twee snottebellen uit zijn neus hangen hoewel het niet eens zo koud was.

'Als ze een oorlog verliezen en van die dingen,' zei ik.

'Als ze verdrietig zijn,' zei Aidan.

Hij zei het op vragende toon.

'Ja,' zei ik. 'Dat komt voor.'

'Alleen als ze heel verdrietig zijn.'

'Ja.'

'Niet als ze gewoon een beetje in de put zitten.'

'Nee. Zo verdrietig dat je niet kunt ophouden met huilen. Als je ma doodgaat of zoiets. Of je hond.'

Ik dacht er te laat aan: Aidan en Liams ma was dood. Maar ze deden niks, elkaar aankijken of zo. Liam knikte alleen; hij begreep wat ik bedoelde.

Er waren nog twee gezinnen met een dode ma of pa. De Sullivans hadden een dode ma en de Rickards hadden een dode pa. Meneer Rickard was doodgegaan bij een auto-ongeluk. Mevrouw Sullivan was gewoon doodgegaan. De Rickards waren verhuisd toen meneer Rickard was gestorven maar ze waren teruggekomen. Ze waren niet erg lang weggebleven, nog niet eens een jaar. Ze zaten niet bij ons op school, de drie jongens. Er was ook een meisje, Mary. Zij was de oudste.

'Een beetje een losbol,' zei mijn ma.

Ze was naar Londen gegaan, weggelopen. Daar hadden ze haar gevonden. Ze was een hippie, de enige echte in Barrytown. De politie in Engeland had haar opgespoord. Ze hadden haar naar huis gestuurd.

'Ze pakken een mes en steken dat in hun buik,' vertelde ik ze.

Dat was onmogelijk; hun gezichten zeiden het. Ik was het met ze eens. Je kon geen mes in je eigen buik steken. Dat je massa's pillen slikte kon ik me best voorstellen. Dat was geen kunst. Ik zou er een flesje van het een of ander bij nemen om ze mee weg te spoelen, om het nog gemakkelijker te maken. Coca-Cola of melk. Waarschijnlijk Coca-Cola. Zelfs van een brug afspringen als er een trein aankwam, kon ik me gemakkelijk voorstellen. Dat zou ik kunnen. Ik zou hebben gesprongen als er geen trein aan-kwam. Ik was al vaker van hoge dingen afgesprongen. Je kon jezelf niet expres wurgen. Als je in een zwembad in het diepe sprong, ver van de kant en er was niemand om je te redden, dan zou je verdrinken, als je niet kon zwem-men of niet goed kon zwemmen. Of als je net had gegeten en kramp kreeg. Ik kon me niet voorstellen dat ik een mes in mezelf stak. Ik nam niet eens de moeite om het uit te proberen.

'Geen broodmes,' zei ik. 'Of zo'n soort.'

'Een slagersmes.'

'Ja.'

Ik kon me wel voorstellen dat je je per ongeluk stak met een mes. We hadden de slager bezig gezien met zijn mes. Dat mocht van hem. We mochten mee naar achteren. Me-vrouw O'Keefe, James O'Keefes ma, zat achter haar kassa waar ze het geld aannam en het wisselgeld teruggaf en zij schreeuwde naar ons omdat we zaagsel hadden gepikt. Dat hadden we nodig voor Ian McEvoys cavia. Ze hadden massa's zaagsel. Het was 's ochtends vroeg dus het was nog schoon en vers. We pakten handenvol en stopten het in onze zakken. Dat was niet echt stelen. Zaagsel was niks waard. En we deden het voor de cavia. Ze schreeuwde naar ons; het was niet eens een woord. Toen riep ze een naam.

'Cyril!'

Zo heette de slager. We renden niet weg. Het was maar zaagsel. We dachten niet dat ze hem riep om ons. Hij kwam uit de grote koelcel achter in de winkel.

'Wat?'

Ze wees op ons. Het was te laat om ervandoor te gaan.

'Die daar,' zei ze.

Hij zag het zaagsel in onze handen. Hij was reusachtig. Hij was de grootste, dikste man in Barrytown. Hij woonde niet in Barrytown, zoals de andere mensen die in de kamers boven hun winkel woonden. Hij kwam naar zijn werk op een Honda 50. Hij trok een gezicht alsof hij nijdig was op mevrouw O'Keefe. Ze hield hem van zijn werk; hij was ergens mee bezig geweest.

'Kom hier, jongens, dan zal ik jullie 's wat laten zien.'

Ik was er, met Kevin en Ian McEvoy en Sinbad. Liam en Aidan waren weer bij hun tante in Raheny. We gingen naar hem toe.

'Wacht hier.'

Hij ging de koelcel in en kwam terug met de poot van een dier. Hij hing over zijn schouder. Hij had een witte jas aan. Ik dacht dat hij van een koe was, die poot.

'Deze kant op.'

We volgden hem naar het houten blok achter de toonbank. Het was schoon. Ik zag de krassen van de borstel. Ik had hem al eerder met die borstel gezien. Hij zag er net zo uit als een gewone borstel alleen waren de haren van staal. Zonder enige moeite pakte hij de poot van zijn schouder en gooide hem op het blok. Hij sloeg met een klap tegen het hout. Wij mochten eraan voelen.

'Let nu op, jongens.'

Zijn mes zat in een schede aan een haak boven de tafel. Hij trok het eruit. Het maakte een zoevend geluid. Hij liet ons er goed naar kijken.

'Dat heeft me een kapitaal gekost, jongens,' zei hij. 'Niet aankomen.'

We keken wel uit.

'Let nu eens op,' zei hij.

Hij liet het mes over het vlees glijden – meer niet – en het sneed erdoorheen als door boter; een kotelet. Hij spande zich niet in; hij leunde met het mes op de poot, dat was alles. Geen geluid, geen inspanning. Toch zweette hij. Hij brak het bot van de kotelet met een ander mes, een hakmes. Hij bonkte ermee op het bot, een keer, nog een keer en de kotelet viel plat op het blok.

'Zo,' zei hij. 'Zo doe je dat. En dat is nou precies wat ik met jullie doerakken doe als ik jullie nog eens betrap op het jatten van mijn zaagsel.'

Hij leek nog steeds aardig en vriendelijk.

'Strooi het bij het weggaan weer netjes allemaal uit over de vloer. Dag jongens.'

Hij ging de koelcel weer in. Ik zorgde ervoor dat al mijn zaagsel gelijkmatig over de vloer was uitgestrooid. Sinbad rende weg zodra hij het zaagsel uit zijn zak op de grond had gesmeten.

'Hij heeft in z'n broek gepoept,' vertelde ik alle anderen. 'Het liep langs zijn benen.'

'HET DROOP LANGS ZIJN BEEN OMLAAG
POEPI-DOEPOEPI-DA.'

'Helemaal tot in z'n schoenen,' zei ik.

'HET DROOP LANGS ZIJN BEEN OMLAAG
POEPI-DOEPOEPI-DA.'

Ian McEvoys cavia ging dood toen het een nacht heel koud was. Voor hij naar school ging, wilde hij er nog even naar kijken en toen lag hij onder een laagje ijs in een hoekje van zijn hok. Hij gaf zijn ma de schuld omdat hij hem van haar niet mee naar bed had mogen nemen.

'Ze zei dat ik hem zou doodknuffelen,' zei hij.

'Ik zou liever worden doodgeknuffeld dan doodgaan van de kou,' zei Liam.

'Het was vannacht onder nul,' vertelde ik hem.

De levensverwachting van een cavia was zeven jaar als je hem elke dag schoon water en 's winters elke dag warme zemelpap gaf. Ian McEvoy had de zijne maar drie dagen gehad. Hij had nog niet eens een naam voor hem. Hij vroeg het aan zijn ma maar zij wilde niet zeggen wat warme zemelpap was; ze zei dat ze het niet wist.

'Gras is goed genoeg voor hem,' had ze volgens Ian McEvoy gezegd.

Aan zijn pa had hij ook niks.

'Koop een windjak voor 'm,' zei hij.

Hij dacht zeker dat-ie leuk was.

We pikten de pop van zijn zusje en een speld. Die namen we mee naar het veld; we smokkelden ze mee. De pop leek niet genoeg op mevrouw McEvoy.

'Dat doet er niet toe,' zei Kevin.

'Ze heeft niet van dat witte haar,' zei ik.

'Dat doet er niet toe,' zei Kevin, 'zolang we maar aan haar denken als we de speld erin steken.'

Voor meneer McEvoy wilden we Action-Man gebruiken maar Edward Swanwick wilde ons de zijne niet geven en hij was de enige die er een had.

'Dat doet er niet toe,' zei Kevin. 'Hij zal er toch wel kapot van zijn als mevrouw McEvoy doodgaat en dat is voldoende.'

'Hij mag haar niet zo,' zei Ian McEvoy. 'Geloof ik.'

'Toch zal hij haar missen,' zei Kevin.

We gaven Edward Swanwick een paar rake poeiers, maar niet in zijn gezicht.

Kevin was weer de hogepriester maar hij liet Ian Mc-
Evoy als eerste de speld in haar steken omdat ze zijn ma
was en het de pop van zijn zusje was.

'Mevrouw McEvoy!'

Kevin stak zijn handen in de lucht.

'Mevrouw McEvoy!'

We hielden elk een arm en een been vast, alsof de pop
anders zou ontsnappen.

'Gij moet sterven!'

Ian McEvoy stak de speld in haar buik, door de jurk
heen. Ik vroeg me af of er nu ergens op de wereld een
meisje met wit haar en grote ogen was dat het uitschreeuwde van de pijn.

'Gij moet sterven!'

Ik stak haar in haar hoofd. Kevin stak haar in haar
poes. Liam stak haar in haar kont en Aidan in een van
haar ogen. De speldeprikken waren nauwelijks zichtbaar;
verder deden we niks met de pop. Dat wilde Ian McEvoy
niet hebben. Hij nam hem mee naar huis. Hij ging naar
binnen om te kijken. We wachtten buiten op hem. Hij
kwam terug.

'Ze staat te koken.'

'Verdomme.'

'Stoofpot.'

Het was woensdag.

Zo erg vonden we het niet, maar we deden alsof we
ontzettend teleurgesteld waren. De cavia propten we bij
Kilmartin door de brievenbus en mevrouw Kilmartin is
er nooit achter gekomen wie dat had gedaan. We hadden
eerst onze vingerafdrukken eraf geveegd.

Zij luisterde veel meer naar hem dan hij naar haar. Haar antwoorden waren veel langer dan de zijne. Twee derde van de tijd was zij aan het woord, minstens. Toch was ze geen kletsmeier, helemaal niet; het interesseerde haar gewoon meer dan hem ook al las hij de krant en keek hij naar het Journaal en zei dat we stil moesten zijn als het werd uitgezonden, zelfs als we helemaal geen lawaai maakten. Ik wist dat zij beter kon praten dan hij; dat had ik altijd geweten. Soms was hij goed op dreef en soms sloeg het nergens op en soms wist je dat, als je wat wilde vragen of vertellen, je je bij hem niet hoefde aan te komen. Hij hield er niet van om te worden afgeleid; dat woord gebruikte hij vaak, maar ik wist wat het betekende, Afgeleid, en ik begreep niet hoe hij kon zeggen dat hij werd afgeleid als hij toch niks zat te doen. Het kon mij niet schelen, alleen af en toe. Zo waren vaders nu eenmaal, alle vaders die ik kende, behalve meneer O'Connell en zo'n pa wilde ik niet, misschien alleen voor de vakantie. Gebroken koekjes waren heerlijk maar je had ook groenten en vlees nodig, zelfs als je niet alles lekker vond. Alle pa's zaten in een hoek van de kamer en wilden niet worden gestoord. Ze moesten uitrusten. Zij zorgden voor het brood op de plank. Mijn pa kwam vrijdags thuis met het eten, in een enorme grote jute tas die hij boven op zijn schouder balanceerde. Boven aan de tas zat een touw om hem dicht te binden. Het was het soort touw dat pijn deed aan je handen. Er bleven heel kleine stukjes touw in de huid van je vingers steken als je het te snel beetpakte. Ma pakte de tas altijd uit. Hij zat vol met groenten. Die kocht hij allemaal in Moore Street. Mijn pa betaalde ook voor al het andere eten, voor alles. In het weekend moest hij op krachten komen. Soms geloofde ik niet dat dat de enige reden was dat wij uit zijn buurt moesten blijven, dat hij zo in zijn hoek bleef zitten en er niet uit wilde komen. Soms had hij gewoon een rotbui.

Ik had een medaille gewonnen. Ik was tweede op de honderd meter, alleen was het bij lange na geen honderd meter; het was niet eens vijftig meter. Het was op een zaterdag. We hadden sportdag, de eerste sportdag die de school ooit had gehad. Er waren twintig deelnemers aan de race, dwars over het veld. Henno gaf het startsein. Hij had een fluitje. Hij had ook een vlag maar die gebruikte hij niet. Het veld was ontiegelijk hobbelig. Het was een hele toer om rechtuit te lopen, en op sommige plekken was het gras langer. Ik zag Fluke Cassidy struikelen. Hij had een kleine voorsprong op mij maar ik begon in te lopen. Ik zag zijn been dubbelklappen. Ik passeerde hem. Ik hoorde hem naar adem happen. Bij de finish gooide ik mijn armen in de lucht, zoals ze dat altijd doen. Ik dacht dat ik had gewonnen; er was geen lint en er was niemand bij me in de buurt toen ik over de streep kwam. Maar Richard Shiels had gewonnen, verderop aan de andere kant het veld. Ik was tweede, van de twintig; ik had er achttien verslagen. Henno had wat te zeggen.

'Knap gedaan, meneer Clarke. Ik wou dat je in de klas net zo hard je best deed.'

Ik deed mijn best in de klas; van sommige dingen wist ik meer af dan Henno. Henno was een bastaard. Een bastaard was iemand wiens ouders niet getrouwd waren, of een onwettig kind. Henno was geen kind meer maar hij was nog steeds een bastaard. Hij kon me niet gewoon mijn medaille geven, hij moest weer zo nodig de lolbroek uithangen. Onwettig stond niet in mijn woordenboek maar Wettig betekende overeenkomstig de wetten of regels, dus Onwettig betekende precies het tegenovergestelde. Belokt betekende behaard.

'Zijn piemel is heel belokt.'

'Belokt!'

'Belokt belokt belokt!'

Op de medaille stond een hardloper, geen naam of tekst. De hardloper droeg een wit hemd en een rood broekje en geen schoenen. Zijn huid had dezelfde kleur als de medaille. Ik wandelde naar huis; ik wilde niet hardlopen. Ik ging eerst naar mijn pa.

'Wegwezen; nu even niet.'

Hij keek niet op. Hij zat de krant te lezen. Op zaterdag had hij het altijd over Backbencher en dan vertelde hij mijn ma wat Backbencher had gezegd, dus misschien zat hij Backbencher te lezen. Hij sloeg de bladzijde om en streek hem glad. Hij was niet boos of zo.

Ik kon me wel voor mijn kop slaan. Ik had eerst naar mijn ma moeten gaan; dan was het veel minder erg geweest, wat er was gebeurd. Ik liep naar de deur; de botten in mijn benen leken wel van rubber. Hij was in de pronkkamer. Rust en stilte, dat vond hij daar, de enige plek in het huis. Ik vond het niet erg om te wachten, niet echt, maar hij had niet eens opgekeken. Ik stond op het punt de deur heel zachtjes achter me dicht te doen.

Hij keek op.

'Patrick?'

'Sorry.'

'Nee; kom maar.'

De krant viel naar voren, klapte dubbel; hij liet hem zo liggen.

Ik liet de deurknop los. Hij moest worden geolied. Ik ging weer naar binnen. Ik was bang en blij, van allebei een beetje. Ik wilde naar de wc, dat dacht ik tenminste, zo'n soort gevoel. Ik vroeg hem wat.

'Zit je Backbencher te lezen?'

Hij glimlachte.

'Wat heb je daar?'

'Een medaille.'

'Laat zien; had dat dan meteen gezegd. Je hebt gewonnen.'

'Ik was tweede.'

'Da's bijna eerste.'

'Ja.'

'Knap gedaan.'

'Ik dacht dat ik had gewonnen.'

'Volgende keer beter. Een tweede plaats is ook niet mis. Geef me de vijf.'

Hij stak zijn hand uit.

Ik wou dat-ie dat meteen had gedaan. Het was niet eerlijk dat hij je eerst bijna aan het huilen maakte voor hij veranderde en deed wat je wilde dat hij zou doen. Zo ging het niet altijd, maar het kwam wel zo vaak voor dat hij bepaalde delen van het huis voor zichzelf had, dat het huis anders was in de weekends. Ik kon nooit naar hem toe rennen; ik moest altijd eerst kijken of het gelegen kwam. Ik gaf de krant de schuld. Kranten waren stom, met hun De Derde Wereldoorlog Nadert Dreigend, terwijl er niks aan de hand was, behalve dat de Israëli's de Arabieren ervan langs gaven. Dat kon ik niet uitstaan. Als iemand zei dat ze je gingen vermoorden, dan hoorden ze dat ook te doen.

'Ik zal jullie een opdonder verkopen.'

Dat zou beter zijn geweest.

Kranten waren saai. Soms las pa ma voor wat Backben-cher zei. Stom was dat. Ma luisterde wel maar alleen om-dat mijn pa het voorlas en hij haar man was.

'Heel goed.'

Dat zei ze meestal maar het klonk nooit alsof ze het meende; ze zei het op dezelfde toon als Ga slapen.

'Het woord is vlees geworden!'

Zoef.

'Backbencher!'

Ze waren groot en de lettertjes waren heel klein en het kostte een hele dag om ze te lezen, vooral op zaterdag en zondag. Ik las iets over een altaarkruis dat door vandalen was beschadigd. Het stond op de voorpagina van de *Evening Press*, en het kostte me acht minuten. Er stond een foto bij van een altaarkruis maar dat was onbeschadigd. Als ik naar de winkel ging om een krant te kopen, en het was een echt mooie zomerse dag, met de hele dag zon, dan wist ik altijd van tevoren dat er op de voorpagina een foto zou staan van meisjes of kinderen aan het strand, meestal drie op een rijtje; de kinderen altijd met een em-mertje en een schepje voor zich. Bij mijn pa ging het zo: hij begon de krant te lezen en dan moest en zou hij hem uitlezen – hij zag dat als een soort heilige plicht – en hij deed er de hele dag over. Hij werd humeurig en link; hij kwam in tijdnood. De lettertjes waren klein dus mocht hij niet worden afgeleid. Zaterdagmiddag: ma was zenuw-achtig, wij hadden de pest aan hem en hij had niks anders gedaan dan Backbencher lezen.

Ik nagel je aan het kruis.

Dat zei James O'Keefes ma altijd tegen James O'Keefe en tegen zijn broers en zijn zusje. Ze bedoelde gewoon Doe wat je wordt gezegd. Ik geef je een pak rammel. Ik vil je levend. Ik breek alle botten in je lijf. Ik trek je kop van je romp. Ik maak gehakt van je.

Allemaal stomme opmerkingen.

Voor jou wil ik hangen. Wat dat betekende wist ik niet. Dat brulde mevrouw Kilmartin een keer tegen Eric, haar zwakzinnige zoon. Hij had in zes dozen alle zakjes chips opengemaakt.

Mijn ma legde het uit.

'Dat betekent dat ze hem vermoordt en dat ze dan als straf daarvoor wordt opgehangen, maar zo bedoelt ze het niet echt.'

'Waarom zegt ze dan niet wat ze wel bedoelt?'

'Het is maar bij wijze van spreken.'

Het moest geweldig zijn om zwakzinnig te zijn. Je kon alles doen wat je wilde en niemand nam het je ooit echt kwalijk. Maar je kon niet doen alsof je zwakzinnig was; je moest de hele tijd zo zijn. Je had ook nooit huiswerk en je kon net zoveel met je eten knoeien als je wilde.

Agnes, de mevrouw die in de winkel van mevrouw Kilmartin werkte omdat mevrouw Kilmartin zo nodig achter de deur op de loer moest liggen, zij was elke dag eeuwen met een schaar in de weer om stukjes van de voorpagina's van kranten te knippen, het stukje met de naam van de krant en de datum eronder, alleen dat.

'Waarom?'

'Om terug te sturen.'

'Waarom?' vroeg ik.

'Omdat ze de hele krant niet willen.'

'Waarom niet?'

'Dat willen ze nou eenmaal niet. Ze hebben er niks aan. Het zijn oude kranten, waardeloos.'

'Mag ik ze dan hebben?'

'Nee.'

Ik wilde ze niet eens hebben. Ik zei het alleen omdat ik wist wat ze zou zeggen en dat even wilde controleren.

'Mevrouw Kilmartin gebruikt ze om haar billen mee af te vegen,' zei ik. Maar niet zo erg luid.

Sinbad was er ook bij. Hij keek naar de glazen deur; zij stond erachter. Agnes gaf op zachte toon antwoord.

'Maak dat je wegkomt, jochie, anders vertel ik 't haar.'

Ze woonde in hetzelfde huis als haar ma; ze was eigenlijk geen echte mevrouw. Ze woonden in een arbeidershuisje midden tussen de nieuwe huizen. Het gras in hun tuin was altijd piekfijn in orde.

Pa's gezicht veranderde als hij de krant las. Het stak naar voren en zijn wenkbrauwen gingen omhoog. Soms stond zijn mond een beetje open maar had hij zijn tanden op elkaar. Ik hoorde hem tandenknarsen en wist niet wat het was. Ik keek de kamer rond. Ik stond op. Ik had op de grond naast hem zitten wachten tot hij klaar was. Ik zag niks. Ik keek naar mijn ma. Ze zat de *Woman* te lezen; ze las niet echt, ze bladerde, ze keek nog naar de bladzijde als ze hem omsloeg, haar hand gaf het tempo aan, precies evenveel tijd voor elke pagina. Ik keek naar mijn pa, om te zien of hij het ook hoorde, sterke dingen die kapot zouden gaan, en ik zag zijn mond bewegen; ik keek: hij bewoog gelijk met het geluid; hij was het geluid. Ik wachtte op de krak. Ik wilde hem waarschuwen. Ik haatte hem omdat hij dat deed. Kranten waren klote.

'Ik dacht erover om voor de verandering eens varkens-vlees te nemen.'

Hij zei niks; hij keek niet eens op.

'Dat leek me wel lekker.'

Hij bleef strak naar de pagina staren. Zijn ogen bewogen niet omlaag. Hij las niet. Hij dwong haar het te zeggen.

'Wat vind jij?'

Hij sloeg de krant dubbel. Hij vouwde hem op. Hij deed het zeer geconcentreerd. Hij sprak maar je kon het nauwelijks spreken noemen; het was alsof de woorden er met een zucht uitkwamen, niet eens een fluistering.

'Dat maak jij maar uit.'

Blik strak op de krant, benen stram over elkaar, zonder te bewegen.

'Je doet maar.'

Ik keek nog niet terug naar mijn ma; nog niet.

'Dat doe je altijd.'

Ik keek nog steeds niet.

Ze zei niks.

Ik luisterde.

Hij was de enige die ik kon horen ademhalen. Hij perste de lucht naar buiten, door zijn neus. Zuurstof erin, koolzuur eruit. Planten deden het andersom. Toen hoorde ik de hare ook, haar ademhaling.

'Mag ik de teevee aanzetten?' vroeg ik.

Ik wilde hem eraan herinneren dat ik er ook was. Er was ruzie op komst en die kon ik tegenhouden door erbij te zijn.

'Televisie,' zei ze, op berispende toon.

Er was niets aan de hand. Dat zou ze nooit hebben gezegd als het wel zo was. Ma had een gruwelijke hekel aan verbasterde woorden en afkortingen en woorden die niet echt bestonden. Alleen volledige woorden, zoals het hoorde.

'Televisie,' zei ik.

Afkortingen als La maar en Nietes en dat soort woorden vond ze niet erg. Dat was iets anders. 'Het is een televisie,' zei ze soms, zonder echt kwaad te worden. 'Het is een grammofoonplaat. Het is een toilet.'

Haar stem klonk gewoon.

'Televisie,' zei ik. 'Mag 't?'

'Wat is erop?' vroeg ze.

Dat wist ik niet. Dat maakte niet uit. Het geluid zou de kamer vullen. Hij zou opkijken.

'Geen idee,' zei ik. 'Misschien wel een programma over politiek. Iets interessants.'

'Zoals?'

'Fianna Fail tegen Fine Gael,' zei ik.

Dat was voor pa een reden om me aan te kijken.

'Wat is erop?' vroeg hij.

'Het zou kunnen,' zei ik. 'Je weet maar nooit.'

'Een wedstrijd tussen die twee?'

'Nee,' zei ik. 'Een gesprek.'

De enige programma's waarbij hij niet deed alsof hij niet keek waren praatprogramma's en *The Virginian*.

'Wil jij de televisie aan hebben?' vroeg hij.

'Ja.'

'Waarom zei je dat dan niet gewoon?'

'Ik heb 't gezegd,' zei ik.

'Toe dan maar,' zei hij.

Zijn been, het been dat hij over het andere been had geslagen dat op de grond stond, bewoog op en neer. Af en toe zette hij Catherine en Deirdre op zijn voet en liet ze paardjerijden. Vroeger deed hij het ook met Sinbad – dat wist ik nog – dus hij moest het ook met mij hebben gedaan. Ik stond op.

'Is je huiswerk af?'

'Ja.'

'Alles?'

'Ja.'

'Ook het leerwerk?'

'Ja.'

'Wat had je?'

'Tien spelwoorden.'

'Tien stuks; noem er 's een.'

'Sediment. Wil je dat ik 't doe?'

'Ach, waarom ook niet, toe dan maar.'

'S.e.d.i.m.e.n.t.'

'Sediment.'

'C.e.n.t.e.n.a.r.i.u.m.'

'Centenarium.'

'Ja. Dat is de naam voor een honderdste verjaardag.'

'Zoals je moeders verjaardag.'

Het was me gelukt. Het was in orde. Weer normaal. Hij had een grap gemaakt. Ma had gelachen. Ik had gelachen. Hij had gelachen. Ik het langst. Toen ik lachte dacht ik even dat het zou omslaan in huilen. Maar dat gebeurde niet. Ik knipperde als een gek met mijn ogen maar toen ging het weer.

'Sediment heeft drie lettergrepen,' vertelde ik hem.

'Heel goed,' zei mijn ma.

'Se-di-ment.'

'En hoeveel heeft centenarium er?'

Daar had hij me niet mee; dat hoorde bij mijn huiswerk.

'Cen-te-na-ri-um. Vijf.'

'Pri-ma. En hoeveel zitten er in Bed?'

Net voordat ik antwoord gaf, had ik door dat het een grapje was; ik had mijn mond al open.

Ik stond snel op.

'Oké.'

Ik wilde weggaan nu het gezellig was. Daar had ik voor gezorgd.

Er waren twee onderwijzers afwezig omdat ze ziek waren en daarom moest Henno op een andere klas passen. Hij liet ons achter met een massa sommen op het bord. De deur liet hij open. Er werd weinig keet geschopt of lawaai gemaakt. Ik vond staartdelingen leuk. Ik gebruikte mijn liniaal om te zorgen dat mijn lijnen kaarsrecht liepen. Ik vond het leuk te proberen het antwoord te raden voor ik onder aan de bladzijde was. Er klonk een schreeuw en gelach. Kevin had opzij geleund en een kronkellijn dwars over Fergus Shevlins schrift getrokken, alleen had hij de verkeerde kant van de pen gebruikt, dus er was niks te zien maar Fergus Shevlin was zich rot geschrokken. Ik had het niet gezien. Ik zat die week vooraan in de tweede rij en Kevin zat in het midden van de derde rij.

Je wist altijd wanneer Henno terugkwam. Het werd een paar seconden doodstil in de klas. Hij was in de klas; ik voelde het. Ik keek niet op. Ik had mijn som bijna af.

Hij stond naast me.

Hij hield een schrift onder mijn neus. Het was opengeslagen. Het was niet van mij. Overal op de bladzijden liepen natte strepen door de inkt. Daardoor was de inkt lichter blauw; er liepen banen lichtblauw over de bladzijde waar iemand had geprobeerd de tranen weg te vegen.

Ik verwachtte een klap.

Ik keek op.

Henno had Sinbad bij zich. Het waren Sinbads tranen; ik zag het aan zijn gezicht en hoorde het aan zijn schokkende ademhaling.

'Kijk nu toch 's,' zei Henno.

Hij bedoelde het schrift. Ik deed wat me werd gezegd.

'Is het geen schande?'

Ik vond van niet.

Het enige wat er mis mee was waren de tranen. Die hadden het schrift verpest, verder niks. Sinbads handschrift was best netjes. Het was groot en de lijnen van zijn letters kronkelden een beetje als rivieren omdat hij heel langzaam schreef. Sommige krullen raakten de lijn niet, maar het scheelde nooit veel. Het enige probleem waren de tranen.

Ik wachtte.

'Jij mag van geluk spreken dat je niet in deze klas zit, meneer Clarke Junior,' zei Henno tegen Sinbad. 'Vraag maar aan je broer.'

Ik begreep nog steeds niet wat er aan de hand was, waarom ik dat schrift moest zien, waarom mijn broertje daar stond. Hij huilde niet meer; zijn gezicht was weer normaal.

Het was een nieuw gevoel: wat hier gebeurde was heel gemeen; iets om bijna over uit je vel te springen. Hij had alleen maar gehuild. Henno kende hem niet; hij had gewoon de pik op hem.

Hij sprak tegen mij.

'Ik wil dat je dat schrift in je tas stopt en het zodra je thuiskomt aan je moeder laat zien. Laat haar zien met wat voor een exemplaar ze opgescheept zit. Begrepen?'

Ik peinsde er niet over maar dat kon ik niet zeggen.

'Jawel, meester.'

Ik wilde Sinbad aankijken, zodat hij het zou begrijpen. Ik wilde iedereen om me heen aankijken.

'Stop 't in je tas.'

Ik deed het schrift voorzichtig dicht. De bladzijden waren nog een beetje nat.

'Uit mijn ogen jij,' zei Henno tegen Sinbad.

Sinbad liep de gang op. Henno riep hem terug om de deur achter zich dicht te doen; hij vroeg of hij soms in de kerk was geboren. Toen liep Henno naar de deur en deed hem weer open, om te luisteren of de andere klas herrie schopte.

Ik gaf het schrift aan Sinbad.

'Ik laat het schrift niet aan ma zien,' vertelde ik hem.

Hij zei niks.

'Ik vertel haar niet wat er is gebeurd,' zei ik.

Ik vond dat hij dat moest weten.

Op een ochtend stond ze niet op. Pa ging naar mevrouw McEvoy om haar te vragen die dag op de kleintjes te passen. Maar ik en Sinbad moesten toch naar school.

'Kom op, pak jullie ontbijt,' zei hij.

Hij deed de achterdeur open.

'Hebben jullie je al gewassen?'

Hij was al weg voor ik de kans had hem te vertellen dat ik me altijd voor het ontbijt waste. Ik maakte altijd mijn eigen cornflakes klaar, pakte de kom, deed de cornflakes erin – ik morste nooit – en goot de melk erbij. Dan de suiker. Dan tikte ik met mijn vingernagel tegen de onderkant van de lepel zodat de suiker overal gelijkmatig werd uitgestrooid. Maar die ochtend wist ik niet wat ik moest doen; ik was totaal in de war. Er stond geen kom. Ik wist waar ze ze bewaarde. Soms borg ik ze zelf op. Er was geen melk. Die stond waarschijnlijk nog op het stoepje bij de voordeur. Er was alleen suiker. Ik liep erop af. Ik wilde niet nadenken. Ik wilde niet denken aan mijn ma in hun slaapkamer. Aan haar ziekte. Ik wilde haar niet zien. Ik was bang.

Sinbad liep achter me aan.

Als ze niet ziek was, als ze gewoon in bed was gebleven, dan moest ik erachter zien te komen waarom ze niet was opgestaan. Ik wilde het niet weten. Ik durfde niet naar boven. Ik wilde het niet weten. Als we straks uit school kwamen zou alles weer bij het oude zijn.

Ik nam een lepel suiker. Ik hield het niet lang genoeg in mijn mond om het lekker te maken. Ik had geen trek. Dan maar geen ontbijt. Ik zou brood roosteren. Het gas vond ik leuk.

'Wat is er met ma?'

Ik wilde het niet weten.

'Kop dicht.'

'Wat heeft ze?'

'Kop dicht.'

'Is ze ziek?'

'Ze is ziek van jou; kop dicht.'

'Voelt ze zich niet lekker?'

Ik hield van het gesis van het gas en die geur die je dan even rook. Ik pakte Sinbad. Ik hield hem met zijn hoofd vlak bij het gas. Hij stribbelde tegen. Hij was niet zo gemakkelijk meer in bedwang te houden als vroeger. Hij had sterke armen. Maar mij kon hij niet aan. Dat zou hem nooit lukken. Ik zou altijd groter zijn dan hij. Hij ontsnapte.

'Dat ga ik zeggen.'

'Tegen wie?'

'Tegen pa.'

'Wat ga je hem zeggen?' vroeg ik, terwijl ik naar hem toe liep.

'Dat jij met het gas zat te klooien,' zei hij.

'Nou en?'

'Dat mogen we niet.'

Hij rende de gang in.

'Straks maak je ma nog wakker,' zei ik. 'Dan wordt ze nooit beter en dan is dat jouw schuld.'

Hij zou heus zijn mond wel houden.

'Jullie hebben vast allebei zitten donderjagen.'

Dat zei pa bijna altijd.

Ik zette de achterdeur open om de gaslucht te verdrijven.

Als ma niet echt ziek was; als ze weer ruzie hadden gehad... Ik had niks gehoord. Ze hadden gelachen voor ik naar bed ging. Ze hadden met elkaar gepraat.

Ik deed de deur dicht.

Pa kwam terug. Ik hoorde zijn voetstappen. Hij deed de deur open en kwam binnen, alle twee de treden tegelijk. Hij liet de deur open.

'Lekker weertje,' zei hij. 'Hebben jullie je ontbijt op?'

'Ja,' zei ik.

'Francis ook?'

'Ja.'

'Brave borsten. Zo mag ik 't horen. Mevrouw McEvoy past op Cathy en Deirdre. Dat kan ze heel goed.'

Ik keek naar zijn gezicht. Het was niet gespannen of bleek; ik zag geen aderen in zijn nek. Hij zag er vriendelijk en rustig uit: er was niks ergs gebeurd. Ma was ziek.

'Dan kan jullie mammie even lekker uitzieken,' zei hij.

Nu wilde ik haar zien; er was niks aan de hand. Ze was alleen ziek.

'Ik heb nauwelijks tijd om zelf te ontbijten,' zei hij, maar hij leek in een opperbeste stemming. 'Het zijn altijd dezelfden die de pineut zijn.'

'Mag ik naar haar toe?' vroeg ik.

'Ze zal wel slapen.'

'Alleen even kijken.'

'Doe maar niet; misschien maak je haar wakker. Doe maar liever niet. Vind je 't erg?'

'Nee.'

Hij wilde het niet hebben. Er klopte iets niet.

'En hoe zit 't met het middageten?' vroeg hij. 'Jullie zullen moeten overblijven.'

'Sandwiches,' zei ik.

'Kun je dat? Dan kan ik de meisjes aankleden.'

'Ja, hoor.'

'Mooi zo,' zei hij. 'Ook voor Francis, hè?'

'Oké.'

De boter was hard. Ik had gezien hoe mijn ma er met de punt van haar mes krullen af schraapte. Maar dat lukte mij niet. Ik legde gewoon klontjes boter in alle hoeken van de boterham. Voor zover ik kon zien was er niks in de koelkast om op de boterhammen te doen, behalve kaas, en daar moest ik niks van hebben. Dus maakte ik gewoon broodsandwiches. Ik maakte ze ook voor Sinbad, voor het geval pa het controleerde. Er was niks aan de hand met mijn ma. Als hij glimlachte als hij weer beneden kwam, zou ik hem om geld vragen voor chips voor tussen de sandwiches.

Hij glimlachte.

'Mogen we chips op ons brood?'

'Goed idee,' zei hij.

Hij wist dat ik om het geld vroeg om ze te kopen. Hij had de meisjes in zijn armen; hij had ze aan het lachen gemaakt. Chips-sandwiches. Ik zou in de pauze de school uit moeten glippen want we mochten eigenlijk niet het schoolplein af, behalve als we een boodschap deden voor een van de meesters. Er was vast en zeker niets met haar aan de hand. Behalve dat ze zich niet lekker voelde; dat wist ik nu wel zeker. Ze had buikpijn of hoofdpijn, dat was alles, of een stevige verkoudheid. Pa zette Catherine op de grond zodat hij geld uit zijn zak kon pakken. Er was geen enkele reden om aan te nemen dat zij niet beneden zou zijn als wij thuiskwamen.

'Zo.'

Hij had het geld gevonden.

'Hier.'

Een gulden.

'Ieder twee kwartjes,' zei hij. 'Eerlijk delen, hoor.'

'Bedankt, pa.'

Sinbad was teruggekomen.

'Pa heeft ons elk twee kwartjes gegeven,' vertelde ik hem.

'Is mam weer beter als we thuiskomen?' vroeg hij.

'Vast wel,' zei pa. 'Of misschien ook niet; maar ik denk 't wel.'

'Chips-sandwiches,' zei ik tegen Sinbad.

Ik liet hem de gulden zien. Ik pakte mijn zakdoek, stopte de gulden erin en propte de zakdoek heel diep in de hoek van mijn broekzak, met de gulden erin.

Ik maakte geen enkele haast om thuis te komen, expres. Ik verstopte mijn schooltas tussen Aidan en Liams heg en de muur en we gingen op zoek naar de Lijpe Schooier.

De Lijpe Schooier woonde in de velden. Er waren bijna geen velden meer over maar hij was er nog steeds. Ik had hem één keer gezien. Toen ik keek, sprong hij juist in een greppel. Hij had een grote zwarte jas aan en een pet op. Hij was ontzettend vies en hij had een bochel. Hij had geen tanden, alleen twee zwarte stompjes, net als die van Tootsie. Ik kon zijn tanden niet zien – hij was te ver weg – maar zo zagen ze eruit. Ik zag alleen zijn omtrek. We hadden hem die dag allemaal gezien. We renden achter hem aan maar hij ontkwam. We wilden hem vermoorden om alle dingen die hij deed. Hij at vogels en ratten en wat hij maar aan eetbaars in vuilnisbakken opscharrelde. Mijn pa zette de vuilnisbak altijd op woensdagavond buiten ons hek omdat de vuilnismannen donderdagsmorgens kwamen en hij 's ochtends altijd ontzettende haast had. Op een donderdag was het deksel van de vuilnisbak af en lag er allemaal troep op de stoep, theezakjes en botjes en blikjes en allerlei dingen die in de bovenste helft van de vuilnisemmer hadden gezeten, het maandag-, dinsdag- en woensdagafval. Ik ging terug naar binnen en vertelde het mijn ma.

'Katten,' zei ze. 'De krengen.'

Ik ging weer naar buiten; ik ging naar school. Ik keek. Er lag een boterham met een stuk eruit. Het was rond, hielvormig. Ik schopte de boterham weg; de afdruk bleef op de stoep achter. De Lijpe Schooier.

Niemand wilde iets met hem te maken hebben. Een meisje in Baldoyle moest naar het ziekenhuis in Jervis Street omdat ze was flauwgevallen toen ze thuiskwam nadat de Lijpe Schooier van achter een pilaar te voorschijn was gesprongen en haar zijn piemel had laten zien. De politie had hem nooit te pakken gekregen. Hij wist altijd precies wanneer je in je uppie was.

'Tijdens de oorlog zat-ie in het leger,' zei Aidan.

Ik was alleen met Aidan en Liam. Kevin moest ergens naar toe met zijn pa en ma; zijn oma was ziek en hij moest zijn zondagse kleren aan. Hij had een briefje zodat hij eerder van school mocht. Ik was blij dat Kevin er niet bij was, maar ik zei niks.

'Hoe weet je dat?' vroeg ik.

Ik vroeg het niet zoals ik het zou hebben gevraagd als Kevin erbij was geweest.

'Hij is door zijn hoofd geschoten en ze konden de kogel er niet goed uit krijgen en daarom is-ie gek.'

'Toch zouden we hem moeten vermoorden.'

'Ja.'

'Ik denk dat Kevins oma doodgaat,' zei Liam. 'Wij moesten ook onze zondagse kleren aan toen ma doodging. Weet je nog?'

'Nee,' zei Aidan. 'Ja. Daarna was er een feestje.'

'Een feestje?'

'Ja,' zei Aidan.

'Ja,' zei Liam ook. 'Zoiets. Sandwiches en de grote mensen kregen iets te drinken.'

'Wij ook.'

'Sommigen zongen liedjes.'

Ik wilde naar huis.

'Ik denk niet dat we hem vinden,' zei ik. 'Het is nog te licht.'

Daar waren zij het mee eens. Niet dat we lafaards of bangeriken waren of zo. Ik pakte mijn tas en vertraagde mijn pas, ik dwong mezelf normaal te lopen. Ik trok een blad van de boom van de Hanleys en vouwde het dubbel en keek hoe de vouw donkerder werd waar het blad in tweeën brak. Ik kwam bij ons hek.

Ze liep nog in haar ochtendjas. Dat was het enige.

'Hallo,' zei ze.

'Hoi,' zei ik.

Sinbad was al thuis en had zijn schoenen uit. Zo te zien scheelde haar niks.

'Ben je nog ziek?'

'Nee hoor,' zei ze. 'Het gaat wel weer.'

'Zal ik boodschappen voor je doen?'

'Dat hoeft niet,' zei ze. 'Francis was bezig zijn nieuwe liedje voor me te zingen.'

'We hebben vanmiddag chips-sandwiches gegeten,' vertelde ik haar.

'Dat wil ik best geloven,' zei ze. 'Mag ik ook het eind van het liedje horen, schat?'

'HALLALI HONDEN LOS.'

Sinbad keek schuin omlaag naar het zeil.

'HALLALI HONDEN LOS...

HALLALI HONDEN LOS

Ma begon te klappen.

De volgende dag droeg ze weer haar ochtendjas maar dat
was alleen omdat ze zich nog niet had aangekleed. Ze was
beter. Ze zag er gezonder uit. Ze bewoog sneller.

Ik was de hele nacht wakker gebleven, zo lang als ik
kon, het grootste deel van de nacht. Er was niks gebeurd.
Ik werd vroeg wakker; het was nog niet eens licht. Ik stapte uit bed. Ik maakte geen geluid toen mijn voeten de
grond raakten. Ik kwam bij hun deur, over de krakende
plank vlak ervoor. Ik luisterde. Niks. Ze sliepen. Mijn pa's
ademhaling, mijn ma's ademhaling zachter. Ik ging terug.
Het was lekker om weer in bed te stappen als je er even uit
was geweest en het nog warm was. Ik trok mijn knieën
hoog op. Ik vond het niet erg om wakker te zijn. Ik was de
enige. Ik keek naar Sinbad. Zijn hoofd lag waar zijn voeten hoorden te liggen. Zijn voeten lagen ergens anders. Ik
zag de achterkant van zijn hoofd. Ik keek. Ik zag zijn
ademhaling. Ik hoorde de vogels buiten, massa's vogels;
drie verschillende soorten. Ik wist wat ze deden: ze dronken van de melk. Vroeger lag er een stuk dakpan naast het
stoepje dat de melkboer op de flessen moest leggen zodat
de vogels er niet bij konden komen, maar dat was er niet
meer. Toen was er een deksel van een koekblik en een grote steen om daar bovenop te leggen, maar die waren ook
verdwenen; het deksel tenminste, op de steen heb ik niet
gelet. Ik begreep niet waarom iedereen de vogels wilde beletten van de melk te drinken. Ze dronken alleen het bovenste laagje, bijna niks. Ik hoorde de wekker in hun
slaapkamer aflopen. Ik hoorde de klok op het houten

nachtkastje aan mijn vaders kant. Ik hoorde dat de wekker werd afgezet. Ik wachtte. Ik hoorde haar naar de deur komen. Ik had hem goed achter me dichtgedaan. Ik hield me slapende.

'Goedemorgen, jongens.'

Ik deed nog steeds of ik sliep. Ik hoefde niet te kijken; ik hoorde het aan haar stem. Ze was beter.

'Word wakker, word wakker!'

Sinbad lachte. Ze kietelde hem. Hij jammerde ook, vrolijk en klagerig. Ik wachtte mijn beurt af.

Dat betekende niet dat er niets aan de hand was, dat er niets was gebeurd. Het betekende alleen dat ze zich, als er wat tussen hen was gebeurd, als ze ruzie hadden gehad, nu beter voelde. Het was de eerste keer dat ze in bed was gebleven, behalve die twee dagen toen ze net terug was uit het ziekenhuis na de geboorte van Deirdre. Ze lag in bed toen we terugkwamen van onze tante; daar hadden we bij gelogeerd toen zij in het ziekenhuis lag. Bij onze tante Nuala. Zij was de grote zus van mijn ma. Ik had het daar niet naar mijn zin. Ik wist wat er aan de hand was maar Sinbad begreep het niet, niet echt.

'Mijn mam is in de ziejekuis.'

Zo praatte hij nu niet meer. Nu praatte hij veel beter.

Ze lag in bed toen we thuiskwamen. We gingen met de bus, met twee bussen, naar huis, met onze oom.

Ik hield de wacht. Ik hield mijn oren open.

'Ze hadden een feestje,' vertelde ik Kevin. 'Na de begrafenis. Bij hun thuis. Ze zongen zelfs liedjes.'

Ik ging voor Henno naar de winkels om voor de lunch twee gebakjes voor hem te kopen.

'En als ze geen gebakjes meer heeft een pak rondo's.'

Hij zei dat ik als beloning van het wisselgeld een stuiver mocht houden, dus daarvan kocht ik een toverbal. Onder de lessenaar liet ik hem aan Kevin zien. Toen wou ik dat ik wat anders had gekocht, iets wat ik met Kevin had kunnen delen.

Toen Henno zei dat we ons slapende moesten houden, daagde Kevin me uit de toverbal op te eten zonder te worden gesnapt. Als ik hem uit mijn mond zou halen omdat Henno geluiden hoorde of onze kant op kwam om de schriften te inspecteren, als ik me liet kennen, dan moest ik de rest van de toverbal aan Kevin geven. Hij hoefde hem alleen maar even onder de koude kraan te houden.

Toen ik de toverbal net in mijn mond had gestopt, liep Henno de klas uit om met James O'Keefes ma te praten. Mevrouw O'Keefe stond te schreeuwen. Henno waarschuwde ons en deed de deur achter zich dicht. We konden haar nog steeds horen. James O'Keefe was niet op school. Ik zoog als een gek. Ze zei dat Henno James O'Keefe altijd op zijn huid zat. Ik draaide de toverbal steeds maar rond en wreef hem langs de binnenkant van mijn wangen m..ar vooral tegen mijn gehemelte en mijn tong. Hij werd zachter. Ik kon hem niet uit mijn mond halen. Ik liet hem aan Ian McEvoy zien; ik deed mijn mond open: de toverbal was wit. Ik likte hem af. Hij was net zo intelligent als de andere jongens, zei ze tegen Henno. Ze kende er een paar en die waren bepaald niet om over naar huis te schrijven. Henno deed de deur open en waarschuwde ons nog eens. Windt u zich toch niet zo op, hoorden wij hem tegen mevrouw O'Keefe zeggen. Toen was hij weg. We hoorden geen stemmen meer buiten de deur. Hij was ergens heen gegaan met mevrouw O'Keefe. We schoten in de lach omdat iedereen zat te kijken hoe ik de toverbal probeerde op te eten. Ze zeiden steeds weer Hij komt eraan en deden alsof dat echt zo was, maar daar trapte ik niet in. Hij bleef eeuwen weg. Toen hij de deur opendeed was de toverbal klein genoeg om hem door te slikken als dat nodig was. Ik had gewonnen. Ik keek naar Henno's gezicht en slikte hem door. Ik moest flink doordrukken; daarna deed mijn keel nog eeuwen pijn. Henno was hartstikke aardig de rest van de dag. Hij nam ons mee naar het sportveld en liet ons zien hoe je strafworpen moest nemen. Mijn tong was roze.

Nu hadden ze de hele tijd ruzie. Ze zeiden niks maar het was een ruzie. Zoals hij zijn krant openvouwde en hem dichtsloeg, daar bedoelde hij iets mee. Zoals zij opstond als een van de meisjes boven huilde, zuchtend en steunend, om hem duidelijk te maken dat ze moe was. Het was duidelijk genoeg. Ze dachten waarschijnlijk dat niemand het door had.

Ik begreep het niet. Zij was mooi. Hij was aardig. Ze hadden vier kinderen. Ik was er een van, de oudste. De man in huis als mijn pa er niet was. Ze hield ons langer vast, drukte ons langer tegen zich aan en keek over ons heen naar de grond of naar het plafond. Ze merkte niet dat ik probeerde aan haar greep te ontsnappen; daar was ik te oud voor. Waar Sinbad bij was. Maar ik vond nog steeds dat ze lekker rook. Maar ze knuffelde ons niet; ze klampte zich aan ons vast.

Hij wachtte met antwoord geven, dat deed hij altijd, alsof hij niks had gehoord. Zij was altijd degene die hem aan het praten probeerde te krijgen. Juist als ik dacht dat ze het nog eens moest vragen, haar stem moest verheffen, een boze toon moest aanslaan, gaf hij antwoord. Het wachten op hem was een kwelling.

'Paddy?'

'Hè?'

'Hoorde je niet wat ik zei?'

'Wat?'

'Je hebt me best gehoord.'

'Wat gehoord?'

Ze hield op. Wij luisterden; ze zag ons. Hij dacht dat hij had gewonnen; ik dacht het ook.

'Sinbad?'

Hij gaf geen antwoord. Toch sliep hij niet; dat hoorde ik aan zijn ademhaling.

'Sinbad.'

Ik hoorde dat hij lag te luisteren. Ik bewoog me niet. Ik wilde niet dat hij zou denken dat ik hem wilde pesten.

'Sinbad?... Francis?'

'Wat is 'r?'

Ik verzon maar wat.

'Vind je het niet prettig om Sinbad te worden genoemd?'

'Nee.'

'Oké.'

Ik hield een poosje mijn mond. Ik hoorde hem bewegen, dichter naar de muur toe.

'Francis?'

'Wat?'

'Hoor je ze?'

Hij gaf geen antwoord.

'Kun je ze horen? Francis?'

'Ja.'

Dat was alles. Ik wist dat hij niks meer zou zeggen. We luisterden naar het ingehouden gekift van beneden. Wij, niet alleen ik. We luisterden heel lang. De stiltes waren het ergste, het wachten tot het weer begon, of luider werd. Er werd een beetje met een deur geslagen; de achterdeur... ik hoorde het glas trillen.

'Francis?'

'Ja?'

'Zo gaat dat nou elke avond.'

Hij zei niks.

'Elke avond is het hetzelfde,' zei ik.

Zijn adem kwam met een fluitend geluid tussen zijn lippen uit. Dat deed hij vaak sinds hij zijn lippen had gebrand.

'Ze zitten gewoon te praten,' zei hij.

'Nietes.'

'Welles.'

'Nietes; ze schreeuwen.'

'Da's niet waar.'

'Da's wel waar,' zei ik. 'Zachtjes.'

Ik luisterde, wachtend op een bewijs. Ik hoorde niks.

'Ze zijn opgehouden,' zei hij. 'Ze hadden geen ruzie.'

Hij klonk blij en zenuwachtig.

'Morgen doen ze het weer.'

'Niet waar,' zei hij. 'Ze zaten gewoon te kletsen, over van alles.'

Ik keek hoe hij zijn broek aantrok. Hij trok altijd de rits omhoog voor hij de knoop aan de bovenkant dichtmaakte en hij deed er eeuwen over, maar altijd zonder een spier te vertrekken. Hij keek omlaag naar zijn handen en maakte een onderkin. En hij vergat zijn hemd en zijn blouse in te stoppen dus moest hij het allemaal weer overdoen. Ik wilde naar hem toe gaan om te helpen, maar ik deed het niet. Eén beweging en hij zou veranderen; hij zou achteruit lopen, me ontwijken en gaan janken.

'De knoop moet eerst,' vertelde ik hem. 'Bovenaan. Doe die eerst.' Ik zei het langs mijn neus weg.

Hij bleef het op zijn eigen manier proberen. Het geluid van de radio beneden was prettig; de stemmen.

'Francis,' zei ik.

Hij moest me aankijken. Ik zou wel voor hem zorgen.

'Francis.'

Hij hield de twee kanten van zijn gulp tegen elkaar.

'Waarom noem je me Francis?' vroeg hij.

'Omdat je Francis heet,' zei ik.

Hij keek me gelaten aan.

'Zo heet je echt,' zei ik. 'Je vindt 't niet leuk om Sinbad te worden genoemd.'

Hij hield de twee kanten met één hand bij elkaar en trok met zijn andere de rits dicht, nog steeds op de oude manier. Dat vond ik lullig. Het was gewoon stom.

'Weet je het zeker?' vroeg ik.

Mijn stem klonk nog steeds normaal.

'Laat me met rust,' zei hij.

'Waarom?' vroeg ik.

Hij zei niks.

Ik probeerde het op een andere manier.

'Wil je niet dat ik je Francis noem?'

'Laat me met rust,' zei hij.

Ik gaf het op.

'Sinnnn-baaad...!'

'Dat zeg ik tegen ma.'

'Daar maalt ze niet om,' zei ik.

Hij zei niks.

'Daar maalt ze niet om,' zei ik nog eens.

Ik wachtte tot hij Waarom niet? zou zeggen. Ik zou het hem inpeperen. Hij deed het niet. Hij zei niks. Hij draaide zich om en kreeg zijn broek dicht.

Ik sloeg hem niet.

'Daar maalt ze niet om,' zei ik toen ik de deur van onze kamer opendeed. Ik probeerde het nog eens.

'Francis.'

Hij vertikte het om me aan te kijken. Hij begon zijn trui aan te trekken en verschool zich erin.

'Jij gaat op je bek,' zei ik, en ik haakte hem pootje.

Hij zakte in elkaar voor de pijn tot hem was doorgedrongen, recht omlaag als een blok. Ik had het zo vaak gedaan en zien doen dat er geen bal meer aan was. Het was gewoon een rotsmoes; iemand pijn doen en dan doen alsof het voor de grap was. Ik wist niet eens hoe hij heette. Hij was te klein om een naam te hebben. Hij hield op met krijsen zodra hij merkte dat hem verder niks zou gebeuren.

Wat we ook deden was je vinger uitsteken en die heel hard, als een mes, in iemands ribben porren en ronddraaien en dan vragen: Doet de bel 't niet? Dat was de nieuwste sport, vooral 's maandags, na het weekend. Je moest voortdurend op je hoede zijn. Je beste vriend kon je te pakken nemen: voor de grap. Of een van je tepies pakken en Zeg 's Piep zeggen. Sommige jongens probeerden te piepen. Sinbad werd een keer tegelijk in zijn tepie geknepen en pootje gehaakt. Iedereen deed het bij iedereen, behalve Charles Leavy.

Charles Leavy deed het bij niemand. Dat was raar. Charles Leavy had ons allemaal op een rij kunnen zetten, zoals Henno vrijdagsmorgens, en ons allemaal om de beurt kunnen pootje haken. Je sloofde je uit als Charles Leavy erbij was. Je wilde vieze woorden zeggen. Je wilde bij hem in een goed blaadje komen.

Soms zeiden ze een hele tijd niks tegen elkaar maar dat was niet erg; ze zaten televisie te kijken of te lezen, of ma zat verwoed te breien. Daar werd ik niet zenuwachtig van; hun gezichten waren oké.

Mijn ma zei wat tijdens een aflevering van *The Virginian*.

'Waar hebben we hem eerder in gezien?'

Mijn pa was dol op *The Virginian*. Hij deed niet alsof hij niet keek.

'Ik geloof,' zei hij. 'Nee, ik zou 't niet meer weten; maar we hebben 'm vaker gezien.'

Sinbad kon Virginian niet goed zeggen. Hij wist ook niet wat het betekende, waarom ze hem de Virginian noemden. Ik wel.

'Hij komt uit Virginia.'

'Zo is dat,' zei mijn pa. 'Waar komen The Dubliners vandaan, Francis?'

'Uit Dublin,' zei Sinbad.

'Goed zo, jongen.'

Pa stootte me aan. Ik deed het terug, met mijn knie tegen zijn been. Ik zat op de grond naast zijn stoel. Toen het programma was afgelopen vroeg ma hem of hij een kopje thee wilde. Hij zei Nee, bedacht zich toen en riep Ja.

Ze praatten altijd onder het Journaal; ze praatten over het nieuws. Soms was het niet echt praten, geen echt gesprek, alleen opmerkingen.

'Stomme klootzak.'

'Ja.'

Ik wist altijd precies wanneer mijn vader iemand een stomme klootzak ging noemen; dan kraakte zijn stoel. Het was altijd een man en hij zei altijd iets tegen een interviewer.

'Nou vraag ik je toch!'

Mijn pa vroeg niks, de interviewer stelde de vragen maar ik wist wat mijn vader bedoelde. Soms was ik hem te vlug af.

'Stomme klootzak.'

'Zo mag ik 't horen, Patrick.'

Mijn ma vond het niet erg als ik Klootzak zei onder het Journaal. Het Journaal was saai maar soms volgde ik het aandachtig, de hele uitzending. Ik dacht dat de Amerikanen in Vietnam tegen gorilla's vochten; zo klonk het tenminste. Maar daar kon ik met m'n pet niet bij. De Israëli's vochten steeds maar met de Arabieren en de Amerikanen vochten met de gorilla's. Het was fijn voor de gorilla's dat ze een land voor zichzelf hadden, niet zoals de dierentuin, en daarom vermoordden de Amerikanen ze. Er gingen ook Amerikanen dood. Ze waren omsingeld en de oorlog was bijna voorbij. Ze hadden helikopters. Mekong Delta.

Gedemilitariseerde zone. Tet-offensief. De gorilla's in de dierentuin leken me in een oorlog niet zo moeilijk te verslaan. Ze leken me aardige, intelligente oudjes en hun haar was vies. Hun armen waren grandioos; ik wou dat ik zulke armen had. Ik was nog nooit op het dak geweest. Kevin wel, en zijn pa had hem ontzettend op z'n donder gegeven toen hij thuiskwam en het hoorde, en hij was alleen maar op het keukendak geweest, het platte stuk. Ik koos partij voor de gorilla's ook al woonden twee ooms en tantes van me in Amerika. Ik had ze nog nooit gezien. Met Kerstmis stuurden ze ons, mij en Sinbad, tien dollar. Ik wist niet meer wat ik met mijn vijf dollar had gedaan.

'Ik had er eigenlijk zeven moeten krijgen want ik ben de oudste.'

En ik wist ook niet meer welke oom en tante ons het geld hadden gestuurd; Brendan en Rita of Sam en Boo. Ik had ook nog zeven neefjes in Amerika. Twee van hen heetten hetzelfde als ik. Maar dat kon me niks schelen; toch was ik voor de gorilla's. Tot ik het vroeg.

'Waarom vechten de yankees tegen de gorilla's?'

'Watte?'

'Waarom vechten de yankees tegen de gorilla's?'

'Hoor je dat, Mary? Patrick wil weten waarom de yankees tegen gorilla's vechten.'

Ze lachten niet maar het was grappig, dat merkte ik. Ik kon wel janken; ik had een blunder gemaakt. Ik was stom. Ik vond het vreselijk om een flater te slaan, het ergste dat je kon overkomen. Afschuwelijk. Daar draaide het op school allemaal om, zorgen dat je geen flaters sloeg en toekijken als anderen het wel deden. Maar nu gaf het niet; het gebeurde niet op school. Hij legde me uit wat een guerrilla was. Toen begreep ik het.

'Onverslaanbaar,' zei hij.

Ik was nog steeds voor hen, voor de guerrilla's.

We keken weer naar de man in de studio. Charles Mitchell.

'Z'n das zit scheef, zie je?'

Toen kwam Richard Nixon in beeld.

'Die heeft me een gok,' zei mijn pa. 'Moet je kijken.'

'Vergeleken met sommige anderen ziet hij er best redelijk uit.'

Het duurde maar even. Hij gaf alleen een paar mensen een hand. Toen Charles Mitchell weer in beeld kwam zat zijn das recht. Ze lachten. Ik lachte mee. Verder was er niet veel bijzonders; twee dode koeien en een boer die erover praatte. Hij was kwaad. Ik hoorde de stoel kraken.

'Stomme klootzak.'

Er was niks aan ze te merken, geen toespelingen, geen gesnauw, geen harde stemmen. Niks aan de hand.

'Bedtijd, jongeman.'

Dat vond ik niet erg. Ik wilde naar bed. Ik wilde nog een tijdje wakker liggen. Ik gaf ze een kus. Hij probeerde me te kietelen met zijn kin. Ik ontsnapte. Ik liet hem me pakken zonder dat hij uit zijn stoel hoefde op te staan. Ik ontsnapte opnieuw.

'Hebben jouw ma en pa wel 's bonje?'

'Nee.'

'Niet bonje met stompen en schoppen,' zei ik. 'Bekvechten. Tegen elkaar tekeergaan.'

'O, als je dat bedoelt,' zei Kevin. 'Ze doen niet anders.'

'Echt?'

'Ja.'

Ik was blij dat ik het had gevraagd. Ik had er de hele dag mee rondgelopen voor ik het durfde. We waren naar Dollymount gelopen, hadden keet geschopt – het was berekoud – en waren teruggelopen en ik vroeg het pas toen we terug waren in Barrytown Road, vlak bij de winkels.

'En doen de jouwe 't?' vroeg Kevin.

'Ruzie maken?'

'Ja.'

'Nee.'

'Waarom vroeg je het dan? Ze doen 't vast.'

'Ze doen 't niet,' zei ik. 'Ze hebben weleens woorden, da's alles; net als de jouwe.'

'Waarom vroeg je het dan?'

'Mijn oom en mijn tante,' zei ik. 'Mijn ma had het erover met mijn pa. Mijn oom had mijn tante geslagen en zij had hem teruggeslagen en zij had de politie gebeld.'

'Wat deden die?'

'Ze hebben hem gearresteerd,' zei ik. 'Ze kwamen hem halen in een wagen met sirene.'

'Zit hij in de bak?'

'Nee; ze hebben hem vrijgelaten. Hij moest beloven dat hij het nooit meer zou doen. Op papier. Hij moest het opschrijven en zijn handtekening eronder zetten. En als hij het nog één keer doet, dan moet hij voor tien jaar de gevangenis in en dan worden mijn neefjes naar Artane gestuurd en houdt mijn tante mijn nichtjes omdat ze niet genoeg geld heeft om ze allemaal te houden.'

'Hoe ziet je oom eruit?'

'Groot.'

'Tien jaar,' zei Kevin.

Wij waren ook tien jaar.

'Da's wel een hele tijd als je iemand alleen maar een klap hebt gegeven. En zij dan?' schoot hem te binnen. 'Zij heeft hém ook geslagen.'

'Niet hard,' zei ik.

Ik vond het heerlijk om dingen te verzinnen; leuk was het zoals het volgende stuk in mijn hoofd opkwam, het klonk aannemelijk en breidde zich uit en ik kon doorgaan tot ik bij het einde kwam; het was net alsof je meedeed aan een wedstrijd. Ik won altijd. Ik verzon het waar je bij stond, maar ik geloofde het, echt waar. Maar dit was wat anders. Ik had er nooit tegenover Kevin over moeten beginnen; hij was de verkeerde. Ik had het Liam moeten vragen. Ik had me eruit gered, maar Kevin zou zijn ma waarschijnlijk over mijn oom en tante vertellen en zij zou het weer tegen mijn ma zeggen, hoewel die twee elkaar niet erg mochten; dat merkte je aan de manier waarop ze bleven doorlopen als ze elkaar op straat of voor de winkels tegenkwamen, alsof ze het te druk hadden om lang stil te staan, alsof ze haast hadden. Zij zou het mijn ma vertellen en dan zou zij me vragen wat ik over mijn oom en tante tegen Kevin had gezegd en ik dacht niet dat ik me daaruit zou weten te redden.

'Maar hoe kwamen jullie er dan bij om over ruziënde ma's en pa's te praten?'

Ik zou van huis moeten weglopen.

Ik had de namen van de oom en tante niet genoemd. Daar had ik voor opgepast, dat had ik expres niet gedaan.

'Ik zat 'm maar een beetje te pesten.'

Toch dacht ik eraan van huis weg te lopen.

'Ik hield hem voor het lapje.'

Ik had eeuwen – Henno was de deur uit om een praatje te maken met een andere onderwijzer – naar de kaart van Ierland zitten kijken.

'Ik nam hem in het ootje.'

Ze zou lachen. Ze lachte altijd als ik dat soort dingen zei. Ze dacht dat dat betekende dat ik een intelligente jongen was.

'Ik laat jullie even alleen, heren,' zei Henno.

We vonden het prachtig als hij dat zei; ik kon het bijna horen, ruggen die zich ontspanden. Er klaar voor gingen zitten.

'Het is maar voor een paar minuten,' zei Henno. 'Ik laat de deur open. En jullie weten alles van mijn beroemde oren.'

'Ja, meester,' zei Fluke Cassidy.

Hij bedoelde het serieus. Als iemand anders dat had gezegd, had hij een hengst voor zijn kop gekregen.

Henno liep de deur uit. Wij wachtten. Hij kwam terug bij de deur en wachtte. Wij bleven strak in ons boek kijken en keken niet op om te zien of hij er stond. We hoorden zijn schoenen. Ze bleven stilstaan. We hoorden ze weer. Weglopen.

'Krijg toch de kolere met je beroemde oren.'

We probeerden ons lachen in te houden. Dat was geiniger, om te proberen niet te lachen. Ik lachte harder dan gewoonlijk; ik kon het niet helpen. Ik moest de tranen van mijn wangen vegen. Ik pakte mijn atlas uit mijn tas. We hadden hem weinig gebruikt, tot nu toe alleen om de districten van Ierland te leren. Offaly was het gemakkelijkst te onthouden omdat dat het moeilijkste was. Dublin ging wel zolang je het niet verwarde met Louth. Fermanagh en Tyrone waren moeilijk uit elkaar te houden. Ik bekeek de kaart van Ierland van boven tot onder. Er was geen plek waarheen ik wilde weglopen behalve misschien een paar eilanden. Toch was ik het nog steeds van plan. Je kon niet weglopen naar een eiland; dan moest je een stuk varen of zwemmen. Maar het was geen spelletje; er bestonden geen regels waar je je aan moest houden. Een oom van mij was weggelopen naar Australië.

Ik sloeg de wereldkaart in het midden van de atlas open. Precies in het midden waren plekken die ik niet goed kon lezen omdat ik de bladzijden niet helemaal plat kreeg. Maar er waren nog meer dan genoeg andere plaatsen.

Ik meende het ernstig.

Henno had gezegd dat mijn ogen rood waren. Hij zei dat ik niet genoeg slaap had gehad. Waar iedereen bij was. Hij had me uitgefoeterd, hij zei dat hij mijn moeder zou bellen om haar te zeggen dat ze ervoor moest zorgen dat ik om halfnegen in bed lag. Waar de hele klas bij was. Ze lieten me te veel televisie kijken.

Hij boog zich dichter naar me toe en keek me aan.

'Was jij gisteravond dronken, meneer Clarke?'

Leuk hoor.

We hadden geen telefoon maar dat ging ik hem niet aan zijn neus hangen.

Mijn oom was in z'n uppie naar Australië gegaan. Hij was niet weggelopen, maar hij was wel heel jong toen hij wegging, nog niet eens achttien. Daar was hij nog steeds. Hij had zijn eigen zaak en een boot.

Ik was de hele nacht wakker gebleven. Dat was de reden dat mijn ma had gezegd dat ik witjes zag en dat Henno had gezegd dat ik rode ogen had. Ik had mezelf wakker gehouden; het was me gelukt, de hele nacht.

Ik wist niet wat er gebeurde toen het donker meer grijs begon te worden; het was griezeliger dan het donker. Het begon dag te worden. Toen hoorde ik de vogels. Ik was op mijn hoede. Ik wilde er zeker van zijn dat ze niet weer begonnen; ik hoefde alleen maar wakker te blijven. Net als Sint Petrus toen Jezus in de Hof was. Sint Petrus viel steeds weer in slaap, maar ik niet, geeneen keer. Ik maakte een hoekje in het bed, en bleef in het donker rechtop zitten. Ik verbood mezelf onder de dekens te kruipen. Ik sloeg met mijn hoofd tegen de muur. Ik kneep mezelf; ik probeerde hoe hard ik kon knijpen. Ik ging naar de badkamer en maakte mijn pyjama nat om het koud te hebben. Ik bleef wakker.

De haan kraaide.

Er werd niet meer geruzied. Ik ging naar de deur van mijn ouders en luisterde met ingehouden adem. Ik hoorde de ademhaling van mijn pa in zijn slaap, en die van mijn ma; de zijne luidruchtig, de hare die probeerde hem bij te houden. Ik ging weg en haalde adem, en toen begon ik te huilen.

Taak volbracht.

Er kraaide echt een haan; dat verzon ik niet. Hij deed Ku-ke-le-ku, maar die vier geluiden liepen meer in elkaar over. Het was op de boerderij van Donnelly, verderop, het stukje van de boerderij dat nog over was. Ik had het nog nooit eerder gehoord. Maar ik had de haan ontelbare keren gezien, tussen de kippen achter het gaas. Maar tot nu toe had ik nooit geweten dat het een haan was; ik dacht dat het gewoon een grote kip was, de kippekoning. We staken gras door het gaas om hem naar ons toe te lokken.

'Hij is gevaarlijk.'

'Kippen zijn niet gevaarlijk.'

'Deze wel.'

'Kijk zijn ogen maar.'

'Zijn eieren zijn groter. Ze zijn blauw.'

Hij vertikte het om naar ons toe te komen. Door het hek konden we hem niet goed met stenen bekogelen.

Ze gilde, woorden die ik niet kon thuisbrengen. Ze had iets gebroken; ik denk dat zij het was omdat het meteen na de gil kwam, als eindsignaal. Aan zijn manier van lachen kon je horen dat er niks leuks was gebeurd. Toen gesnik. Ik stond op om de deur dicht te doen, maar toen ik daar stond deed ik hem een stukje verder open.

'Patrick.'

Dat was Sinbad.

'Ze praten gewoon.'

'Loop naar de pomp,' zei ik.

Hij sliep alweer voor hij opnieuw kon beginnen te huilen.

Ik stond er alleen voor.

Ze waren opgehouden. Niks. Ze gingen naar bed, de een na de ander, hij eerst. Hij ging niet naar de badkamer; morgenochtend zou hij vies en ranzig uit zijn mond stinken. Ik hoorde het bed kraken, aan zijn kant. Toen kwam zij. Ik wist niet dat de televisie aanstond tot zij hem uitzette. Ze kwam de trap op, langs de zijkant om de krakende tree te omzeilen. Ze ging naar de badkamer. De kraan. Het geruis van de tandenborstel; zij had een blauwe, hij een rode, ik en Sinbad een kleinere groene en rode. Ik de rode. Ze draaide de kraan dicht, en de luchtbel schoot door de pijpen terug omhoog naar de zolder. Toen ging ze naar hun kamer. Ze duwde de deur zover mogelijk open, beng tegen het bed – zijn kant – en sloeg hem met een klap van haar hand dicht. Stil de trap op, lawaaiig de kamer in.

Ik bleef daar staan. Ik mocht me niet bewegen. Als ik bewoog zou het opnieuw beginnen. Ademhalen was toegestaan, meer niet. Het was net als wanneer Catherine of het andere kleintje ophield met huilen; vijfenveertig seconden, zei mijn ma; als ze binnen de vijfenveertig seconden geen kik gaven, waren ze weer in slaap gevallen. Ik stond doodstil. Ik telde niet; dit was geen spelletje voor baby's. Ik wist niet hoe lang. Lang genoeg om het koud te krijgen. Geen stemmen, alleen geschuifel en gekraak, een behaaglijk nestje maken; allemaal behalve ik.

Het was mijn verantwoordelijkheid. Zij wisten dat niet. Nu kon ik me bewegen; het ergste was voorbij: het was me gelukt. Maar ik moest de hele nacht wakker blijven; ik moest de hele nacht paraat zijn.

Rhodesië. Dat was in de buurt van de evenaar, de denkbeeldige lijn over het midden van de wereld. Daar waren de olifanten en de apen en arme negers. Olifanten vergaten nooit iets. Als ze bijna doodgingen liepen ze helemaal naar het olifantenkerkhof en dan gingen ze liggen en gingen gewoon dood. Boven de grond. Het was te ver weg. Daar zou ik naar toe gaan als ik groter was. Ik wist nog wat van Rhodesië. Het was genoemd naar Cecil Rhodes, maar ik wist niet waarom; dat was ik vergeten. Misschien had hij het veroverd of het ontdekt. Er waren geen landen meer die nog moesten worden ontdekt; ze waren allemaal ingekleurd. Ik keek naar de andere rose landen. Canada was enorm, wel veertig, vijftig maal zo groot als Ierland.

Canadian Mounted Police. Mounty's. Politieagenten op paarden. Slanke mannen op snelle paarden. Niet eentje droeg een bril. Rode jassen. Broeken die aan de zijkant uitstaken. Revolvers in holsters met een klep die open en dicht klikte. Zodat de revolvers er niet uit zouden vallen als ze hard reden. Achter veedieven aan. Je had geen veedieven in Canada; smokkelaars. Eskimo's die zich niet aan de wet wilden houden. Beren doodmaakten. Hun sledehonden afbekten. Ze ervan langs gaven met de zweep. Krulstaarten. Schuine ogen.

'Kom op; flink zo.'

De atlas drukte tegen mijn gezicht. Ik kon het papier en de lessenaar ruiken.

Henno stond naast me.

Ik wist niet wat er was gebeurd, wat er gebeurde.

'Hup; kom 's overeind.'

Het klonk niet als Henno. Ik voelde handen tegen mijn zij, mannenhanden, onder mijn oksels. Ik werd opgetild. Ik stond naast de bank. Ik zag alleen de grond. Hij was vies. Handen op mijn schouders. Die me vooruit duwden, overeind hielden. Naar voren. Ik zag niemand. Ik hoorde niks. De deur uit. De deur werd dichtgedaan.

Meester Hennessey's gezicht.

Hij keek me aan.

'Gaat 't weer een beetje?'

Een knikje, eentje maar.

'Moe?'

Een knikje.

'Geeft niks; kan de beste overkomen.'

Handen in mijn zij.

Omhoog.

Ruwe stof.

Te moe om mijn hoofd op te tillen, te zwaar.

Een geur.

Lekker.

Ik werd wakker. Ik bewoog me niet. Ik lag niet in bed. De geur was anders, leer. Ik zag de armleuning van een stoel. Ik lag op een stoel. Twee stoelen, voorkanten tegen elkaar om een bed te maken. Ik lag erop. Twee leren leunstoelen. Ik bewoog me nog steeds niet. Er lag een deken over me heen en nog wat anders, een jas. De deken was grijs en stug. De jas herkende ik. Ik herkende het plafond, aan de kleur, de barsten erin als een landkaart. Het raam boven de deur dat met een stok moest worden opengemaakt. Ik herkende de rook die opkringelde uit de asbak, dun en verder omhoog vervagend. Het duurde even: ik was in het kantoor van de bovenmeester.

'Ben je wakker?'

'Ja, meneer.'

'*Maith thú.*'[1]

Hij schoof de twee stoelen uit elkaar zodat ik rechtop kon gaan zitten. Hij pakte zijn jas en hing hem terug over de klerenhanger bij zijn hoed.

'Wat had je nou opeens?'

'Ik weet niet, meneer.'

'Je bent in slaap gevallen.'

'Ja, meneer.'

'In de klas.'

'Ja, meneer. Ik weet 't niet meer.'

1 Mooi zo.

'Heb je vannacht goed geslapen?'

'Ja, meneer. Ik was heel vroeg wakker.'

'Vroeg.'

'Ja, meneer. Ik hoorde de haan kraaien.'

'Dat is vroeg.'

'Ja, meneer.'

'Kiespijn?'

'Nee, meneer. Pijn in mijn benen.'

'Dat moet je tegen je moeder zeggen.'

'Ja, meneer.'

'Ga maar terug naar de klas. En vraag wat je hebt gemist.'

'Ja, meneer.'

Ik wilde niet terug. Ik was bang. Ik was afgegaan. Ze zouden me ermee pesten. Ik was afgegaan. Ik was alleen. Ik voelde me nog steeds moe. En stom. Er ontbraken stukjes.

Er gebeurde niks. Ik klopte eerst op de deur. Henno stond niet voor de klas toen ik hem opendeed. Ik zag Liam bij het raam, Fluke Cassidy. Henno kwam tussen de banken naar me toe lopen. Hij zei niks. Hij knikte in de richting van mijn bank. Ik ging zitten. Niemand staarde me onheilspellend aan. Ze glimlachten niet en stootten elkaar niet aan. Er landden geen briefjes op mijn lessenaar. Ze dachten allemaal dat ik ziek was; er was echt iets met me, want Henno had me niet geslagen maar me zo'n beetje de klas uit gedragen. Toen ik terugkwam in de klas, keken ze me aan alsof ze ergens op wachtten, dat ik het allemaal nog eens zou doen. Ze zeiden niks, zelfs Kevin niet.

Toch voelde ik me stom.

Ik wilde weer gaan slapen. Thuis. Ik wilde wakker slapen, zodat ik wist dat ik sliep.

De rest van de dag vroeg Henno me alleen maar wat als ik mijn vinger opstak. Hij probeerde niemand erin te luizen. Hij sloeg niemand. Ze wisten dat dat om mij was.

'Welke keerkring loopt ten noorden van de evenaar?'

Dat wist ik. Ik stak mijn hand omhoog. Ik gebruikte mijn andere hand om hem te ondersteunen.

'Meester meester.'

'Patrick Clarke.'

'De kreeftskeerkring, meester.'

'Goed.'

De bel ging.

'Zitten blijven!... Sta op... Eerste rij...'

Buiten de deur stonden ze op me te wachten, niet op een kluitje of in een kring. Ze deden alsof ze niet op me wachtten. Ze wilden bij me zijn.

Dat beviel me niet erg.

'Meneer Clarke?'

Henno stond in de deuropening.

'Ja, meester?'

'Kom 's hier.'

Ik kwam. Ik was niet zenuwachtig.

'En de rest van jullie naar huis, vlug 'n beetje.'

Hij deed een stap achteruit en liet me binnen. Hij deed de deur niet dicht. Hij liep achteruit en ging op de lessenaar van een van de banken zitten.

Hij probeerde te glimlachen en bezorgd te kijken.

'Hoe voel je je nu?'

Ik wist niet wat ik moest antwoorden.

'Gaat 't al wat beter?'

'Ja, meester.'

'Wat gebeurde er met je?'

'Ik ben in slaap gevallen, meester; ik weet 't niet.'

'Moe?'

'Ja, meester.'

'Vannacht niet geslapen?'

'Een beetje, meester. Ik werd heel vroeg wakker.'

Hij legde zijn handen op zijn knieën en leunde een beetje naar voren.

'Is alles in orde?'

'Ja, meester.'

'Thuis ook?'

'Ja, meester.'

'Gelukkig. Ga dan maar.'

'Ja, meester. Dank u wel, meester.'

'Vraag even na wat je aan huiswerk hebt gemist en doe dat voor morgen.'

'Ja, meester. Zal ik de deur achter me dichtdoen?'

'Graag, beste jongen.'

De deur was groter dan de ruimte die ervoor was. Door het vocht was hij uitgezet. Ik trok aan de knop en met een schrapend geluid ging hij dicht.

Ze waren buiten het hek en deden alsof ze niet op me stonden te wachten. Ze wilden allemaal bij me zijn; dat wist ik. Ik voelde me er niet beter door. Ik zou er blij om moeten zijn. Maar ik was het niet. Ze wilden me niet alleen laten, en ik wist waarom: ze wilden niks missen; zij wilden degenen zijn die hulp gingen halen. Ze wilden allemaal mijn leven redden. Ze begrepen er geen snars van.

'Welke huiswerkopgaven heb ik gemist?'

Iedereen wilde als eerste zijn rugtas af hebben.

Het waren flapdrollen. Charles Leavy was er niet bij.

David Geraghty ook niet. Die moest waarschijnlijk meteen naar huis om pillen in te nemen voor zijn benen of zoiets. Alle anderen hadden hun schoolagenda gepakt. Ik pakte de mijne en ging tegen de muur zitten. Ik leunde met mijn hoofd tegen de rand. Ik liet Kevin me zijn agenda geven.

Charles Leavy kon het niks schelen. Hij wist als enige wat er was gebeurd: ik was in slaap gevallen. Hij bleef zo vaak de hele nacht op. Om naar zijn ma en pa te luisteren. Het liet hem koud. Het was kutwijf en klootzak voor en na. Als hij zijn bal maar kon koppen.

Ze keken hoe ik de dag doorkwam. Ik liet mijn hand een beetje bibberen, maar hield daar al vrij snel mee op. Ik had er geen lol in. Ze waren allemaal van de partij, en ik vond ze niks aardig. Ik was alleen.

We hadden niet erg veel huiswerk.

Ik werd me van iets raars bewust; ik wilde bij Sinbad zijn.

'Francis. Wil jij dit hebben?'

Het was een koekje, gewoon een koekje. Ik had er ook wel trek in maar ik wilde dat hij het aannam. Ik gaf het hem cadeau. Hij keek er niet eens naar.

Ik greep hem bij zijn lurven.

'Doe je mond open!'

Zijn lippen verdwenen toen hij ze op elkaar perste. Hij maakte zich klaar om met zich te laten sollen, stijf en levenloos.

'Doe je mond open!'

Ik hield het voor zijn ogen.

'Kijk.'

Hij deed ze dicht, stijf dicht. Ik pakte het koekje en ik pakte zijn hoofd en ik drukte het koekje tegen zijn mond, en ik drukte tot het uit elkaar viel en ik het niet meer kon vasthouden. Het was een vijgekoekje.

'Zie je nou wel! Het was alleen maar een koekje! Een koekje.'

Hij hield zijn mond nog steeds dicht.

'Een vijgekoekje.'

Ik raapte de stukjes van de grond op.

'Kijk; ik eet ze op.'

Ik was dol op de vulling, zacht met kleine brokkelige stukjes erin. De koekachtige buitenkant was helemaal verkruimeld. Geen kruimel was groot genoeg om op te rapen.

Zijn mond en ogen bleven dicht. Hij had zijn handen niet omhooggedaan om zijn oren te bedekken, maar die waren ook dicht, dat wist ik.

'Ik heb 't op,' zei ik. 'En ik ben niet vergiftigd, kijk maar.'

Ik stak mijn armen voor hem omhoog.

'Kijk dan.'

Ik maakte een rondedansje.

'Kijk.'

Ik hield op.

'Ik leef nog steeds, Francis.'

Ik wist niet zeker of hij ademhaalde. Sommige delen van zijn gezicht waren heel rose en andere, onder zijn ogen, waren wit. Hij vertikte het om voor mij uit zijn schulp te kruipen. Ik vroeg me af of ik hem zou pootje haken – hij verdiende het – maar dat vond ik de moeite niet waard; ik gaf hem alleen een schop. Beng, tegen zijn scheen. Mijn voet kaatste terug. Hij hoorde de knal; ik zag hem naar adem happen. Ik wilde hem er nog eentje verkopen, maar deed het niet.

Hij maakte me bang.

Hij kon alles laten ophouden, en ik niet.

'Francis...'

Nog steeds geen krimp.

'Francis.'

Ik raakte de bovenkant van zijn hoofd aan, streek met mijn vingers door zijn haar. Hij voelde niks.

'Het spijt me dat ik je heb geschopt.'

Niks.

Ik ging de kamer uit en deed de deur achter me dicht. Hard genoeg zodat hij de klik zou horen; ik sloeg er niet mee. Ik wachtte. Ik ging op mijn hurken zitten en keek door het sleutelgat. De plek waar hij stond kon ik niet zien. Aan sleutelgaten had je nooit wat. Ik telde tot tien. Ik deed de deur open, alsof er niks aan de hand was.

Hij stond daar nog steeds, hetzelfde. Precies hetzelfde.

Ik kon hem wel vermoorden. Dat zou ik doen ook; het was niet eerlijk. Ik wilde hem alleen maar helpen en hij gaf me de kans niet. Hij wilde me niet eens in de kamer hebben, maar ik was er toch. En dat zou hij merken ook.

Ik kneep in zijn neus. Ik kneep met mijn vingers zijn neusgaten dicht, niet om hem pijn te doen, niet hard.

Nu.

Zijn neus was droog. Dat maakte het gemakkelijker, meer houvast. De enige lucht die hij had was die hij al had ingeademd.

Nu.

Hij moest iets doen anders zou het zijn dood zijn.

'Francis.'

Vroeg of laat moest hij zuurstof inademen en koolzuur uitademen. Ik keek hoe de twee kleuren op zijn gezicht zich verplaatsten. Er gebeurde iets.

Zijn mond ging open – verder niks – heel snel, hap, en weer dicht, zo snel als een goudvis. Hij kon geen adem hebben gehaald, niet genoeg. Hij deed maar alsof.

'Francis, je gaat dood.'

Zijn neus was nog steeds droog.

'Je gaat dood als je geen zuurstof inademt,' zei ik. 'Binnen een paar minuten al. Francis. Ik zeg 't voor je eigen bestwil.'

Hij deed het weer. Open, hap, en weer dicht.

Er ging iets helemaal verkeerd: ik begon te huilen. Ik wilde hem een stomp geven en voor ik een vuist had gemaakt, stond ik te huilen. Ik hield zijn neus nog even vast, zomaar, om hem vast te houden. Ik wist niet waarom ik huilde; ik schrok ervan. Ik liet zijn neus los. Ik sloeg mijn armen om hem heen. Achter zijn rug raakten mijn handen elkaar. Hij bleef stijf en afwerend staan. Ik dacht dat mijn armen hem zouden ontdooien. Dat moest.

Ik omhelsde een standbeeld. Ik kon hem niet eens ruiken omdat mijn neus vol snot zat en ik het niet weg kon krijgen. Ik bleef zo staan omdat ik het niet wilde opgeven. Mijn armen begonnen pijn te doen. Mijn gehuil ging over in een bromgeluidje; geen tranen. Ik vroeg me af of Sinbad – Francis – wist dat ik had gehuild. Om hem, vooral.

Tegenwoordig moest ik om de haverklap huilen.

Ik liet hem los.

'Francis?'

Ik veegde mijn gezicht af maar de meeste nattigheid

was al weg. Verdampt.

'Ik zal je niet meer slaan, oké; nooit meer.'

Ik verwachtte niet dat hij antwoord zou geven of zoiets. Ik wachtte even. Toen gaf ik hem een schop. En ik stompte hem. Twee keer. Toen voelde ik mijn rug koud worden: er stond iemand te kijken. Ik draaide me om. Niemand. Toch kon ik hem niet nog eens slaan.

Ik liet de deur open.

Ik wilde hem helpen. Hij moest het weten; hij moest zich erop voorbereiden, net als ik. Ik wilde hem kunnen bij-staan. Hij was warm. Ik wilde hem erop voorbereiden. Ik was verder dan hij; ik wist meer dan hij. Ik wilde naast hem in bed kruipen zodat we samen konden luisteren. Ik kon er niks aan doen. Als hij niet wilde doen wat ik wilde dat hij deed, dan moest ik hem wel pesten, hem bang ma-ken, hem slaan, of ik wilde of niet. Hem haten. Dat was gemakkelijker. Hij wilde niet naar me luisteren. Hij gaf me geen kans.

Hij at zijn avondeten op alsof er niks was gebeurd. Ik ook. Jachtschotel. De kerstcake-achtige aardappelkorst was uit de kunst; de topjes bruin en knapperig, de bovenlaag als een vlies. Ma's avondeten gaf me bijna de indruk dat er niks aan de hand was; het was altijd even lekker. Ik at alles op. Het was om te smullen.

Ik liep naar de koelkast.

K.E.L.V.I.N.A.T.O.R.

Zij had me die letters geleerd. Ik kende ze uit mijn hoofd.

Ik vond het leuk zoals de hendel tegenstribbelde als ik

hem openmaakte en ik won altijd. Er waren vier halve-li-terflessen, eentje aangebroken. Ik droeg de aangebroken fles, met twee handen – glas maakte me zenuwachtig – naar de tafel. Ik schonk mijn beker vol tot een paar centimeter onder de rand. Ik vond het vreselijk om te morsen.

'Francis,' zei ik, 'zal ik je melk voor je inschenken?'

Ik wilde dat ma het zag.

'Ja,' zei hij.

Ik deed niks, ik was er zo zeker van geweest dat hij Nee zou zeggen.

'Ja, bedankt,' zei ma.

'Ja, bedankt,' zei Sinbad.

Ik steunde de ribbel boven aan de rand van de fles precies op de rand van zijn beker en schonk in, net zoveel als ik voor mezelf had ingeschonken. Er was niet veel over in de fles.

'Bedankt, Patrick,' zei Sinbad.

Ik wist niet wat ik terug moest zeggen. Toen schoot het me weer te binnen.

'Graag gedaan.'

Ik ging terug naar de koelkast. Ma was gaan zitten. Pa was naar zijn werk.

'Hebben jullie weer ruzie gemaakt?' vroeg ze.

'Nee,' zei ik.

'Weet je het zeker?'

'Nee,' zei ik. 'Ja. Nee toch?'

'Nee,' zei Sinbad.

'Ik hoop het niet,' zei ze.

'Hebben we niet,' zei ik.

Toen kreeg ik haar aan het lachen.

'Dat verzeker ik je.'

En ze lachte.

Ik keek naar Sinbad. Hij keek naar ma's gelach. Hij glimlachte. Hij probeerde te lachen maar hij hield op voor hij goed en wel was begonnen.

'Deze maaltijd smaakt me uitstekend,' zei ik.

Maar ze lachte niet veel meer.

Ik keek een hele tijd naar hem en probeerde te ontdekken wat er anders was. Er klopte iets niet. Hij was net thuisgekomen, laat, vlak voor ik naar bed moest. Hij moest mijn huiswerk nog overhoren, mijn spelwoorden controleren. Zijn gezicht was anders, donkerder, glimmender. Hij pakte traag zijn mes op en keek toen alsof hij net de vork aan de andere kant van het bord had ontdekt, en hij pakte hem op alsof hij niet goed wist wat het was. Hij staarde naar de damp die van zijn bord af kwam.

Hij was dronken. Het drong met een schok tot me door. Ik zat aan tafel met mijn boek met speloefeningen als voorwendsel, Engels voorin, Iers achterin. Ik was diep onder de indruk. Hij was dronken. Dat was iets nieuws. Dat had ik nog nooit eerder gezien. De pa van Liam en Aidan huilde naar de maan, en nu moest je de mijne zien. Hij oefende in gedachten alles wat hij deed, ik zag het, het kostte hem moeite. Zijn gezicht was aan de ene kant verstrakt en aan de andere kant ontspannen. Hij had een goede bui. Hij grinnikte toen hij mij opmerkte.

'Kijk 's wie we daar hebben,' zei hij.

Dat zei hij anders nooit.

'Heb je nog wat te spellen voor me?'

En hij liet me hem overhoren. Van de tien had hij er acht goed. Provocatie en Cadans spelde hij verkeerd.

Maar daar zat het hem niet in. Het ging niet mis tussen hen omdat mijn pa dronken werd. Er was alleen maar een fles sherry in huis. Dat had ik gecontroleerd. Altijd dezelfde. Ik wist er niks van, hoe je dronken werd, hoeveel je dan moest drinken, wat er dan met je gebeurde. Maar ik wist dat dat het probleem niet was. Ik keek of ik lippenstift op zijn boordje zag; dat had ik in *The Man From Uncle* gezien. Geen spoor van te bekennen. Ik vroeg me trouwens toch af waarom er lippenstift op het boordje zou zitten. Misschien konden vrouwen slecht mikken in het donker. Ik wist eigenlijk niet goed waarom ik naar mijn pa's boordje keek.

Ik kon het niet bewijzen. Soms geloofde ik het niet; dan dacht ik echt dat er niks aan de hand was – als ze zaten te babbelen en thee te drinken, als we met z'n allen naar de televisie keken – maar daar kwam ik van terug voor dat geluksgevoel zand in mijn ogen kon strooien. Zij was mooi. Hij was aardig.

Zij zag er magerder uit. Hij zag er ouder uit. Hij zag er gemeen uit, alsof hij zijn best deed om er gemeen uit te zien. Zij keek de hele tijd naar hem. Als hij niet keek; alsof ze ergens naar zocht of probeerde hem te herkennen; alsof hij had gezegd dat hij iemand was wiens naam ze kende maar niet zeker wist of ze hem wel aardig zou vinden als ze hem zich goed herinnerde. Soms ging haar mond open en bleef open als ze naar hem keek. Ze wachtte tot hij naar haar zou kijken. Ze huilde vaak. Ze dacht dat ik het niet in de gaten had. Ze veegde met haar mouw haar tranen weg en forceerde een glimlach en giechelde zelfs, alsof het huilen een vergissing was en ze daar nu pas achter was.

Er waren geen bewijzen.

Meneer O'Driscoll van het huis aan het begin van de oude weg woonde daar niet meer. Hij was ook niet dood; ik had hem gezien. Richard Shiels' pa woonde soms ook niet bij ze thuis. Richard Shiels zei dat hij voor zijn werk weg was naar...

'Afrika.'

...maar ik geloofde hem niet. Zijn ma had een keer een blauw oog gehad. Edward Swanwicks ma was ervandoor met een piloot van Aer Lingus. Vroeger vloog hij laag over hun huis. Er zat een barst in een van hun schoorstenen. Ze kwam nooit meer terug. De Swanwicks...

'Wat er van het gezin over is,' zei Kevins ma.

...waren verhuisd, naar Sutton.

Nu waren wij aan de beurt. We hebben Edward Swanwick nooit meer teruggezien. Nu waren wij aan de beurt. Ik wist het, en ik zou zorgen dat ik erop voorbereid was.

We keken naar ze. Charles Leavy stond in het doel, het dichte hek achter hem. Seán Whelan ramde de bal tegen het hek aan. Nu moest hij keepen. Charles Leavy kreeg de bal en raakte het hek. Ze ruilden weer van plaats. Charles Leavy's hoofd schokte. Door de bal sprong het hek open.

'Hij probeert 'm niet eens tegen te houden,' zei Kevin.

'Hij wil niet in het doel staan,' zei ik.

Alleen flapdrollen keepten.

Ze waren maar met z'n tweeën. In de meeste nieuwe huizen woonde nog niemand, maar hun straat zag er afgewerkter uit omdat het beton nu helemaal doorliep tot aan Barrytown Road; het open stuk was opgevuld. Mijn naam stond in het beton. Het was mijn laatste handteke-ning; ik had er genoeg van. De weg had nu ook een naam,

Chestnut Avenue, op een bordje dat tegen de muur van de Simpsons was gespijkerd omdat zij op de hoek woonden. Het stond er ook in het Iers op, Ascal na gCastán. Als de bal de weg op stuiterde kon je de stenen en het grind horen. Het stikte overal van het stof hoewel het bijna winter was. De zijstraten van Chestnut Avenue leken nog nergens op. Je had geen idee hoe het er allemaal uit zou zien als het af was.

Charles Leavy stond weer in het doel. Hij hield een bal omdat hij niet anders kon, hij knalde recht tegen zijn been. Toen hij terugkaatste knalde Seán Whelan hem erin. Hij wist de bal laag te houden. Het hek rammelde.

Wij erop af.

'Drie-is-keepen,' zei Kevin.

Ze deden net alsof we niet bestonden.

'Hé,' zei Kevin. 'Drie-is-keepen.'

Charles Leavy wachtte tot Seán Whelan het hek weer stevig had dichtgedaan. Zijn schot raakte de hoek van het paaltje en de bal vloog ons allemaal voorbij. Ik rende erachter aan. Ik deed het voor Charles Leavy. Ik schopte de bal naar hem toe, en zorgde dat hij precies voor zijn voeten kwam. Hij wachtte tot hij stillag alsof dat betekende dat hij niet hoefde toe te geven dat ik hem voor hem had gehaald, want hij keek me niet eens aan.

Kevin probeerde het nog eens.

'Willen jullie geen drie-is-keepen doen?'

Charles Leavy keek Seán Whelan aan. Seán Whelan schudde zijn hoofd, en Charles Leavy draaide zich naar ons om.

'Kuttekoppen,' zei hij.

Ik wilde weg; ik had het nog nooit op die toon horen

zeggen, alsof hij het meende. Het was een veroordeling. We hadden geen keuze. Hij zou ons vermoorden als we niet weggingen. Dat wist Kevin ook. Ik zag dat hij ook inbond. Ik zei verder niks tot Charles Leavy kon zien dat we wegliepen.

'Wij gaan wel in het doel,' zei ik. 'Ik en hij.'

We liepen door.

'Dan kunnen jullie de hele tijd spelen.'

Charles Leavy knalde de bal tegen het hek en Seán Whelan trapte uit. Seán Whelan scoorde voor Charles Leavy zelfs maar bij het hek was en ze wisselden opnieuw. Toen haalde Seán Whelan zijn schouders op en Charles Leavy tikte de bal naar mij toe, naar mij, niet naar Kevin.

Ik liet hem de bal van me afpakken. Ik liet hem alle duels winnen. Ik speelde de bal te ver naar voren zodat hij me niet hoefde te tackelen. Ik gaf hem de bal bijna cadeau. Ik wou dat hij won. Ik wou dat hij me aardig ging vinden. Tegen Seán Whelan ging ik er hard tegenaan. Ik had mijn mooie kleren aan; mijn ma wilde dat we er zondags de hele dag netjes bijliepen. Ik hoefde geen enkele keer te keepen omdat ik niet won. Ik liet me door Charles Leavy passeren als hij veldspeler was, en door Kevin als Charles Leavy in het doel stond. Een van tweeën stond altijd in het veld dus ik won nooit. Dat kon me niks schelen. Ik kwam vlak bij hem. Ik deed alsof ik hem de bal wilde afpakken. Hij speelde een spelletje met me.

Hij bakte er niks van. Seán Whelan was eindeloos goed. De bal bleef aan zijn voet kleven zolang hij dat wilde. Nu we met z'n vieren speelden, was hij een stuk beter dan toen ze maar met z'n tweeën waren. Hij trapte de bal tussen onze benen door; hij liet de bal onder zijn voet meerollen, boog zich naar voren zodat je er niet bij kon; hij trapte de bal tegen de stoeprand, zodat hij omhoog-sprong, en knalde hem rechtstreeks in het net, het hek. Dat flikte hij zeven keer. Hij pakte Charles Leavy de bal af, gaf hem een elleboogje en drukte zich tussen Charles Leavy en de bal.

'Overtreding,' zei ik.

Maar ze trokken zich niks van mij aan. Ze lachten en stoeiden en probeerden elkaar te laten struikelen. Zo gauw Kevin de bal had, deed ik alsof ik hem wilde laten struikelen, en hij gaf me een schop.

Charles Leavy haalde uit om te schieten; Seán Whelan trapte de bal voor zijn neus weg, langs Kevin, die in het doel stond, en Charles Leavy trapte in de lucht en gaf een schreeuw van schrik. Hij liet zich langzaam vallen – dat was nergens voor nodig – en begon te lachen.

'Jij vuile kuttekop,' zei hij tegen Seán Whelan.

Ik had ontzettend de pest aan Seán Whelan. Hij flikte dat trucje met die stoeprand nog een keer. Kevin ontweek de bal. Het hek sprong open. Mevrouw Whelan kwam naar buiten.

'Maak als de sodemieter dat jullie wegkomen!' zei ze. 'Vooruit; ga iemand anders' hek maar mollen. En jij, Seán Whelan, voorzichtig met die broek.'

Ze ging weer naar binnen.

Ik dacht dat we ergens anders heen zouden gaan, maar Seán Whelan verzette geen stap, en Charles Leavy even-min. Ze wachtten tot mevrouw Whelan de deur achter zich had dichtgedaan en speelden toen gewoon door. Elke keer als de bal tegen het hek knalde, keek ik ernaar. Er ge-beurde niks.

We waren uitgespeeld. We zaten op het muurtje. Er was een kuil in het pad waar ze iets zouden neerzetten als de rest van het gebouw af was; wat was een raadsel. De tuin van de Whelans was omgespit; het was een en al kluiten aarde, net als op het platteland.

'Waarom is er geen gras?' vroeg ik.

'Geen idee,' zei Seán Whelan.

Hij wilde geen antwoord geven; ik zag het aan zijn gezicht. Ik keek naar de uitdrukking op Kevins gezicht, wat hij ervan dacht.

'Het moet groeien,' zei Charles Leavy.

Kevin keek om zich heen naar de aarde, alsof hij wachtte tot het gras zou opkomen. Ik wilde Charles Leavy aan de praat houden.

'Hoe lang duurt dat?' vroeg ik.

'Hè? Hoe moet ik dat verdomme weten? Jaren.'

'Ja,' zei ik instemmend.

Ik zat naast Charles Leavy, op een muurtje. En naast Kevin.

'Zullen we naar de schuur gaan?' zei Kevin. 'Wat vinden jullie?'

'Waarom?' vroeg Charles Leavy.

Ik was het met hem eens. Er was daar niks meer aan, van de schuur zelf was weinig meer over sinds de brand. Het was een dooie boel. De ratten waren weg. Die zaten in de tuinen van een paar nieuwe huizen. Ik had een klein meisje gezien met een rattebeet; ze liet hem aan iedereen zien. Het enige wat je kon doen was stenen gooien tegen de overgebleven golfplaten wanden om de verfschilfers eraf te springen. Het kabaal was voor een tijdje wel geinig.

Kevin gaf Charles Leavy geen antwoord. Ik voelde me

goed: hij had het voorgesteld, niet ik. Meestal was ik het. Ik voelde me nog beter.

'De schuur is stomvervelend,' zei ik.

Kevin zei niks. Charles Leavy ook niet. Maar toch was het best leuk zo; ik genoot ervan, om daar te zitten en niks te doen. Er was zelfs niks om naar te kijken, behalve de huizen aan de overkant. Charles Leavy woonde in een van die huizen. Ik wist niet precies in welk. Ik vroeg me af of het het huis was met die grote stapel kapotte stenen in de tuin, waar tegels en aarde en hard geworden stukken beton en stukken van kartonnen dozen uitstaken. En waar vanzelf enorm hoog onkruid uit groeide met stengels als rabarber. Het huis met de gebarsten ruit in de voordeur. Dat was het vast. Het leek bij hem te passen. Als ik alleen maar naar dat huis keek werd ik al bang en opgewonden. Het was woest, armoedig, gek; splinternieuw en stokoud. Die kunstmatige heuvel zou daar nog jaren blijven. Het onkruid zou kraken, ombuigen, grijs worden en wortel schieten. Ik wist waar het huis naar rook: luiers en stoom. Ik wou dat ik erin kon en dat iedereen me aardig zou vinden.

Charles Leavy zat naast me. Hij kopte zijn denkbeeldige bal, drie keer – boem boem boem, zonder geluid – toen werd zijn hoofd weer rustig. Hij droeg gympen. Er zat een scheur op de grens tussen het rubber en het canvas. Het canvas was grijs en gerafeld. Zijn sokken waren oranje. Op zondag. Hij zei Kut zoals... ik wou het precies zeggen zoals hij. Het moest klinken zoals geen enkel ander woord klonk, snel, bijtend en uitdagend. Ik zou het leren zonder blikken of blozen te zeggen. Net zoals Charles Leavy het zei. Zijn hoofd schoot naar voren alsof hij je een kopstoot wilde geven. Het woord raakte je nadat hij zijn hoofd had ingetrokken. Het Tekop was net een straaljager die overkwam; het duurde een eeuwigheid. Het Kut was de stoot; het Tekop was je happen naar adem.

Kut-tekooooop.

Ik wilde het horen.

'Hoe vind je Henno?' vroeg ik.

'Een kuttekop.'

'Kuttekop,' zei ik in het donker tegen Sinbad.

Ik kon horen dat hij het hoorde. Het werd stiller; hij hield zijn adem in. Hij had in zijn bed liggen woelen.

'Kuttekop,' zei ik.

Ik was aan het oefenen.

Hij gaf geen krimp.

Ik keek naar Charles Leavy. Ik bestudeerde hem. Ik deed zijn zenuwtic na. Ik hield mijn schouders net zo. Ik maakte mijn ogen een beetje kleiner. Als mijn pa zou weggaan, of zelfs mijn ma, dan zou ik de denkbeeldige bal koppen. Ik zou buiten gaan spelen. Als ik de volgende dag op school kwam, zou ik al mijn huiswerk af hebben. Ik wilde net zo zijn als Charles Leavy. Ik wilde hard zijn. Ik wilde plastic sandalen dragen en ze tegen de grond laten klepperen en iedereen uitdagen die het waagde naar me te kijken. Charles Leavy daagde niemand uit; hij was al veel verder: hij wist niet eens dat ze er waren. Zo ver wilde ik ook komen. Ik wilde naar mijn ma en pa kijken en niks voelen. Ik wilde voorbereid zijn.

'Kuttekop,' zei ik tegen Sinbad.

Hij sliep al.

'Kuttekop.'

Hij schreeuwde beneden, mijn pa, hij brulde.

'Kuttekop,' zei ik.

Ik hoorde gesnik beneden in de gang.

'Kuttekop.'

Er werd een deur dichtgeslagen, die van de keuken; dat merkte ik aan het geruis van de lucht.

Nu huilde ik ook, maar als het zover was zou ik voorbereid zijn.

Hij leunde tegen de paal op het schoolplein, een beetje verdekt zodat hij niet zou worden gezien als er een onderwijzer naar binnen reed of wandelde. Maar hij verschool zich niet. Hij stond te roken. In z'n eentje.

Ik had ook weleens gerookt; een heel stel van ons rond een sigaret, waarbij we deden alsof we meer inhaleerden dan we deden en de rook eeuwenlang in onze mond hielden. We zorgden er wel voor dat de rook die we uitbliezen egaal en ijl was, rook waar het sigarettenspul was uitgezogen. Daar was ik goed in.

Charles Leavy rookte in z'n eentje. Dat deden wij nooit. Sigaretten waren heel kostbaar en moeilijk uit winkels te pikken, zelfs uit die van Tootsie, dus moest je ze roken waar iemand bij was; daar was het allemaal om te doen. Maar Charles Leavy niet. Die rookte in z'n eentje.

Ik was bang voor hem. Daar stond hij, helemaal alleen. Altijd alleen. Hij glimlachte nooit; het was geen echte glimlach. Zijn lach was een geluid dat hij aanzette en weer uitschakelde als een machine. Hij was met niemand dikke vrienden. Hij trok weleens met Seán Whelan op maar meer ook niet. Hij had geen vrienden. Wij hielden van bendes, met een stel bij elkaar, de troep, het erbij horen. Hij had zijn eigen bende kunnen hebben, een echte bende, als een leger; wist-ie niet. We verdrongen elkaar om 's ochtends op het schoolplein naast hem in de rij te staan; dat wist hij ook niet. Er gebeurden dingen om hem heen, er vonden vechtpartijen plaats die volkomen langs hem heen gingen.

Ik was alleen. De damp kwam uit mijn mond als sigaretterook. Soms hield ik mijn vingers tegen mijn mond alsof ik een sigaret vasthield en de rook uitblies. Maar nu niet, dat nooit meer. Dat was allemaal maar kinderachtig gedoe.

Dit was geweldig. Wij alleen, met z'n tweeën. Van de opwinding kreeg ik kramp in mijn maag; het deed pijn.

Ik zei wat.

'Geef mij 's een trekkie.'

Hij deed het.

Hij gaf me de sigaret. Ik kon het niet geloven, het was zo gemakkelijk gegaan. Mijn hand beefde maar dat zag hij niet omdat hij niet echt naar me keek. Hij concentreerde zich op het uitblazen van de rook. Het was een Major, de sigaret; het zwaarste merk. Ik hoopte dat ik niet misselijk zou worden. Ik zorgde ervoor dat mijn lippen droog waren zodat ik er geen kleffe zooi van zou maken. Ik nam een trekje en gaf hem snel het saffie terug; het zou allemaal mijn mond uitbarsten, het was te snel mijn keel in geschoten, zoals me wel vaker gebeurde. Maar ik sloeg me erdoorheen. Ik onderdrukte de hoestbui en hield de rook binnen en zoog. Het was afschuwelijk. Ik had nog nooit een Major gerookt. Mijn keel stond in brand en mijn maag draaide zich om. Mijn voorhoofd werd klam, alleen mijn voorhoofd, en koud. Ik hief mijn hoofd op, tuitte mijn lippen en liet de rook ontsnappen. Het zag er goed uit, zoals die eruitkwam, precies zoals het hoorde, omhoogkringelend naar het dak van de fietsenstalling. Het was me gelukt.

Ik moest gaan zitten; mijn benen weigerden dienst. Er was een bank achterin, langs de lange wand van de stalling. Ik wist hem te bereiken. Over een minuutje zou het over zijn. Ik kende het gevoel.

'Dat was verdomd lekker,' zei ik.

Stemmen klonken grandioos onder het afdakje, diep en hol.

'Ik hou van roken,' zei ik. 'Het is verdomde tof, vind je niet?'

Ik praatte te veel, ik wist het.

Hij zei wat.

'Ik probeer van die kolere dingen af te komen,' zei hij.

'Ja,' zei ik.

Het was niet genoeg.

'Ik ook,' zei ik.

Ik wilde meer zeggen, ik zocht wanhopig naar woorden, om het gesprek langer te laten duren, tot de bel ging. Ik probeerde haastig iets te bedenken, iets, als het maar niks stoms was. Ik kon niks bedenken. Kevin was het plein opgekomen. Hij keek om zich heen. Hij kon ons nog niet zien. Hij zou het verpesten. Ik haatte hem.

Toen kreeg ik een idee; het was er al uit voor ik er erg in had.

'Daar heb je die stomme klootzak ook,' zei ik.

Charles Leavy keek.

'Conway,' zei ik. 'Kevin,' voegde ik er voor alle zekerheid aan toe.

314

Charles Leavy zei niks. Hij maakte zijn Major uit, stopte hem terug in zijn pakje en stak het in zijn zak. Ik kon de vorm van het pakje door zijn broek heen zien.

Ik voelde me voldaan. Het begin was er. Ik keek naar Kevin. Ik miste hem niet. Maar ik was wel bang. Nu had ik niemand. Precies zoals ik had gewild.

Charles Leavy liep weg, over het schoolplein, de school uit. Hij had zijn schooltas niet bij zich. Hij ging spijbelen. Hij zat nergens mee. Ik kon hem niet achternagaan. Ik kon niet eens een paar stappen zetten en me dan bedenken. Er liepen onderwijzers naar binnen, ouders stonden buiten, het was koud. Ik kon het niet. Trouwens, ik had al mijn huiswerk gemaakt en dat wilde ik niet verloren laten gaan.

Ik stond op en liep een stukje de stalling uit zodat Kevin me zou zien. Ik deed alsof ik hem nog steeds aardig vond. Toch ging ik een keer spijbelen. Op mijn eigen houtje; binnenkort. Ik zou de hele dag wegblijven. Ik zou het aan niemand vertellen. Ik zou wachten tot ze het vroegen. Ik zou niet veel loslaten. Ik zou het in m'n eentje doen.

Ik maakte een lijst.

Geld en voedsel en kleren. Die dingen zou ik nodig hebben. Geld had ik niet. Het geld dat ik bij mijn communie had gekregen, was op het postkantoor maar mijn ma had het spaarbankboekje. Dat was voor als ik groter was. Stom vond ik dat; als je groter was kocht je alleen maar kleren en schoolboeken. Ik had het spaarbankboekje pas één keer gezien.

'Zal ik het voor alle zekerheid maar voor je bewaren?'

'Ja.'

Er stonden drie bladzijden met stempels in en elk stempel was twee kwartjes waard. Een van de bladzijden was niet vol. Ik kon me niet herinneren hoeveel er bij elkaar opstond. Genoeg. Ik had van alle familieleden en van een paar buren geld gehad. Zelfs oom Eddie had me een dubbeltje gegeven. Ik moest dat boekje te pakken zien te krijgen.

Voedsel was geen probleem; blikjes. Die bleven langer goed want ze waren vacuüm verpakt en dat hield ze vers. Ze waren alleen niet goed als er een grote deuk in het blik zat; het moest een grote zijn. We hadden voedsel gegeten uit blikken met kleine deuken en daar hadden we niks van gekregen. Ik had een keer gehoopt dat ik vergiftigd zou worden – ik wilde het, om het mijn pa te bewijzen – maar ik hoefde niet eens naar de wc tot de volgende dag. Bonen zouden het beste zijn; die waren heel voedzaam en ik vond ze lekker. Ik moest ook een blikopener zien te bemachtigen. Die we thuis hadden was er zo eentje die aan de muur vastzat. Ik zou er een bij Tootsie pikken. We hadden er al eens een gepikt, maar niet om te gebruiken. We hadden hem begraven. Ik had er nog nooit een blik mee opengemaakt. Blikken waren zwaar.

Er was weer een ruzie geweest, een heftige. Ze waren allebei het huis uit gerend, hij aan de voorkant, zij aan de achterkant. Hij was helemaal weggelopen; zij was weer binnengekomen. Deze keer had zij ook geschreeuwd. Datie uit zijn bek stonk, iets dergelijks. Ik had hem niet eens gezien toen hij thuiskwam, behalve door het raam. Hij kwam thuis, ze begonnen te schelden, hij liep weg. Het was laat. Wij lagen in bed. De deur sloeg met een klap dicht. De luchtstroom beneden werd weer normaal.

'Heb je dat gehoord?'

Sinbad gaf geen antwoord. Misschien had hij het niet gehoord. Misschien kon hij zelf beslissen wat hij wilde horen en wat niet. Ik had het gehoord. Ik had gewacht tot hij terug zou komen. Ik wilde naar beneden, naar haar toe. Maar deze keer had zij hem ook pijn gedaan; zo had het tenminste geklonken.

Ik zou maar een paar blikjes meenemen en nieuwe kopen als ik die nodig had. Ik zou ook appels meenemen maar geen sinaasappels. Die gaven te veel rompslomp. Fruit was goed voor je. Ik zou niks meenemen dat je eerst moest koken. Ik zou boterhammen klaarmaken en die in aluminiumfolie verpakken. Ik had nog nooit koude bonen gegeten. Ik zou ze uit de saus lepelen.

Ik vond het vervelend dat zij had geschreeuwd. Dat klopte niet.

Ik zou een stevig maal gebruiken voor ik vertrok.

En ten slotte de kleren. Ik zou wat aan hebben en ik zou wat mee moeten nemen; twee van alles en mijn windjak. Ik moest niet vergeten de capuchon er weer op te ritsen. De meeste jongens die van huis wegliepen vergaten onderbroeken en sokken. Die stonden op mijn lijst. Ik wist niet waar mijn ma ze opborg. In de droogkast waarschijnlijk, maar ik wist het niet zeker. Elke zondag lagen er schone op ons bed als we wakker werden, bijna alsof de kerstman ze daar had neergelegd. Als we zaterdagsmiddags in bad gingen, drukten we de oude onderbroeken tegen onze ogen om te voorkomen dat er schuim in kwam als onze haren werden gewassen.

Hij kwam een hele tijd later terug. Ik hoorde zijn voetstappen langs de zijkant van het huis en het schuiven van de achterdeur. De televisie stond aan. Ma was in de woonkamer. Hij bleef een tijdje in de keuken, om thee te zetten of te wachten tot zij zou merken dat hij er was; want hij liet iets vallen – het rolde. Zij bleef in de woonkamer. Hij ging de gang in. Daar bleef hij een poosje staan. Toen hoorde ik een van de traptreden kraken; hij stapte er altijd op. Toen hoorde ik hetzelfde gekraak: hij ging weer terug naar beneden. Het zeil bij de drempel schuurde langs de deur van de woonkamer toen hij hem openduwde. Ik wachtte. Ik luisterde gespannen.

Ik liet een boer. Mijn rug was omhooggekomen van het bed alsof ik probeerde iemand te beletten me omlaag te drukken. Nog een boer. Hij deed pijn in mijn keel. Ik wilde een slokje water. Ik luisterde naar hun stemmen; ik probeerde ze door de geluiden van de televisie te verstaan. Ik kon niet opstaan om dichterbij te komen; ik moest het horen vanuit het bed, precies hier. Ik kon het niet. De televisie stond harder aan dan anders; dat dacht ik tenminste.

Ik wachtte, en daarna weet ik het niet meer.

Ze hadden allebei schuld. Waar twee kijven hebben twee schuld. Niet drie; ik mocht me er niet mee bemoeien. Ik kon niks doen. Omdat ik niet wist hoe ik kon voorkomen dat het begon. Ik kon bidden en huilen en de hele nacht wakker blijven en er zo voor zorgen dat het ophield maar ik kon niet voorkomen dat het begon. Ik begreep het niet. Ik zou het nooit begrijpen. Hoeveel ik ook luisterde en erbij bleef, ik zou er nooit achterkomen. Ik wist het gewoon niet. Ik was stom.

Het waren niet allemaal kleine ruzietjes. Het was een grote ruzie, verschillende ronden van hetzelfde gevecht.

En het hield niet op na vijftien ronden, zoals bij boksen. Het was net als een wedstrijd zoals ze die vroeger hielden waarbij ze geen handschoenen droegen en op elkaar in bleven rammen tot een van de twee bewusteloos of dood was. Ma en pa waren de vijftiende ronde al lang voorbij; ze hadden al jaren mot – dat kon haast niet anders – maar de pauzes tussen de ronden werden korter, dat was het grote verschil. Een van de twee zou binnenkort onderuitgaan.

Mijn ma. Ik wou dat het mijn pa zou zijn. Hij was groter. Maar ik wilde ook niet dat hij het was.

Ik kon niks doen. Soms, als je ergens over nadacht, probeerde het te begrijpen, dan werd het opeens helder in je hoofd, zonder dat je het verwachtte, alsof er een sponsachtig licht aanging, en dan begreep je het, wist je voorgoed hoe het in elkaar zat. Ze zeiden dat dat intelligentie was, maar dat was het niet; het was geluk, net als een vis vangen of een gulden vinden op straat. Soms gaf je het op en dan plotseling liet de spons het licht door. Grandioos was dat, het was alsof je groter werd. Maar deze keer zou dat niet gebeuren, nooit. Ik kon denken en denken en me concentreren tot ik een ons woog.

Ik was de scheids.

Ik was de scheids waar ze niks van wisten. Doofstom. En bovendien onzichtbaar.

'Nog enkele seconden...'

Ik wilde dat er niemand won. Ik wilde dat het gevecht altijd zou doorgaan, dat er nooit een einde aan zou komen. Ik kon het zo regelen dat het steeds maar doorging en doorging.

'Break...'

Ik tussen hen in.

'Burr-rreak!'

Ze uit elkaar duwen; mijn handen tegen hun borst.

Tingelingeling.

Waarom vonden mensen elkaar niet aardig?

Ik haatte Sinbad.

Maar niet echt. Als ik mezelf afvroeg waarom ik hem haatte, dan was de enige reden dat hij mijn kleine broertje was en dat was alles; eigenlijk haatte ik hem helemaal niet. Grote broers haatten hun kleine broertjes nu eenmaal. Dat moesten ze. Dat hoorde zo. Maar ze konden ze ook aardig vinden. Ik vond Sinbad aardig. Ik hield van zijn lengte en hoe hij eruitzag en van de rare kruin op zijn achterhoofd; ik vond het leuk zoals iedereen hem Sinbad noemde en hij thuis Francis was. Sinbad was een geheim.

Sinbad ging dood.

Ik huilde.

Sinbad ging dood.

Dat zou ik helemaal niet leuk hebben gevonden; ik kon geen enkel voordeel bedenken. Niks. Dan zou ik niemand meer hebben om te haten, of te doen alsof. De kamer, zoals ik hem prettig vond, kon niet zonder zijn geluiden en zijn geur en zijn aanwezigheid. Nu begon ik echt te huilen. Het was prettig om Sinbad te missen. Ik wist dat ik hem zo dadelijk zou zien. Ik bleef huilen. Er was niemand anders. Ik zou hem zien en ik zou hem waarschijnlijk een mep geven, en misschien pootje haken omdat hij het was.

Ik hield van Sinbad.

De tranen aan de linkerkant stroomden sneller dan die aan de rechterkant.

Waarom vond pa ma niet aardig? Zij vond hem wel

aardig; het punt was dat hij haar niet aardig vond. Wat was er mis met haar?

Niks. Ze was mooi om te zien, hoewel je dat moeilijk met zekerheid kon zeggen. Ze kon heerlijk koken. Het huis was schoon, het gras gemaaid en verzorgd en ze liet altijd een paar madeliefjes in het midden staan omdat Catherine die leuk vond. Ze schreeuwde niet zoals sommige andere ma's. Ze droeg geen broeken zonder gulp. Ze was niet dik. Ze was nooit lang kwaad. Als ik er goed over nadacht: ze was de beste ma van de buurt. Echt waar; ik kwam heus niet alleen tot die conclusie omdat ze de mijne was. Ze was echt de beste. Die van Ian McEvoy was aardig maar ze rookte; je kon het aan haar ruiken. Voor Kevins ma was ik bang. Liam en Aidan hadden er geen. Ik dacht lang na over mevrouw Kiernan maar zij was geen ma want zij had geen kinderen. Ze was alleen een mevrouw omdat ze was getrouwd met meneer Kiernan. Mijn ma was de beste van dat stel en van alle anderen ook. Charles Leavy's ma was kolossaal, haar gezicht was bijna helemaal rood. Als ze de deur uit ging, droeg ze altijd een meisjes-regenjas en ze legde een knoop in de ceintuur in plaats van de gesp te gebruiken. Ik moest er niet aan denken van haar een nachtzoen te krijgen als ik naar bed ging; ik zou doen alsof ik haar kuste om haar gevoelens niet te kwetsen of om gedonder te vermijden, met mijn lippen dicht genoeg bij haar wang zonder haar aan te raken. Zij rookte ook.

Charles Leavy kon haar kussen.

Met mijn pa was meer mis dan met mijn ma. Er was helemaal niks mis met mijn ma behalve dat ze het soms te druk had. Mijn pa werd af en toe kwaad en dat vond hij leuk. Hij had overal zwarte dingen op de bovenkant van zijn rug, als zwarte insekten die zich aan hem vastklampten. Ik had ze gezien; een stuk of vijf in een krom rijtje. Ik had ze gezien toen ik keek hoe hij zich stond te scheren. Twee ervan kwamen boven zijn onderhemd uit. Bij een heleboel dingen had je niks aan hem. Hij maakte nooit een spelletje af. Hij las kranten. Hij schraapte zijn keel. Hij zat te veel op zijn kont.

Hij liet geen scheten. Daar had ik hem nooit op betrapt.

Als je een lucifer bij je gat hield als je een scheet liet, dan kwam die er als een steekvlam uit; dat had Kevin van zijn vader gehoord – maar het lukte pas als je ouder was, minstens in de twintig.

Hij was wel steeds degene die begon.

Maar waar twee kijven hebben twee schuld. Hij moet zijn redenen hebben gehad. Soms had pa geen reden nodig; dan had hij al een pestbui. Maar niet altijd. Meestal was hij redelijk, en luisterde hij als wij ergens mee zaten. Hij luisterde meer naar mij dan naar Sinbad. Er moet een reden zijn geweest waarom hij ma haatte. Er moet iets mis met haar zijn geweest, minstens één ding. Ik kon het niet ontdekken. Ik wou dat ik het wist, dat ik het begreep. Ik wou aan beide kanten staan. Hij was mijn pa.

Ik ging vlak na Sinbad naar bed, voor het mijn tijd was. Ik gaf mijn ma een nachtkus, en mijn pa. Ze hadden tot dan toe nog geen woorden gehad; ze zaten allebei te lezen; de televisie stond aan met het geluid heel zacht in afwachting van het Journaal. Mijn lippen raakten mijn pa nauwelijks aan. Ik wilde hem niet storen. Ik wilde dat hij bleef zoals hij was. Ik was moe. Ik wilde slapen. Ik hoopte dat het een grandioos boek was.

Boven op de overloop bleef ik stilstaan om te luisteren. Het was stil. Ik poetste mijn tanden voor ik naar onze kamer ging. Ik had ze de laatste tijd niet gepoetst zoals het hoorde. Ik keek naar het scheermes van mijn pa maar ik haalde het mesje er niet uit. Het bed was koud maar de dekens drukten zwaar op me; lekker gevoel vond ik dat.

Ik luisterde.

Sinbad sliep niet; daar was de tijd tussen het in- en het uitademen te kort voor. Ik zei niks. Ik controleerde het nog eens, luisterde; hij sliep beslist niet. Ik luisterde verder; ik had de deur op een kier laten staan. Beneden werd nog steeds niks gezegd. Als er niks gebeurde voor wij de herkenningsmelodie van het Journaal hoorden, dan zou er helemaal niet geruzied worden. Ik zei nog steeds niks. Ergens in de minuut dat ik in bed lag, onder het luisteren, hadden mijn ogen geleerd in het duister te kijken; de gordijnen, de hoeken, George Best, Sinbads bed, Sinbad.

'Francis?'

'Laat me met rust.'

'Ze maken geen ruzie vanavond.'

Niks.

'Francis?'

'Patrick.'

Hij treiterde me, zoals hij het zei.

'Pah-trick.'

Ik wist niet wat ik moest zeggen.

'Pahh-twick.'

Ik had het gevoel dat hij me ergens op had betrapt, alsof ik iets deed wat niet mocht, maar ik wist niet wat. Ik wilde naar de wc. Ik kon mijn bed niet uitkomen.

'Pahhh...'

Het was alsof hij mij was geworden en ik hem was. Straks plaste ik nog in bed.

'...twick.'

Ik deed het niet.

Ik gooide de dekens van me af.

Hij had het door; hij had het in de gaten. Ik had met hem willen praten omdat ik bang was. Zogenaamd om hem te beschermen wilde ik hem dicht bij me, om samen, eendrachtig, te luisteren; om het tegen te houden of weg te lopen. Hij wist het: ik was bang en voelde me eenzaam, banger en eenzamer dan hij.

Maar dat zou niet lang duren.

Er zat een gaatje in het bovenlaken precies op de plek waar mijn grote teen meestal zat; ik vond het leuk om er met mijn teen in te wroeten, de stugge stof van de deken te voelen, en dan mijn teen terug te trekken. Nu scheurde het laken daar toen ik het van me afgooide. Ik wist waarom: hij niet. Hij had het niet gehoord. Ik had hem bang gemaakt. Het scheurende laken.

'Sinbad.'

Ik kwam mijn bed uit. Ik was weer de baas.

'Sinbad.'

Ik was op weg naar de wc maar ik hoefde me nu niet meer te haasten.

'Ik ga je wurgen,' zei ik.

Ik liep naar de deur.

'Maar eerst ga ik naar de wc. Ontsnappen is onmogelijk.'

Ik veegde de bril schoon. Het badkamerlicht was uit,

maar ik had het plasje op het plastic horen kletteren. Ik veegde de bril helemaal schoon en gooide het papier in de pot. Toen trok ik door. Ik kwam terug in onze kamer zonder de deur aan te raken. Ik sloop naar zijn bed toe maar zorgde dat hij één stap kon horen.

'Francis?'

Ik gaf hem nog één kans.

'Schuif 's op.'

Het was gelijkspel: we hadden elkaar bang gemaakt. Er was geen geluid; hij bewoog zich niet. Ik liep tot vlak bij zijn bed.

'Schuif 's op.'

Het was geen bevel; ik zei het op vriendelijke toon.

Hij sliep. Ik hoorde het. Ik had hem niet bang genoeg gemaakt om hem uit zijn slaap te houden. Ik ging op het bed zitten en trok mijn benen op.

'Francis.'

Er was geen plek. Ik duwde hem niet opzij. Hij was veel zwaarder als hij sliep. Ik wilde hem niet wakker maken. Ik liep terug naar mijn eigen bed. Iets van de warmte was er nog. Het gat in het bovenlaken was groter, te groot. Mijn voet bleef erin steken. Ik was bang dat ik het nog verder zou uitscheuren.

Ik kon maar beter gaan slapen. Ik wist dat het me zou lukken. De volgende ochtend zou ik tegen Sinbad zeggen dat ik hem niet wakker had gemaakt.

Ik luisterde.

Eerst niks, toen hoorde ik ze praten. Zij, hij, zij, hij wat langer, zij, hij weer een hele tijd, zij een tijdje, hij. Ze praatten gewoon, op normale toon. Hij praatte tegen haar. Man en vrouw. Meneer en mevrouw Clarke. Mijn ogen vielen vanzelf dicht. Ik hield op met luisteren. Ik deed ademhalingsoefeningen.

'Ik heb je niet wakker gemaakt,' zei ik tegen hem.

Hij was me te slim af. Het ging totaal de verkeerde kant op.

'Ik had het kunnen doen,' vertelde ik hem.

Het kon hem niks schelen; hij had geslapen. Hij geloofde me niet.

'Maar ik heb het niet gedaan.'

We waren al bijna bij school en daar konden we niet bij elkaar blijven. Ik ging eerst naast hem lopen, en toen voor hem. Hij keek niet naar me. Ik ging voor zijn voeten lopen. Ik zei het toen hij om me heen liep.

'Hij haat haar.'

Hij liep door, met een boog om me heen die zo groot was dat ik hem niet kon pakken, in hetzelfde tempo.

'Echt waar.'

We liepen het veldje voor de school op. Het gras was lang want er waren nog geen funderingen gelegd, maar er waren paden uitgesleten in het gras en die kwamen allemaal aan de andere kant van het veld, recht tegenover de school, uit op een breed pad. In het midden was het een en al hooigras en brandnetels en schurftkruid en kleefkruid waar de greppels nog lagen.

'Je hoeft me niet te geloven als je niet wilt,' zei ik. 'Maar toch is het zo.'

Dat was alles. Massa's jongens kwamen over het veld aanlopen en kwamen bij elkaar op het brede pad. Drie jongens uit de bollebozenklas zaten in het lange natte gras te roken. Een van hen trok de aren van het gras en strooide die in zijn lunchtrommeltje. Ik ging langzamer lopen. Sinbad liep een paar jongens voorbij en ik zag hem niet meer. Ik wachtte tot James O'Keefe me had ingehaald.

'Heb jij je huiswerk af?' vroeg hij.

Het was een stomme vraag; we maakten altijd ons huiswerk.

'Ja,' zei ik.

'Alles?'

'Ja.'

'Ik niet,' zei hij.

Dat zei hij altijd.

'Ik heb niet al het leerwerk gedaan,' zei ik.

'Dat geeft niks,' zei hij.

Het maakwerk werd altijd gecontroleerd, alles. Daar konden we nooit mee smokkelen. We moesten van schrift ruilen; Henno liep rond, gaf de goede antwoorden en keek over onze schouders mee. Hij nam steekproeven.

'Ik bestudeer je handschrift, Patrick Clarke. Vertel me eens waarom.'

'Zodat ik geen antwoorden voor hem kan invullen, meester.'

'Juist,' zei hij. 'En hij niet voor jou.'

Hij gaf me een harde stomp tegen mijn schouder, waarschijnlijk omdat hij een paar dagen eerder aardig tegen me was geweest. Het deed pijn maar ik wreef er niet over.

'Ik ben ook jong geweest,' zei hij. 'Ik ken alle trucjes. Volgende: elf maal tien gedeeld door vijf. Eerste stap, meneer O'Keefe.'

'Tweeëntwintig, meester.'

'Eerste stap.'

Hij gaf James O'Keefe een ram tegen zijn schouder.

'Vermenigvuldig elf met tien, meester.'

'Juist. En?'

'Da's alles, meester.'

Hij kreeg nog een optater.

'De uitkomst, stomme *amadán*.'[1]

'Honderdtien, meester.'

'Honderdtien. Is dat juist, meneer Cassidy?'

'Ja, meneer.'

'Voor de verandering, inderdaad. Tweede stap?'

Juffrouw Watkins was veel gemakkelijker geweest. We maakten altijd een deel van ons huiswerk maar het was een koud kunstje om de antwoorden in te vullen als we zogenaamd de sommen corrigeerden die we al hadden gemaakt. Henno liet ons de correcties met een rood kleurpotlood aanbrengen. Je kreeg drie optaters als de punt niet scherp was. Twee keer in de week, op dinsdag en donderdag, mochten we in groepjes van twee naar de prullenmand naast zijn bureau komen om ze te slijpen. Hij had een punteslijper aan de zijkant op het blad van zijn bureau geschroefd – je stak het potlood in het gat en draaide aan de slinger – maar die mochten we van hem niet gebruiken. We moesten onze eigen punteslijper meenemen. Twee opdoffers als je was vergeten hem mee te nemen van huis, en het mocht geen punteslijper met Hector Grey, Mickey Mouse of een van de Zeven Dwergen of zoiets zijn; het moest een heel gewone zijn. Juffrouw Watkins schreef de antwoorden altijd voor negenen op het bord en ging dan achter haar bureau zitten breien.

1 Flapdrol.

'Vingers omhoog wie het goed hadden? *Go maith.*'[1]
Volgende, lees hem me voor, uh...'

Zonder op te kijken van haar breiwerk.

'Patrick Clarke.'

Ik las wat er op het bord stond en noteerde het in mijn schrift in de ruimte die ik ervoor had opengelaten. Op een keer stond ze op en liep tussen de banken door en bleef staan en keek naar mijn schrift; de inkt was nog nat en ze zag het niet eens.

'Negen van de tien goed,' zei ze. '*Go maith.*'

Ik vulde altijd een fout antwoord in, soms twee. Dat deden we allemaal, behalve Kevin. Hij haalde alleen maar tienen, met alles. Een grote kleine Ier, noemde ze hem. Kevin nam Ian McEvoy op het plein te grazen toen hij hem zo noemde; hij gaf hem een kopstoot.

Zij dacht dat ze aardig was, maar wij hadden de pest aan haar.

'Nog wakker, meneer Clarke?'

Iedereen lachte. Dat werd van ze verwacht.

'Ja, meester.'

Ik glimlachte. Ze lachten opnieuw, maar niet zo luid als de eerste keer.

'Mooi,' zei Henno. 'Hoe laat leven we, meneer Mc-Evoy?'

'Weet ik niet, meester.'

'Te arm om een horloge te kopen.'

We lachten.

'Meneer Whelan.'

Seán Whelan schoof de mouw van zijn trui omhoog en keek eronder.

'Halfelf, meester.'

'Op de kop af?'

'Bijna.'

'Precies, graag.'

'Een minuut voor halfelf, meester.'

'Wat voor dag is het vandaag, meneer O'Connell?'

'Donderdag, meester.'

'Weet je het zeker?'

'Ja, meester.'

We lachten.

'Het is woensdag, is mij verteld,' zei Henno. 'En het is tien uur dertig. Welk boek pakken we dus nu uit onze má-las,[1] meneer... meneer... meneer O'Keefe?'

We lachten. We moesten wel.

Ik ging naar bed. Hij was niet thuisgekomen. Ik kuste mijn ma.

'Slaap maar lekker,' zei ze.

'Welterusten,' zei ik.

Er groeide een haar uit een klein dingetje op haar gezicht. Precies tussen haar oog en haar oor. Ik had hem nooit eerder gezien, die haar. Hij was recht en dik.

Ik werd wakker. Het was even voordat ze boven zou komen om ons uit bed te trommelen. Ik hoorde het aan de geluiden van beneden. Sinbad lag nog te slapen. Ik wachtte niet. Ik stond op. Ik was klaarwakker. Ik schoot mijn kleren aan. Het was mooi weer; het vierkant achter de gordijnen was hel verlicht.

'Ik wilde net naar boven komen,' zei ze toen ik de keuken in kwam.

Ze was bezig de meisjes te voeden, de een moest ze voeren en bij de andere moest ze opletten dat ze zelf haar kom netjes leeg at. Catherine stak de lepel vaak naast haar mond. Haar kom was altijd leeg maar ze at nooit zoveel.

'Ik ben op,' zei ik.

'Dat zie ik,' zei ze.

Ik keek hoe ze Deirdre voerde. Ze kreeg er nooit genoeg van.

'Francis slaapt nog,' zei ik.

'Dat kan geen kwaad,' zei ze.

'Hij snurkt,' zei ik.

'Niks hoor,' zei ze.

Ze had gelijk; hij snurkte niet. Ik zei het zomaar; niet om hem in moeilijkheden te brengen. Ik wilde gewoon wat grappigs zeggen.

Ik had geen honger maar ik wilde eten.

'Je vader is al naar zijn werk,' zei ze.

Ik keek naar haar. Ze zat voorovergebogen, achter Catherine, om haar te helpen het laatste hapje goed op haar lepel te krijgen. Ze raakte haar arm aan, maar hield hem niet vast; ze richtte de lepel op de pap.

'Brave meid...'

Ik ging weer naar boven. Ik wachtte, luisterde; ze was veilig beneden. Ik ging naar hun slaapkamer. Het bed was opgemaakt, het dekbed over de kussens en erachter ingestopt. Ik trok het los. Ik luisterde. Ik keek eerst naar de kussens. Ik sloeg het verder terug, de dekens ook. Het onderlaken had ze niet rechtgetrokken. Alleen aan haar kant kon je zien dat er iemand had gelegen, de kreukels klopten; ze hoorden bij de kussens. De andere kant was glad, de kussens bol. Ik legde mijn hand op het laken; aan haar kant voelde het warm aan, dacht ik. Aan zijn kant heb ik niet gevoeld.

Ik stopte het dekbed niet in; om het haar te laten weten.

Ik luisterde. Ik keek in de klerenkast. Zijn schoenen en dassen waren er, drie paar schoenen, te veel dassen, trossen vol.

Ik bedacht me; ik stopte het dekbed weer in en streek het glad.

Ik keek naar haar. Ze maakte de kinderstoel schoon. Ze zag er net zo uit als anders. Behalve dan die haar en die kon ik nu niet zien. Ik deed mijn uiterste best, ik keek naar haar, ik probeerde iets van haar gezicht af te lezen.

Ze zag er net zo uit als anders.

'Zal ik Francis wakker maken?'

Ze gooide de doek weg en hij kwam op de rand van de gootsteen terecht.

Ze gooide anders nooit met dingen.

'Dat doen we samen,' zei ze.

Ze pakte de baby op en zette haar vast in haar wipstoeltje. Toen stak ze haar hand uit, naar mij. Haar hand was nat. We slopen de trap op. We lachten toen de treden kraakten. Ze kneep in mijn hand.

De begrafenis zou kolossaal zijn. Met een vlag op zijn kist. De familie van de geredde persoon zou mij en Sinbad geld geven. Mijn ma zou zo'n rouwsluier dragen, vlak voor haar gezicht. Ze zou er prachtig uitzien daarachter. Ze zou stilletjes huilen. Ik zou helemaal niet huilen. Ik zou mijn arm om haar heen slaan als we de kerk uitkwamen en iedereen naar ons keek. Sinbad zou nog te klein zijn om bij haar schouders te kunnen. Kevin en de anderen zouden naast mij willen staan buiten de kerk en aan het graf, maar dat zouden ze niet kunnen omdat er zoveel mensen zouden zijn, niet alleen de familieleden. Ik zou een pak dragen met een lange broek en een echte binnenzak in het jasje. De familie van de geredde jongen zou een gedenkplaat op onze muur naast de voordeur laten aanbrengen. Mijn pa was gestorven toen hij het leven van een jongetje redde. Maar zo zou het niet gaan; dat was allemaal flauwekul. Dromen was alleen maar leuk zolang het duurde. Mijn pa zou niks overkomen. Trouwens, ik wilde helemaal niet dat hij zou doodgaan of wat dan ook; hij was mijn pa. Ik stelde me liever mijn eigen begrafenis voor; dat was een veel betere droom.

Ik zag Charles Leavy door het hek de school uit lopen. Ik keek om me heen – ik wilde er niemand anders bij hebben – en liep achter hem aan. Ik verwachtte een schreeuw; in de kleine pauze mochten we het schoolplein niet af. Ik bleef in hetzelfde tempo doorlopen. Ik stak mijn handen in mijn zakken.

Hij was het veld opgelopen. Ik trapte tegen een steen toen ik de straat overstak. Ik keek achterom. De fietsenstalling onttrok het grootste deel van het plein aan het gezicht. Niemand keek. Ik rende. Hij was in het hoge gras gaan zitten. Ik hield de plek goed in het oog. Ik vertraagde mijn pas en liep door het gras. Het was nog nat. Ik floot. Ik dacht dat ik recht op hem toe liep.

'Ik ben 't.'

Ik zag een open plek in het gras, een kuil.

'Ik ben 't.'

Daar zat hij. Ik moest ook gaan zitten maar dat wilde ik niet. Mijn broek was al donker van het vocht. Hij zat op een doorweekte kartonnen doos. Voor mij was er geen plaats. Ik ging op mijn hurken op de rand zitten.

'Ik zag je,' zei ik.

'Nou en.'

'Zomaar.'

Hij nam een trekje van zijn Major. Die moest hij hebben aangestoken in de tijd die het mij kostte om hem in te halen. Hij bood mij geen trekje aan. Daar was ik blij om, al had ik gehoopt dat hij het wel zou doen.

'Spijbel je?'

'Dacht je dat ik mijn tas in de klas zou laten als ik spijbelde?' vroeg hij.

'Nee,' zei ik.

'Nou dan.'

'Dat zou hartstikke stom zijn.'

Hij nam nog een trekje. Wij waren de enigen op het veld. De paar geluiden die je hoorde, kwamen van het schoolplein, het geschreeuw en een fluitje van een meester en een betonmolen of iets dergelijks in de verte. Ik keek naar de rook die uit zijn mond kwam. Hij niet. Hij keek naar de lucht. Ik was nat. Ik luisterde of ik de bel hoorde. Hoe moesten we naar binnen komen? De stilte was net een pijn in mijn buik. Hij was niet van plan een bek open te doen.

'Hoeveel rook je per dag?'

'Stuk of twintig.'

'Hoe kom je aan het geld?'

Ik wilde niet dat het klonk alsof ik hem niet geloofde. Hij keek me aan.

'Dat jat ik,' zei hij.

Ik geloofde hem.

'Ja,' zei ik, alsof ik dat ook deed.

Toen keek ik ook naar de lucht. We hadden niet veel tijd meer.

'Ben jij wel 's weggelopen?' vroeg ik.

'Rot nou gauw op jij.'

Ik was verbaasd. Toen begreep ik het: waarom zou hij?

'Heb je het ooit willen doen?'

'Als ik het had gewild, dan had ik het gedaan,' zei hij.

Toen stelde hij een vraag.

'Je dacht er zeker over om 't zelf te doen, hè?'

'Nee.'

'Waarom vroeg je het dan?'

'Zomaar.'

'Ja, zal wel.'

Ik was van plan geweest hem te vragen of ik mee mocht als hij de volgende keer wegliep. Daarom was ik achter hem aan gelopen. Het was stom van me. Nou zat ik daar vast op dat veldje, buiten het schoolplein. Ik was bij hem maar dat kon hem geen bal schelen. Als Charles Leavy ooit van huis zou weglopen, dan zou hij nooit meer terug-komen. Hij zou voorgoed wegblijven. En dat wilde ik niet.

Ik wilde niet gepakt worden. Ik stond op.

'Tot straks.'

Hij gaf geen antwoord.

Ik sloop naar de rand van het veld maar er was geen lol aan.

Ik wilde weglopen om ze ongerust te maken, om ze

zich schuldig te laten voelen, om ze naar elkaar toe te drijven. Zij zou huilen en hij zou zijn arm om haar heen slaan. En zijn arm zou daar blijven als ik achter in een politiewagen werd thuisgebracht. Ik zou naar Artane worden gestuurd omdat ik de tijd en het geld van de politie had verspild, maar ze zouden elke zondag bij me op bezoek komen, zolang ik daar zat, niet zo erg lang. Ze zouden denken dat het hun schuld was, Sinbad ook, maar ik zou zeggen dat het dat niet was. Dan zou ik worden vrijgelaten.

Dat was mijn plan geweest.

Ik stond op uit het gras. Ik keek om me heen alsof ik iets zocht, met een bezorgde blik.

'Ik heb een briefje van tien verloren, meester. Ik moest het van mijn ma bewaren voor boodschappen.'

Ik haalde mijn schouders op en gaf het op. Het tientje was weggeblazen door de wind. Het gevaarlijkste stuk, om de stalling heen, terug het plein op. Niemand wachtte me op. Meneer Finnucane kwam naar buiten met de bel. Ik ging naast Aidan en Liam staan.

'Waar was jij?'

'Even een saffie roken.'

Ze keken me aan.

'Met Charlo,' zei ik.

Ik kon mijn mond niet houden.

'Willen jullie mijn adem ruiken?'

Meneer Finnucane hield de bel met zijn ene hand omhoog en met zijn andere hield hij de klepel vast. Zo deed hij het altijd. Hij hief hem boven zijn schouders, liet dan de klepel los en liet de bel zakken en tilde hem weer omhoog en liet hem weer zakken, tien keer. Hij bewoog zijn lippen bij het tellen. Als hij tien sloeg, moesten we in de rij staan. Charles Leavy stond voor me, vijf plaatsen. Kevin stond achter me. Hij gaf me een trap in mijn knieholte.

'Hou op met dat gedonder!'

'Pak me dan, als je durft.'

'Daar kun je op rekenen.'

'Toe dan.'

Ik deed niks. Ik wilde hem wel te grazen nemen.

'Kom op, dan.'

Ik gaf hem achterwaarts een trap tegen zijn schenen. Het deed pijn; dat voelde ik. Hij maakte een sprong opzij.

'Wat gebeurt daar?'

'Niks, meester.'

'Wat is er met jou aan de hand?'

Het was meester Arnold, niet Henno. Hij was de jongens in zijn rij aan het tellen. Het kon hem niet veel schelen wat er was gebeurd. Hij keek alleen over de hoofden van de jongens naar ons. Hij had niet de moeite genomen tussen hen door naar ons toe te komen.

'Ik viel, meester,' zei Kevin.

'Nou, denk erom dat je niet nog eens valt.'

'Ja, meester.'

Kevin stond weer achter me.

'Dat zal ik je betaald zetten, Clarke.'

Ik keek niet eens om.

'Dat zet ik je betaald. Hoor je me?'

'Koppen dicht daar achterin.'

Henno was naar buiten gekomen om ons op te halen. Hij marcheerde aan de ene kant langs ons, telde, en terug langs de andere kant. Op de terugweg liep hij mij voorbij. Ik wachtte tot Kevin zou toeslaan. Hij gaf me een stomp in mijn rug. Voor meer had hij geen tijd.

'Dat is nog maar het begin.'

Het kon me niks schelen. Hij had me niet erg pijn gedaan. Trouwens, ik kon hem altijd terugpakken. Hij was mijn vriend niet meer. Hij was een flapdrol, een mafketel, een liegbeest. Hij wist van toeten noch blazen.

'*Anois,*'[1] schreeuwde Henno naar voren. '*Clé deas,*[2] *clé deas...*'

We marcheerden het hoofdgebouw binnen, de hoek om, naar ons lokaal. Henno stond bij de deur.

'Voeten vegen.'

Hij hoefde het maar één keer te zeggen. De jongens vooraan deden het en iedereen volgde hun voorbeeld. De laatste moest de deur zachtjes achter zich dichtdoen. Je kon in de school een speld horen vallen. Henno liet ons altijd als laatste naar binnen zodat onze geluiden zich niet zouden vermengen met die van de andere klassen. Als hij het geringste gefluister hoorde, liet hij ons een halfuur stilstaan. We moesten wachten tot de twee jongens voor ons in het lokaal waren voor we naar binnen mochten.

Ik was nog steeds van plan weg te lopen, zelfs zonder Sinbad of Charles Leavy. Ik was het liefst met Sinbad gegaan, zoals in *Flight of the Doves*, ik als de grote broer, die zijn kleine broertje op zijn rug nam als hij te moe was, door de sloten en de moerassen, over rivieren. Voor hem zorgend.

'De volgende twee jongens.'

Ik zou alleen gaan.

'Volgende twee.'

1 Nu.   2 Links-rechts.

Niet al te ver weg. Ergens waar ik naar toe kon lopen, en terug.

'Volgende twee.'

Kevin stond me op te wachten. Hij had het een paar jongens verteld. Ze stonden me op te wachten. Het kon me niks schelen. Ik was niet bang. Hij had tot nu toe altijd van me gewonnen. Toen lag het anders; ik had niet willen winnen. Nu kon het me niks schelen. Als hij me pijn zou doen, zou ik hem pijn doen. Het maakte niet uit wie er won. Ik probeerde niet hem te ontlopen, te doen alsof hij er niet was of dat ik het was vergeten. Ik liep recht op hem af. Ik wist wat er komen ging.

Hij duwde me tegen mijn borst. De ruimte tussen ons en de omstanders werd kleiner. Ik moest snel zijn; de onderwijzers konden elk moment naar buiten komen. Ik deed een stap achteruit. Hij moest me volgen.

'Kom op.'

Hij gaf me weer een duw, harder – een duw met open handen – om me uit te dagen.

Ik zei het hard genoeg.

'Ik heb de poepstrepen in je onderbroek gezien.'

Ik zag het, de gekwetstheid, de pijn, de woede die zich een ogenblik op zijn gezicht aftekende. Hij kreeg een rode kop; zijn ogen werden kleiner en vochtig.

De jongens drongen dichter om ons heen.

Hij stormde met gebalde vuisten op me af; hij moest en zou me krijgen. Kon hem niet schelen hoe; hij lette niet op. Hij knalde tegen me aan. Een vuist open; hij wilde me krabben. Hij gromde. Ik ontweek hem. Ik gaf hem een stomp tegen de zijkant van zijn gezicht; ik deed me pijn.

Hij draaide zich om en viel weer aan; zijn vinger in mijn neus. Ik gaf hem een knietje, mis; nog een keer, raak, boven zijn knie. Ik klemde hem tegen me aan. Hij probeerde met alle geweld los te komen. Ik greep zijn haar vast; mijn hand was nat: zijn snot en tranen. Hij kon zich niet van me losmaken; dan zouden ze zien dat hij huilde. Ik probeerde zijn handen los te rukken en achteruit te springen; ik kon het niet. Ik gaf hem nog een knietje, mis. Hij jankte, binnensmonds. Ik had zijn haar te pakken; ik trok zijn hoofd achterover.

'Da's gemeen!'

Iemand riep dat. Kon me niks schelen. Stom gelul. Dit was het belangrijkste dat me ooit was overkomen; ik wist het zeker.

Zijn hoofd ramde tegen mijn gezicht aan, voornamelijk tegen mijn mond. Het bloedde, ik proefde het. De pijn was prettig. Het was niet erg. Het maakte niet uit. Hij deed het nog een keer, niet zo goed. Hij duwde me achteruit. Als ik viel was het wat anders. Ik ging achteruit, ik begon te vallen. Ik viel tegen iemand aan. Hij probeerde me te ontwijken – sprong achteruit – maar het was te laat; ik stond weer stevig op mijn benen. Dit was geweldig.

Hij schoof mijn trui en mijn blouse en mijn onderhemd omhoog tot onder mijn kin, hij probeerde me op de grond te gooien. Hij moet er stom hebben uitgezien. Ik kon hem niet schoppen; ik had mijn benen nodig. Ik balde allebei mijn handen tot vuisten en stompte hem aan beide kanten van zijn hoofd, een keer, twee keer, toen greep ik zijn armen om te voorkomen dat zijn handen dichter bij mijn gezicht kwamen. Hij leek veel kleiner dan ik. Zijn gezicht drukte midden tegen mijn borst, boorde zich erin, hij beet in de onderkant van mijn trui. Ik greep hem van achteren bij zijn haar en drukte. Zijn hoofd schoof omlaag naar mijn buik en hij dacht dat hij me te pakken had, dat hij me hard genoeg achteruit kon duwen om me op de grond te krijgen. Ik hield zijn haar vast. Hij stond op het punt om zich op te richten – ik trok mijn knie recht omhoog, beng in zijn gezicht – harder dan wat ook. In zijn gekreun klonk schrik, pijn en verslagenheid door. Hij was er geweest. Iedereen was stil. Zoiets hadden ze nog nooit gezien. Ze wilden Kevins gezicht zien en waren er bang voor.

Het zou nooit meer worden zoals vroeger.

Mijn knie was dikker geworden. Ik voelde het. Ik had zijn hoofd nog steeds vast. Hij klampte zich nog aan me vast, duwde, maar hij was kapot. Ik probeerde het nog een keer, nog een knietje, maar deze keer dacht ik er te veel bij na; dat maakte mijn been trager. Ik raakte nauwelijks zijn gezicht. Ik kon niet ophouden voor hij ophield. Ik pakte een van zijn oren en draaide het om. Hij gilde tot hij zichzelf weer in bedwang had. Ik wilde er geen einde aan maken zoals we dat gewend waren; dit was anders. Het was voorbij maar hij wilde het niet toegeven, dus vroeg ik het.

'Geef je je over?'

'Nee.'

Dat moest hij wel zeggen. Nu moest ik hem pijn doen. Ik pakte zijn oor, draaide het om, zette mijn nagels erin.

'Geef je over.'

Ik hield niet op met draaien om hem de kans te geven iets te zeggen. Hij kon geen antwoord geven. Dat wist ik. Ik draaide zijn oor terug.

'Geef je je over?'

Hij zei niks.

En ik wilde niks meer doen. Dus liet ik los. Ik legde mijn handen op zijn schouders en duwde hem ver genoeg van me af om weg te kunnen lopen. Ik keek niet eens naar zijn gezicht.

Ik stak de straat over. Ik liep mank. Hij kon achter me aankomen; ik had niet gewonnen; hij had zich niet overgegeven. Hij kon achter me aankomen en boven op me springen. Ik keek niet om. Iemand gooide een steen. Het kon me niks schelen. Ik keek niet om. Ik had mijn manke been en ik had honger. Ik had Kevins bloed op mijn broek. Ik was alleen.

'Ik heb me niet overgegeven,' zei hij.

Na het eten, op het plein.

'Ik maak je af,' zei hij.

Zijn neus was rood, zijn kin was geschaafd. Vijf dunne wonden in een boog. De huid naast zijn rechteroog was paarsachtig rood. Er zat geronnen bloed op zijn trui, niet veel. Hij had een schone blouse aan.

'Jij hebt niet gewonnen.'

Ik bleef stilstaan en keek hem recht aan. Ik zag dat het hem moeite kostte niet om zich heen te kijken, om zich ervan te verzekeren dat hij ervandoor kon gaan. Ik zei niks. Ik liep door.

Hij bleef staan.

'Schijtlijster!'

Mijn ma was op me afgerend toen ze mijn broek had gezien, met het bloed erop. Toen bleef ze stilstaan en nam me van top tot teen op.

'Wat is er met jou gebeurd?'

'Ik heb gevochten.'

'O.'

Ik moest een andere broek van haar aantrekken maar verder zei ze er niks over.

'Waar heb je de vuile gelaten?'

Ik ging terug naar boven en pakte hem. Ik stopte hem in de plastic mand in de hoek tussen de koelkast en de muur.

'Hij moet in de week,' zei ze.

Ze haalde hem eruit. Sinbad zag hem. Het was moeilijk te zien dat er bloed op zat. Op de stof waren de vlekken niet rood.

Een andere stem.

'Schijtlijster!'

Ian McEvoy.

'Hé, schijtlijster!'

Een poosje voelde ik een leegte in me; ik begon eraan te wennen.

'Aan z'n haar trekken.'

'Krahhh! Krakra-krakra-krakra!'

Dat was James O'Keefe, die een lijster nadeed. Daar was-ie goed in. Ik ging naar de fietsenstalling en ging daar zitten, in m'n eentje. Ze stonden met z'n allen in de zon en keken naar binnen, turend want het was donker binnen en de zon stond achter de stalling. Het was er koel. Het was er doodstil.

'Boycot!'

Kevins stem.

'Boycot!'

Met z'n allen.

'Boycot boycot boycot!'

De bel ging en ik stond op.

Kapitein Boycot was geboycot door de huurders omdat hij ze altijd uitbuitte en hun huis uitgooide. Ze wilden niet meer met hem praten of wat dan ook en hij werd gek en ging terug naar Engeland waar hij vandaan kwam.

Ik ging in de rij staan. Ik stond achter Seán Whelan. Ik zette mijn tas op de grond. Er kwam niemand naast me staan. Henno kwam naar buiten.

'Rechtop staan; kom op.'

Hij begon te lopen, te tellen. David Geraghty stond naast me. Hij leunde op een bepaalde manier op één kruk. Hij draaide zijn hoofd om alsof hij Henno nakeek.

'Daar gaat-ie.'

Hij ging rechtop staan.

'Fantastische baan; kinderen tellen.'

Ik keek naar David Geraghty's lippen. Ik zag ze niet bewegen. Zijn mond stond een klein beetje open.

Fluke Cassidy moest naast me zitten. Hij keek me niet aan. De enige die keek was Kevin. Zijn mond bewoog.

Boycot.

Ik vond het best. Ik wilde met rust worden gelaten. Ik wilde alleen niet dat ze allemaal de hele tijd bezig waren me met rust te laten. Iedereen die ik aankeek keek de andere kant op. Het begon me te vervelen. Ik keek naar Seán Whelan en Charles Leavy; die deden niet mee. Naar David Geraghty; die wierp me een kusje toe.

Verder iedereen.

Ik hield op met kijken. Ze konden me alleen boycotten als ik niet wilde worden geboycot.

'Heb je gewonnen?' vroeg ze.

Ik wist het.

'Wat?' vroeg ik.

'Het gevecht.'

'Ja.'

Ze zei niet Goed zo, maar ze keek wel zo.

'Wie was 't?' vroeg ze.

Ik keek naar haar schouder.

'Wil je het niet zeggen?'

'Nee.'

'Oké.'

Ik kroop in de droogkast. Ik moest erin klimmen, over de tank. Die was heet. Ik zorgde wel dat ik er niet met mijn benen tegenaan kwam. Ik gebruikte een stoel om op de onderste plank te komen; handdoeken en theedoeken. Ik boog me voorover en schopte de stoel weg van de deur. Toen het lastigste stuk; ik leunde verder naar buiten en greep de deur en trok hem naar me toe, dicht. Er zat geen kruk aan de binnenkant. Ik moest mijn vingers in de houten richels van de deur klemmen. De lucht floepte naar buiten; klik.

Pikkedonker. Helemaal geen licht, niet aan de binnenkant of door het hout. Ik testte mezelf. Ik was niet bang. Ik deed mijn ogen dicht, hield ze dicht, deed ze open. Nog steeds pikkedonker en ik was nog steeds niet bang.

Ik wist dat het niet echt was. Ik wist dat het donker buiten niet zo donker was als dit, maar het zou griezeliger zijn. Dat wist ik. Maar toch was ik best tevreden. Het donker zelf stelde niks voor; er was niets in waar ik bang voor hoefde te zijn. Het was lekker in de droogkast, vooral op de handdoeken; het was beter dan onder de tafel. Ik bleef er zitten.

Hij kwam thuis alsof er niks aan de hand was. Hij at zijn avondeten op. Hij praatte met mijn ma; in de trein was een vrouw ziek geworden.

'Wat zielig,' zei mijn ma.

Niks veranderd. Zijn pak, overhemd, das, schoenen. Ik keek naar de schoenen; ik liet mijn vork vallen. Ze waren gepoetst, zoals altijd. Ik raapte mijn vork op. Zijn gezicht was niet zo donker als het meestal was als hij thuiskwam, het deel dat hij moest scheren. Er zaten meestal stoppels waar hij die 's ochtends had weggeschoren. Hij kietelde ons er vroeger mee.

'Daar komt pappie met zijn stekelbaard...!'

We renden weg maar we gilden van de pret.

Ze waren er niet. Zijn gezicht was glad; de haartjes zaten onder zijn huid. Hij had zich vanochtend niet geschoren.

Het was een fijn gevoel: ik had hem ergens op betrapt. Ik at alle worteltjes op.

Ik bleef in de droogkast en luisterde naar mijn ma en de meisjes beneden. De achterdeur was open. Catherine klom steeds weer naar binnen en naar buiten. Ik luisterde of ik Sinbad hoorde; hij was er niet. Mijn pa bewoog zich niet. Het bleef donker, alleen een heel klein lichtstreepje, bij de rand van de deur. Buiten zou dat anders zijn. Daar had je de wind en het weer en de dieren en de mensen en de kou. Maar het donker was het grootste probleem. Tegen de kou kon ik warme kleren aantrekken en ik kon mijn zaklantaarn meenemen om de dieren op een afstand te houden. Nachtelijke wezens. Mijn windjak – ik moest de capuchon niet vergeten – zou me droog houden. Het donker was het grootste probleem, en ook dat had ik opgelost. Ik was er helemaal niet meer bang voor. Ik vond het prettig. Dat was een teken dat je volwassen werd, als je je in het donker net zo op je gemak voelde als overdag.

Ik was er klaar voor, bijna. Ik had de blikopener gepikt. Dat ging heel gemakkelijk. Ik haalde het prijsje eraf en hield hem vast alsof ik hem al had toen ik de winkel in kwam, en ik was er zo mee naar buiten gelopen. Tot nu toe had ik twee blikjes, bonen en ananasschijven. Ik wilde niet te veel ineens pikken; dan zou mijn ma merken dat ze weg waren. De ananasschijven stonden al jaren in de muurkast. Ik had ontdekt waar mijn ma de onderbroeken bewaarde en de sokken en de truien en zo; op de plank boven me, in de droogkast. Ik kon ze pakken wanneer ik maar wilde. Ik had alleen maar een stoel nodig. Het enige wat ik niet had was geld. Ik had één gulden tien gespaard maar dat was bij lange na niet genoeg. Ik moest gewoon het spaarbankboekje zien te vinden, als ik dat had was ik helemaal klaar. Dan kon ik vertrekken.

Het enige wat ik miste was het gepraat, dat ik niemand had om mee te praten. Ik praatte graag. Ik probeerde niemand over te halen met me te praten. Ze liepen allemaal achter Kevin aan, vooral James O'Keefe. Hij brulde het de hele tijd.

'Boycot!'

Aidan en Liam vielen wel mee. Zij keken naar me; zij gaven antwoord als ik wat vroeg. Ze zagen er gejaagd en bedroefd uit. Zij kenden het gevoel. Ian McEvoy keek me aan op een manier die ik nog niet eerder had gezien. Hij grijnsde spottend, met de helft van zijn mond. Hij liep met een boog weg als ik in de buurt was, alsof hij van plan was naar me toe te komen maar zich bedacht. Het kon me niks schelen. Charles Leavy was dezelfde als altijd. Niemand van hen praatte met me, helemaal niemand.

Behalve David Geraghty. Die wist van geen ophouden. We zaten naast elkaar aan weerszijden van het eerste tussenpad. Hij leunde opzij, zich vasthoudend aan zijn bank, vlak onder Henno's neus.

'Joehoe.'

Hij probeerde me aan het lachen te maken.

'Goeiemorgen.'

Hij was geschift. Ik vroeg me bijna af of hij expres kreupel was geworden; misschien wilde hij wel geen benen zoals de rest van ons. Hij deed het niet om mij op te beuren; hij deed het gewoon. Hij was knotsknettergek, helemaal in z'n eentje; veel beter dan Charles Leavy: hij hoefde niet te roken of ons te laten zien dat hij spijbelde.

'Prachtig weertje vandaag.'

Hij klakte met zijn tong.

'Om te zoenen, ouwe reus.'

Hij klakte opnieuw met zijn tong.

'Klote klote kont kont kut kut.'

Ik lachte.

'Zo ken ik je weer.'

Het was de kleine pauze. Ik stond in m'n eentje, ver van alle anderen vandaan zodat we niet ons best hoefden te doen om elkaar te boycotten. Ik keek of ik Sinbad zag, zomaar.

Ik hoorde het voor ik het voelde, de zoef door de lucht,

toen de klap op mijn rug. Hij duwde me vooruit en ik besloot te vallen. Het deed echt pijn. Ik draaide me om en keek. Het was David Geraghty. Hij had me een mep verkocht met een van zijn krukken. Ik voelde de striem op mijn rug. De knal ervan gonsde nog om me heen.

Hij huilde. Hij kon zijn hand niet in de armsteun krijgen. Hij huilde echt. Hij keek me aan toen hij het zei.

'Kevin zei dat ik je dit moest geven.'

Ik bleef op de grond zitten. Hij trok zijn krukken recht en hobbelde naar de fietsenstalling.

Ik kreeg nooit de kans om weg te lopen. Het was al te laat. Hij liep eerder weg. Zoals hij de deur dichtdeed; hij sloeg hem niet dicht. Er was iets mee; ik wist het gewoon: hij kwam niet meer terug. Hij deed hem gewoon dicht, alsof hij een boodschap ging doen, alleen was het de voordeur en de voordeur gebruikten we alleen als er iemand op bezoek kwam. Hij sloeg hem niet dicht. Hij deed hem achter zich dicht; ik zag hem door het glas. Hij wachtte een paar seconden, toen ging hij. Hij had geen koffer bij zich en zelfs geen jas aan, maar ik wist het.

Mijn mond ging open en er vormde zich een schreeuw maar die kwam nooit. En een pijn in mijn borst en ik hoorde mijn hart het bloed door de rest van mijn lijf pompen. Ik hoorde te huilen; ik dacht dat ik huilde. Ik snikte één keer en dat was alles.

Hij had haar weer geslagen en ik zag hem, en hij zag mij. Hij gaf haar een stomp tegen haar schouder.

'Hoor je wat ik zeg!?'

In de keuken. Ik kwam binnen voor een glaasje water; ik zag haar terugdeinzen. Hij keek me aan. Hij ontspande

zijn vuist. Hij kreeg een kleur. Hij leek zich vreselijk opge-
laten te voelen. Hij wilde wat tegen me zeggen, dat dacht
ik tenminste. Hij zei niks. Hij keek naar haar; zijn handen
bewogen. Ik dacht dat hij haar terug wilde zetten op de
plaats waar ze had gestaan voor hij haar had geslagen.

'Wat wil je, schat?'

Dat vroeg mijn ma. Ze hield haar schouder niet vast of
zoiets.

'Een glaasje water.'

Het was buiten nog licht, te vroeg om ruzie te maken.
Ik wilde zeggen dat het me speet dat ik er was. Mijn ma
schonk mijn beker vol bij het aanrecht.

Het was zondag.

Mijn pa zei wat.

'Hoe is het met de wedstrijd?'

'Ze winnen,' zei ik.

De Grote Match was op de televisie en Liverpool ver-
sloeg Arsenal. Ik was voor Liverpool.

'Fantastisch,' zei hij.

Ik was ook gekomen om hem dat te vertellen, en voor
een glaasje water.

Ik pakte de beker aan van mijn ma.

'Hartstikke bedankt.'

En ik ging weer naar binnen en keek hoe Liverpool
won. Ik juichte toen het laatste fluitje klonk maar niemand kwam binnen om te kijken.

Hij sloeg niet eens een klein beetje met de deur. Ik zag
hem door het glas, hij wachtte even; toen was hij verdwenen.

Ik wist wat er ging gebeuren: morgen of overmorgen
zou mijn ma mij bij zich roepen en als we dan helemaal

alleen met z'n tweetjes waren zou ze zeggen: 'Nu ben jij de man in huis, Patrick.'

Zo ging het altijd.

'Paddy Clarke
Paddy Clarke
Heeft geen pa.
Ha ha ha!'
Ik luisterde niet naar ze. Het waren nog maar kinderen.

De dag voor Kerstmis kwam hij thuis, op bezoek. Ik zag hem weer door het glas van de deur. Hij had zijn zwarte jas aan. Toen ik hem weer zag herinnerde ik me hoe die rook als hij nat was. Ik deed de deur open. Ma bleef in de keuken; ze was druk in de weer.

Hij zag me.

'Patrick,' zei hij.

Hij stopte de pakjes die hij bij zich had onder een arm en stak zijn hand uit.

'Hoe gaat 't met je?' vroeg hij.

Hij wilde me een hand geven.

'Hoe gaat 't met je?'

Zijn hand voelde koud, en groot, droog en hard aan.

'Heel goed, dank je wel.'